All About Yohji Yamamoto from 1968

山本耀司。モードの記録。

モードの意味を変えた山本耀司の足跡を探して。

田口淑子 編集
editing: Toshiko Taguchi

Contents

COVER
山本 豊 写真
photograph : Yutaka Yamamoto
二本木 敬 デザイン
art direction : Kei Nihongi (9B)

本書は、雑誌『装苑』『ハイファッション』『ミスター・ハイファッション』で
掲載した記事を抜粋し、再構成した記事と新たに取材した記事で構成。
現在と内容の一致しない表記・文章に関しては、修正や説明を加えています。
雑誌で掲載した年代は、各記事の扉に記載。
詳細については、頁数の脇に明記しています

EVOLUTION OF FASHION

山本耀司のファッション進化論。1986-1987

ファッションは変化する。山本耀司は、ファッションを変革する。何のために? そしてどんな方法で?
彼の服に潜むデザインの秘密を探りたい。その精神と技術をきき出したい。
山本耀司とハイファッション編集部の質問と答えによる会話形式のインタビュー。

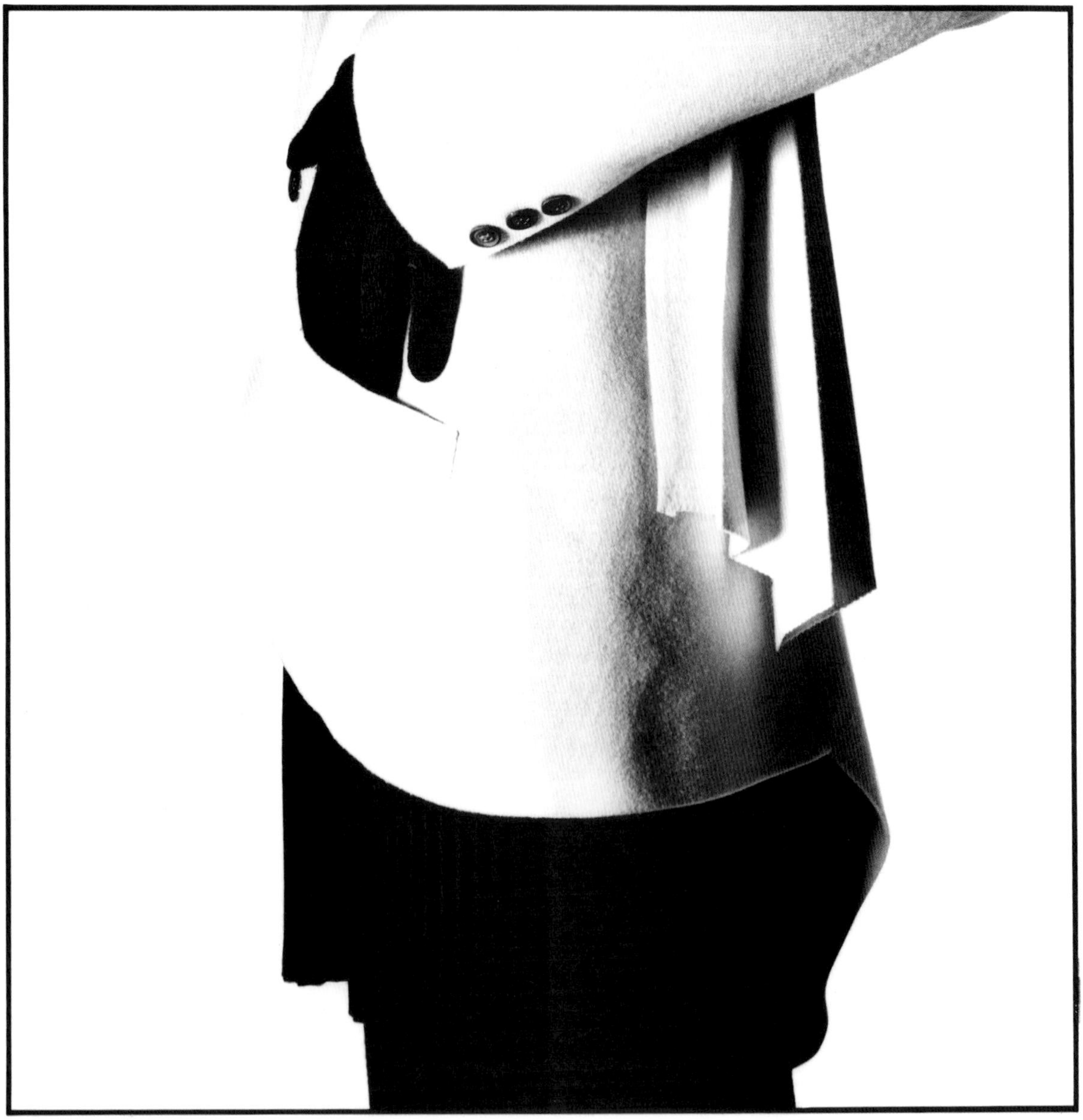

——オブジェみたいにきれいなジャケット。このプリーツも無意味?
——そう、後からくっつけたんだ。
機能の美に疑問を感じて、無意味な装飾をいっぱいつけてみた。

#001 MODERNISM

photographs : Nick Knight **モダニズム。**

—— この衿もとの折り紙、ポケットやバッグにも使われていましたね。何か意味が。

—— 服に、意味、無意味ってあるのかな、と思いはじめて。
さかのぼれば裸の首にかけたひもも衣服だし。今回は無意味なものに挑戦してみようと。

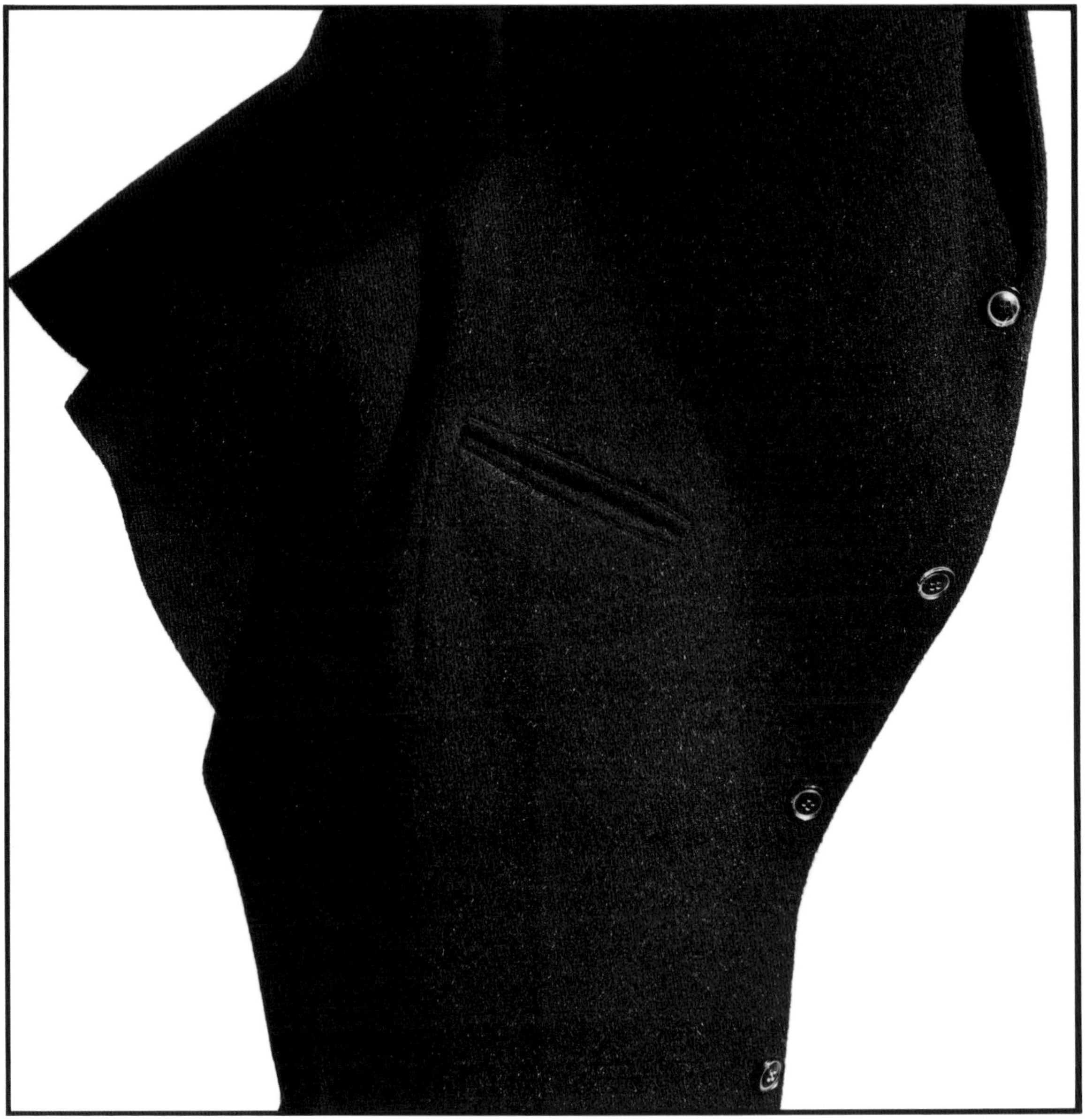

——疑問からデザインが始まる?

——どんな分野であれ、疑問を持つ人でなきゃ、物は作れないと思うよ。

——『平凡社大百科事典』によると、モダニズムとは、根源的な懐疑精神に貫かれた、ブルジョア文化に対する急進的な批判である、と書いてあるけど。

——自分自身で疑問を提起してそれに答える。悪戦苦闘の中から生まれるものが真実だと信じたい。
だから物を作る人は、基本的な姿勢としてモダニズム精神が必要なんじゃないか。

——もっと苦しみなさいってこと?

——そうじゃない。その悪戦苦闘を楽しみなさい。それが物を作る喜びなんだと。

——じゃあ、安易に過去のものをなぞっちゃいけない。

——トレーニング、修練としてのクラシシズムは必要だけどね。
音楽家が感性だ味だと言えるまでには、何年、何十年と基本的な練習を積む。デザイナーだって、基本的なテクニックを身につけていなきゃ話にならない。
ただ、その中には過去の人がつくった価値観、文化観に支えられた部分があるから大きな矛盾を感じるはず。その矛盾に苦しむべきだ。
基礎で苦しんでいるうちに、自分の判断、闘い方がわかってくる。
それからすべてのエスタブリッシュメントに反論すればいい。そうじゃなきゃ勝てないよ。

——耀司さんのバスルみたいに、クラシックをパロディにしちゃうとか。

——この写真のコート。チュールのバスルをつけるために、後ろをあけたわけ。

——バスルは、とりはずしできるんですって?

——うん、僕の、フォーマルウェアに対する提案なんだ。
みんなさ、特別に服作ったり、アクセサリーつけたり、大騒ぎするから。ふだん着ている服にバスルをつければ、はい、フォーマルってね。

——フ、フ、皮肉っぽい。

—— アバンギャルド・クチュールは、オートクチュールを全否定するのではなくて
その技術を学び、新しい解釈で取り入れたってことかしら。
—— こちらの武器にしようと。たとえばここ数年、前衛の服を作ってきた人たちは、
ダーツに苦しんだと思う。深さ、長さ、ふくらみ、全体とのバランスがわからない。
僕も10年ぶりにダーツをとって、学生時代には気がつかなかった意味がわかった。
でも昔と同じとり方はしない。
—— 自分の方法を見つけるのね。
—— それは布と人間の体が教えてくれる。デザイン画が服を作るんじゃないんだ。
手慣れたテクニックでシナリオを作りすぎてはだめ。ボディに布を置いてごらん、
布の流れと重みが走っていく。
布地が、たて糸とよこ糸の力関係で生きて動いているのを見ながら作ること。
シーティングで仮縫いなんかするなって、言いたいね。
—— 生きている布地を殺さなければ、服も着る人と一緒に生きるわけね。
—— そういう服を作りたいと思っています。

SILHOUETTE #002

シルエット。 photographs: Nick Knight

―― きれいなシルエットですね。

―― 服のこと？　それとも女性のプロポーションとしてのシルエット？

―― もちろん、両方。

―― 僕は、服と、女の人のボディを切り離して考えているんですよ。持って生まれた骨格とか肉のつきぐあいとか、若さとか、ボディコンシャスの一定の美意識に反発を感じてね。時代によって多少変化はあるけれど、ほとんど昔ながらの価値観を受け継いでいる。その美しさに頼る、あるいはモードの出来栄えの何割かをあずけるというのが不満でした。シルエットというときの、万人共通のイメージを否定するところに、僕の仕事の前半があったわけ。西欧の女性やモードに対する美意識を根源的に考え直すべきじゃないか、という提案も含めてね。

―― それが、どうしてこんなにシルエットの際立った服に？

―― 一つにはね、さっき言ったように、女の人と切り離して服を作ったということ。秋冬のコレクションのときは、最初からスタッフに「筆箱みたいな服を作るぞ」と宣言したくらいですから。着る女性に幻想を持たずに、服そのものをオブジェとして、グラフィックとして作ろうと。ゴルチエはロシア文字でグラフィックな表現をしたけれど、僕は、布地そのものでグラフィックを表現したかった。

―― この写真もグラフィックそのもの。

―― 立体のオブジェだから。

―― 着る人はどうなるの？

―― それは、服をフィットさせたもう一つの理由になるんだけど、女の人への問いかけでもあるんだ。そんなにボディコンシャスがいいの？　それならシェープアップして、背筋を伸ばして、着てみたらってね。

―― そんな、意地悪な……。

―― このごろ女性に幻滅してるから。お嬢さまとかニュー・リッチとか保守に戻ってしまった。自立した女性はどこに行ったって、怒ってもしようがないから、服を変えたんです。信頼してたときは、どうぞ自由に着てください、おまかせしますって言えたけど、今は、とにかくしっかりアウトラインを作ります。勘違いしてでも何でも、着ればさまになりますよ、としか言えない。毒をいっぱい入れて、スリルを楽しんでる状態。

―― えーっ、着るのがこわい。

―― だからね、パラドックスとしてのボディコンシャス。西洋風の体型だけが美しいの？っていう。僕自身は、シルエットは気合い、気構えだと思ってやってきたんだから。

―― そうすると、この場合は、ボディの美しさを強調するためのシルエットではない？

―― 全体のプロポーションばかり意識するのは、西欧の美意識に毒されている証拠。昔はうなじの美しさとか、背中のカーブのきれいさとか大切にしてたのに、美しさに対する感受性が薄れて、男も女も鈍感になった。

―― 耀司さんは、どこに魅力を感じる？

―― あばらのところからウエスト、ヒップにかけてのライン。いちばん敏感で、蛇のように動く……。今度の秋冬は、あの斜めのラインをいかに美しく表現するかだけに神経を集中させました。その辺にきれを置くときが、いちばんスリリングでしたね。胸やヒップそのものはどうでもいいって感じ。

―― 脇腹の美しさを出すために、ペプラムやダーツを？

―― テクニック以前に、シェープに対する感受性がなければ。これだ、きれいだ、という感動があって、それから布地をどのくらいそわせるか、ダーツにするか、切り替えるか、ということになるわけです。

―― いちばん初めの写真は？

―― 黒のボンディングのスーツ。厚みのあるウレタンだから、カッティングで腰のカーブを出しました。

―― 二番目のスーツは？

―― 脇の部分は、身頃の傾斜に近い直線カット。ペプラムの切替えでウエストとヒップの差を出して、二重スカートでふくらませました。三番目のは、ダーツでカーブを出した、半分ジャケットの半コート。ラストのは、後ろのないコートを広げたところ。全部、衿は男テーラードで、バストポイントから下が女仕立てです。

―― 女性に対してさめているという割には、凝りに凝ってますね。

―― この服を作っておかないと、女性美に対する次のステップは踏めないという一心で。

 high fashion September 1986 / photographs : Nick Knight

SLEEVE #003

袖。

photographs : Yohji Yamamoto
super assist : Takeshi Fujimoto (B.P.B.)
makeup & hair : Katsumi Nagatsuka (Heads)
model : Atsuko Miyama

―― 袖の形は、洋服を作る段階のどの辺で決まりますか?

―― ラグランスリーブのコートの時代が来た、というふうに感じないと作れないですね。

―― 途中でどんな袖にしようかな……といった気楽なものではなくて?

―― まだ形にならないイメージの段階で、かなり明らかになっています。シルエットの生命は、袖つけにあるのですから。なぜかというと、服は肩で着るもの。肩傾斜がすべての服の役割を決めます。その肩と袖は一心同体なんです。だからAという役割の肩傾斜にBという袖はつけられない。

―― ジャケットにシャツの袖はつけられない。

―― 遊びの部分ではいろいろありますが、基本的にはね。ジャケットの場合も、メンズテーラードには主に二つの形があって、一つはヴィクトリア時代の立体裁断のように、肩傾斜も袖の曲り方も、その人の形につけてしまう。もう一つは近代になってからの方法で、男の理想像に服の形を作り、体と合わない部分はパッドなどで補正する。約束された美に対するパッケージデザインに近いものです。

―― 女性の場合は?

―― 男性ほど様式化されていませんが、近いと考えていい。ほかに肩傾斜と袖の傾斜が同種のドルマン、フレンチ、ラグランなどが女性特有のものとしてありますね。

―― 上のサンドベージュのコートは?

―― 前がフレンチスリーブ、後ろが切替えの袖になっています。肩傾斜がテーラードなのに袖が違う。ひとつながりの布地で細い胴を表現したものです。機能性は低いけれど、女性がそれでよかった時代の、相当に古い袖つけ。それが、新しく見える。

―― グレーフラノのコートはラグランですね。

―― 永久に手が上がるというイメージで、テントみたいに裁断しました。布が鳥の水かきのように袖下につながる。手の動きにつれてボディのきれが上がっていく。ラグランにかぎらず、腕の動くゆとりは、袖の太さではなくて、身頃の立体の中に隠されています。上げると身頃が伸びる、下げるとしわが出る。それが服の美しい表情をつくるのです。

―― 袖は、太ければ動きやすい、機能的というわけではないんですね。

―― 大きめのシャツなど無責任に作ると、脇が下がって前が上がる。これは洋服じゃない。帯して着てください。袖のくりを身頃の前中心と平行に切ったものもだめ。身頃がつんと引きつれたり、くずれたりする原因になる。腕の動きは斜めだから、ドロップトショルダーでも、セットインでも、斜めに切らなければ。身頃の袖つけの穴が後ろを向いてるのも、まずだめです。基本は、少し前向きで、カーブしたトンネルのように袖を接続します。袖つけには、工事みたいなおもしろさがありますね。

―― いい袖つけって、どんなもの?

―― 服の性格によって違うけれど、チェックポイントは、腕を自然に下げたときに、べしょっとつぶれていないか。袖つけが手に引っぱられていないか。パッドがなくても魅力的に浮いているか。感覚的にいえば、布地の材質に合った肩傾斜に袖がタイミングよく、鋭角的にぶつかり合っているか。

―― でも肩の形って、人によって違うでしょ。

―― そう、肩は顔と同じくらい一人一人違う。既製服は、それを一つの魅力におさめなければならない。服の思想に合った理想的な肩幅と肩傾斜を作るわけです。定型詩みたいに。

―― どうやって?

―― 千差万別の肩に、一つだけ、ここでつかまえろ、というポイントがある。ちょうど鎖骨のそげたところ。ここから肩をはねるか、下げるか。ここさえ決まれば、どんな肩でもねらった表情が出せます。肩だけでなく、洋服の起点といってもいいかもしれない。ここから第一ボタンに向かって重心がかかるし、すべてのドレープはここからおりる。

―― メンズも同じですね。この袖は?

―― どちらも今はやりの袖つけで、二の腕が前にきているのが特徴。ちょっと猫背っぽい。

―― ほんと、服の雰囲気が変わる。写真も感じが出てるし。ところで撮影のご感想は?

―― デザイン3日分ぐらい疲れました。視覚的なイメージを持っていたので、口で説明するよりは、と思ったのですが。アシストはじめつきあってくださったかたに感謝しています。

DESSIN #004

デッサン。 illustrations : Yohji Yamamoto

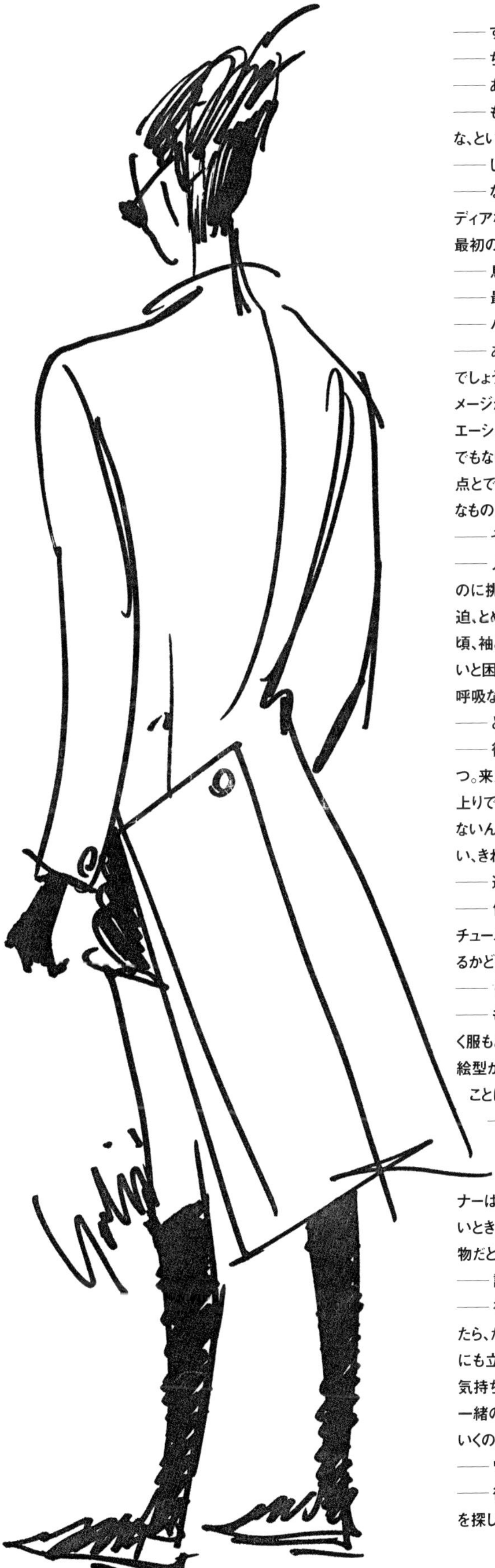

—— すてき。このデッサンをもとに、春夏の服が作られたわけですね?

—— ちょっと、違います。

—— あら、デザイン画じゃないの?

—— もうパターンナーたちの仕事が始まっていて、こういうふうにまとまりそうだな、という段階でかいたラフデッサン。仕上り予想図といってもいい。

—— じゃあ、いちばん初めのは?

—— なぐりがきみたいなものです。布のたれ方、量感、表情、カッティングのアイディアなど、コレクションにこういう気分を期待してます、と伝えるための。秋冬の最初のデッサンができてるから、お見せしましょうか?

—— 鳥のクロッキー! 次のテーマは、この獰猛そうな鳥ですか?

—— 最終的にどういう形になるか今はわかりません。

—— パターンナーは無理難題ふっかけられたと思うんじゃない?

—— ある段階を越したパターンナーなら、このくらい要求されなきゃつまらないでしょう。顔があって、ヘアスタイルがあって、はいてる靴はきれいだったら、イメージが完結してるから、絵を形に置き換えるだけでいい。翻訳するだけ。クリエーションの余地がなくなってしまう。デザイン画は、細密画でも劇画でも漫画でもない。うまい下手も関係ない。デザイナーとパターンナーの人間どうしの接点とでもいうのかな。僕の場合は、言い訳みたいなものですが。ほんとうはこんなものじゃないんだけど、これに近いものなんだけど、やってくれない?って感じ。

—— それを見てパターンナーは?

—— 人台の上にトワル置いて、布地いじって、イメージを探るわけです。変なものに挑戦する情熱がないとできないでしょうね。布をある部分に置く瞬間の気迫、とめる喜びが伝わってこなければ、いいパターンに見えない。前身頃、後ろ身頃、袖と分かれていても、人間の小指と耳の先が関連しているように、流れがないと困る。それをつなげるのはデザインじゃなくて、布をいじっている指先、手先、呼吸なんです。

—— どうしたら、呼吸をつかまえられるの?

—— 待つしかない。頭の中に意図したことが、布の表情に現われる一瞬を、待つ。来た。デザインしてイメージを誘うほうと突っ込んでいくほうの、気と気の盛上りで服が決まる。布地をいじる意味合いに感動していないと盛り上がってこないんです。そして布がいろいろな表情を見せるのに対して、あ、これおもしろい、きれいと、純粋に反応していないと。

—— 過去の美は参考にならない。

—— 僕は完璧な服を作ろうとは思わないから。完璧を求めるならオートクチュールの門をたたけばいい。とらえどころのない生き物のしっぽをつかまえられるかどうか。冒険だと思っています。

—— すると、デッサンと全く違うものも。

—— もとのイメージを通り越して勝手に飛躍している服、大空舞い上がっていく服もあります。イメージに届かないほうが多いけれど。ほんとうに成功した服は絵型が単なる窓だったというくらい。そのかけ離れていく過程ほど仕事が楽しいことはない。

—— 布地一枚はさんだ、デザイナーとパターンナーの修羅場が?

—— 修羅場くぐり抜けて、いつどうやっても意地悪な線引くやつ、お人よしなやつ。のりのいいのがコレクションの突破口になる。パターンナーは不思議な仕事だなあ。ベテランでやる気があっても2か月間一点もできないときがあれば、若手が2、3時間でできるときもある。ほんとうにいい服は、賜物だと思います。

—— 誘導のこつは?

—— 布地のおさまりを予想しているのは僕だけ。だからといって、僕が偉くなったら、だめ。ほめられるのを目的に仕事するから。ほめられても世の中の何の役にも立たない。自分自身とデザイナーと一緒に世の中に何か言おうぜ、という気持ちがないと。両方の精神年齢が近い、時代の受け止め方、調子、感覚が一緒のほうがうまくいく。それにしてもある気分めがけて消耗しながら線引いていくのは、勢いのある間だけの仕事かもしれない。ロックンローラーみたいに。

—— ワイズに入りたい人は考えたほうが。

—— 待って。今、僕と一緒にふざけながら仕事してくれる、30代のパターンナーを探しているんです。

—— 耀司さんみたいに固定観念を打ちこわしてきた人でも、テーラードの衿は変えようがないのかしら?

—— 格闘しています。ファッションデザイナーの仕事は、一言でいうとテーラードとの闘いだと思うから。特に洋服を作りだして10年ぐらいは、どうしてこんなものをつけなきゃいけないんだろう、これ以外に方法はないのだろうか、と頭を離れなかった。それでもきれいなものだな、と思いつつ……。男物を真剣にやるようになってから、テーラードカラーが、首を通す穴の始末としては、非常によくできた形だということがわかってきました。

—— 形式だけじゃなくて?

—— 職人的な技術の面からも、これくらいの幅をつけたくなるだろうな、と思わせる。

—— 必然性があるのね。

—— ええ、丸い衿ぐりで前あきの、簡単な服を思い浮かべてください。衿あきが自然に三角形に折り返るでしょう。それがラベルの原型。ひっくり返った布をつなぎとめ、首回りをぐるっと布で包み込むと衿ができる。よくよく自然なのだと思う。それからバリエーションとして首筋を守る機能性や見栄えをよくする装飾性が加えられていったのではないか。ディテールだけではなくて、衿自体の重み、存在感も重要な役割を果たしています。重みがないと体から浮いて、着にくい服になるし、首筋が無防備では心理的寒さから逃れられない。テーラードカラーは、〝完成されたモニュメント〟なのです。

—— へたにいじれない。

—— 体と布地の自然な関係で成り立っているものだから。衿を耳だとすると、胴体と衿は、全く同じ気分で作らなければ。袖と同じように、Aという性格の身頃にBという衿はつけられない。

—— 衿の種類はすごく多いし、替え衿っていうのもあるじゃない?

—— 用途が装飾の場合……飾り衿は、基本的な衿と意味合いが違います。

—— クラシックな服に多い尼僧風の白い衿は?

—— 新幹線のいすカバーと同じ。

—— もう、きついんだから。基本的な衿と飾り衿は、どう違うの?

—— 僕は、布の流れを自然に利用したものを基本、流れをせき止めて、とってつけたものを飾り、と勝手に解釈しています。

—— では基本的な衿について、いい衿とは?

—— ネックポイントから首筋に吸いつくように立ち上がり、首のつけ根からみぞおちにかけて比重がかかっていること。しかも乳間が呼吸量の分だけ少し浮いていること。

—— 難しそう!

—— 100着持っていたとして、大好きな衿は5、6着でしょうね。衿は、本来裏にある布を折り返したもの。裏返しの見方をしないと、完成図はわかりません。それに真っ平らなものの上に煙突があるわけじゃない。前に向かって傾斜している首を、どういう角度でとらえるか。

—— 角度?

—— カーブといってもいい。衿のパターンを見ると、ブーメランみたいにカーブしています。日本刀の反りに近いかもしれない。反り返ったものを折り曲げると首に吸いつく。この反りが衿の命なんです。力のこもった反りかどうか。小さな面積の中の何ミリという微妙な出来事が、衿のすてきさ、おもしろさを決定してしまう。第一ボタンの位置も、反りで決まります。

—— 反りがきついと?

—— Vが深くなって、ボタンが下に下がる。逆に甘いと、ボタンは上になります。

—— ボディと衿が同じ気分ということね。

—— 悔しいけれど、伝統的な美しさに太刀打ちできる技術を持つまでは、うかつに衿にさわるなよ、と。技術には関係なく、モンタナ、ミュグレーは、衿をさわる人、ゴルチエ、コム デ ギャルソンは、さわらない。

—— 耀司さんは、素知らぬ顔で利用したりして。

—— テーラードカラーは精神安定剤。新しいシルエット、分量、まとい方の提案をしたとき、衿だけは古くさいのをつけておく。びっくりしないで、普通の服ですよ、という気休めに。

—— 最初のグレーのジャケットのことね。2番目のは、ウェディングドレス。

—— 衿を片方ブーケにした。一目見て変な服、悪趣味な服。ボン・グーしていない。

—— ナンセンスしてる。大きなチェックのは?

—— 身頃が衿の顔して折り返ってる。最後のは、ボートネックの衿あきを立てたものですが、身頃ともいえるし、衿ともいえる。両方とも、身頃から生えています。

COLLAR #005

衿。

photographs : Yohji Yamamoto
super assist : Takeshi Fujimoto (B.P.B.)
makeup & hair : Katsumi Nagatsuka (Heads)
model : Anette

PRISMATIQUE #006

プリズム的見方。

Clifford Coffin / Vogue ©The Condé Nast Publications Ltd.　Dior / 1948

—— この間、文化服装学院で行なわれたフランス・グランさんの講演、耀司さんがご紹介くださったんですって?

—— ええ、以前パリで彼女のインタビューを受けたとき、今までの僕の服に対する理解が的確で、驚いたんです。プライベートで来日するという連絡を受けたので、文化の学生に聴かせたいと思って、小池先生（学院長の小池千枝さん）にお願いしました。

—— 「プリズム的見方」というテーマでしたが、モードを文学から映画から社会現象からとらえる、見方のユニークさと表現力の豊かさはすごいですね。抽象的な内容が多くて、全部はわかりませんでしたけれど。

—— 批評が創作の域に達している国で、ファッション解説の第一線にいる人ですから。一つの言葉が二つ、三つの意味、裏返しの意味を持っている。

—— ペダンティック。

—— いいえ、モードに対する正統派の論者です。というのは、ディオール、イヴ・サンローラン、ゴルチエ、ミュグレー、ヨウジヤマモト、相反するものを含めて、どうして好きかを言えちゃう。フランスは、もともとモードが言葉なんですね。ショーをやらなくても、モードを語りつくせる。一日中カフェで議論して、話も体力も尽きることのない国民の鍛え方は違います。

—— したがって評論のレベルが高い。

—— コレクションの後、講評をいただく。その批評が、服の表現に挑戦してくる。真っ向から言葉で挑戦してきます。モードを、アートと対等か、それ以上のものに高めてくれる力として評論があるわけです。

—— 彼女は、IMF（フランス・モード学院）の学部長でしょう。この学校は少数精鋭主義、トップクラスのクリエーターを養成する専門校として有名ですね。

—— 美術史の研究家で、パリ大学ではカーペットとテキスタイル史を専攻、サンローランやケンゾーの会社でテキスタイルやアクセサリーの輸入をしていたそうですから、テリトリーが広い。あらゆる分野の現在、過去にふれて、このデザイナーは、ここととここをつなげて現代を表現しているんじゃないか、といった指摘ができる。

—— 耀司さんの考え方と重なる部分も多いので、講演の一部を抜粋して、解説していただきましょう。モード解説の解説です。

「モードに対して美学的判断を下すには注意力が必要です。この注意力は、開拓され、教育されるもので、あらゆる手仕事や知的作業の中で最も貴重な部分、型にはまったり機械的になったりしない部分なのです」（講演より）

—— 注意力。

—— 彼女のせりふの中で、いちばん好きな言葉です。“Attention, ici, maintenant.”「注意せよ、ここで、今」。頭の中で考えること、イメージすること、意図することは大したことじゃない。5月号の「THREE WOMEN」で、僕が川久保玲さんについて言った〝見る目の鋭さ〟、あれは最大のほめ言葉です。創作行為の重要な部分は、一生懸命見る、注意して見ることから始まる。知的分野からは、クリエーションは生まれません。

「逆転が可能なこの時代に、ヨウジがディオールに今日与えている影響は、ディオールが今日に与えた影響に劣りません。不意の関係と逆説的な出会いのあるこの場、この空間には理論よりも多くの真実があります。理論がある作品とは、値札を残した品物のようです。いいモードが作れるはずがありません」（講演より）

—— 頭が痛くなってきた。耀司さんも、ディオールの現在の評価に影響を与えているということ?

—— ディオールと僕は、表裏、リバーシブルの関係にあると言ってるわけです。

—— 理論でいけば平行線のディオールとヨウジヤマモトが、今、この場で交差してるってことね。そして、それは、一瞥から始まった。

—— ディオールは、職人さんが芸術家に大成した人だと思う。芯で土台を作って、その上にまとめ上げた造形力のおかげで、モードを規範に導いた。それで、ディオールの有名なバスルスタイルの写真を見ると、これは、きっと芯でがちがちになってるんじゃないか。僕は柔らかいバスルを作ってみようと挑戦する。あるいは、コートにディオールのディテールを使ってみる。

—— あのコートは、鳥のイメージから出発したものでしょう。発想の違うものがうまくとけ合ってる。ディオールの衿とは、気がつかなかったわ。

—— グランさんは、直感で判断する。理屈はあと。だからおもしろいんです。

「プルーストは、第一次大戦前のある将校について、軍服のズボンの赤が、他の人とちょっと違うことを〝シック〟と書いています。この微妙な違いが、ファッションの決め手なのです」（講演より）

—— 彼女はスライドで、耀司さんのコートの赤が少しずつ違うのを見せて、プルーストと結びつけるわけですが、読みが深いというか、圧倒されますね。

—— 服を通して自分の美意識を語っている。さっきモードが言葉であるといったのは、そういう意味なんです。この中で重要なのは、〝少しの違い〟ということ。〝アバンギャルド〟とは、本来少し先を行くという意味で、離反したり、はね上がったりすることじゃない。現実、足場を無視して、奇想天外なことを考えたり作ったりするのは簡単です。現実の中で、明日の答え、ときめきをちょっとのぞかせるところに、前衛の感受性がある。

—— だから〝今〟が大切なんですね。グランさんは、「芸術の反響や位置は、明日あるいは10年後になって明らかになるものだけれど、モードは待ってくれない。今、評価されるものだ」と。

—— モードは、アートの中の、いちばん感受性の強い部分を表現しているのだから、アート・コンプレックスなんていいかげんにしろ、と言いたいな。ゴルチエも同じ意見なんだけれど、「美術館に自分たちの服を入れるなんて、とんでもない。あれは、モードの死骸置き場。回顧展もいやだ。僕たちが作っているのは、服ですらない。時間を作っているんだ」って。アカデミズムに取り上げられたら、おしまい。

「モードは、逸脱とダンディズムから作られます。モードは、慣用から見れば、逸脱しているものです」（講演より）

—— アカデミズムと同様、良識から新しいものは生まれない、というのは、耀司さんの持論。

—— ちょっとずれた、やくざな気分を大切に。フランス映画の好みと同じです。

—— グランさんと耀司さんも、リバーシブル。

—— 違いますよ。ただ、人は他人の目の感受性もマスターして洗練されていく。彼女のプリズム的見方は、感性の扉をいくつも開いてくれます。

photograph : Nick Knight (1986)

—— 耀司さんの服には、普通の丸いネックラインが少ないですね?
—— へただと思っているので、Tシャツみたいなものは、ことさら見せたくないんです。
—— それで、首の隠れる服が多いんだ。
—— 作るときに、調子がわからない。僕の服の理論が、どうしてもワイシャツ、ジャケット、コートの理論なんでしょうね。伸びる生地じゃなくて、織られた生地の重み、ドレープ性がいちばん重要。肌にぴったりまといつく編み物のしゃれっ気、美しさ、味とかは、理論にならない。どこで手ごたえを見つけたらいいかわからなくて、ついやってこなかった。遠慮してきた世界です。
—— 衿ぐりを得意とする人もいるでしょう?
—— ソニア リキエルとコム デ ギャルソンが、うまいですね。
—— 両方とも、女性のデザイナー。
—— 皮膚感の違いじゃないかな。今、改めて思うんですけど、女の人の胸から首が立ち上がっている魅力を意識して、ジャージーとの接点で強調しているのがソニア。コム デ ギャルソンは、意識しているから逆に、際どい挑戦をしない。ためらい、はじらいがあるから、ほそっとした穴をあける。それが魅力になっている。
—— 洋と和の差かしら?
—— そう、持っている美しさは、積極的に謳歌する。賛美する。それに対して、あるのはわかっているんだから、積極的に見せるのはみっともないという立場。
—— 耀司さんは?
—— 僕の場合、シーツを扱うのと同じだから、丸くくるんじゃなくて、両肩の基点、首のつけ根の点から点へつろうとする。ロープに両端をとめた洗濯物が垂れるみたいに、垂れた布が首と、あるハーモニーを作るな、というところに興味がある。Tシャツに関しては、穴があいてりゃいいじゃないかって感じ、意識して作ってはいません。
—— こだわってる部分は?
—— いちばん気にしている急所は、穴の表情が一定しないように作ること。人によっては余る、あるいは緊張して張っちゃう、というふうに。着るときの気分によっても変わるのがいい。それにしてもソニアの丸首、きれいですね。くそっ!
—— おさえて、おさえて、技術的には?
—— 高度です。どの程度胸が見えたらきれいか、ほとんどミクロの世界の計算が行き届いている。衿ぐりは、肩傾斜の作り方で決まります。ソニアがジャージーでプレタポルテを完成したころ、肩線と衿ぐりの関係について、突っ込んだとらえ方、研究をしたと思う。いちばんつまらないのは、お椀のようにくりぬいただけのもの。どこから見ても自然に吸いつくようにするには、立体的に考えないと。
—— ソニアは、V衿もきれいですね。
—— 布と布をはおってVにするのと、くりぬきのVは全然違います。横に引かれる力と、Vを保つために下に落ちる力との闘いですから。丸は力を全部吸収しますが、Vは力学的に矛盾している。あければあけるほど脱げて収拾がつかない。ソニアがきれいなのは、編み地の緊張感、弾性を計算しているから。
—— コム デ ギャルソンのは?
—— 貫頭衣の穴をくりぬいたみたいに無防備なあけ方。無垢。決まったときは、すごくいいです。僕、ジャンポール・ゴルチエ、クロード・モンタナ、アズディン・アライアが、やろうと思っても絶対できない。なんだ、衿ぐりって、これでいいんだという、ある結論が出ている。計算はつきつめていくとできるかもしれないけれど、気合いで切り取ったものは、つきつめようがない。
—— イノセントは強し。さっきソニアは、太もものうごめき方も大切にしているって言ったでしょう。ソニアの服が彼女の体から生まれたものなら、コム デ ギャルソンの服は、ある哲学から作られている気がする。衿ぐりがこんなに生理的、精神的なものとは思わなかったわ。敬遠する気持ち、わかる。
—— 僕は女の人の体と服を関係づけてやってこなかったから。ヌードボディの理想像に対して、布を服従させてこなかった。体の上で動く、流れとかさばきを作りたいと思っただけ。服は服で完成させて、勝手に着れや、と。
—— 耀司さんの服とボディの距離感は、女性への距離感と同じなんじゃないかしら。近づきすぎるとわずらわしいし、離れると寂しい。
—— ……………かもしれませんね。

NECKLINE #007

衿ぐり。photographs : Nick Knight

ROBE DE SOIRÉE #008

夜の服。 photographs : Nick Knight

—— 3シーズン前のバスルスタイル以来、耀司さんの夜の服が印象的ですね。今回は、ディオレスク。

—— 夜の服は、コレクションの中で大して重要じゃないんです。秋冬は、ウールギャバジンでショーをやりますよ、同じ生地で夜の服も作ります、という程度のこと。ギャバジンによるディオール。

—— 夜の服がどうかより、ギャバジンの可能性に挑戦することのほうが大切なのね。

—— TPO全部やるのは、デザイナーとしていいかどうか、いつもひっかかるので。

——でもいちおう考えてくれてるわけでしょう。耀司さんの服着ている人が困るもの。

—— コンサバティブなソワレのご期待にはそえないけれど。なにも昔の王侯貴族のような格好は必要ないと思う。会合の意味からすると、昼間のスタイルそのままで行くのはおもしろくない。よくない。プラスアルファ、ちょっとストロングなデザインとか、ちょっとおしゃべりな服だったら、どんなものでもいいんじゃないか。オーガンディとかサテンとか、素材は関係ない。昼の服の布地で充分。その生地の持つ美しさが出ていれば。

—— ギャバジンでも何でもできますよ、と。

—— 現代のデザイナーが、新しい素材で一生懸命作ったフォルム、ニュアンスを着ていく。寄り集まって、その時代のエッセンスを見せ合う。そういうものじゃないかな。

—— 夜の服、オートクチュールの連想から抜け出せないから、それふうのを着なければならないと思い込んでる。

—— オートクチュール、クラシック音楽、オペラ。ヨーロッパの伝統美にあこがれるのは、そんなに悪いことじゃない。問題は、どういう距離感で眺めているかということ。完成された様式は、ちょっとやそっとではびくともしない。アンティークの王朝風家具に囲まれて暮らしたら息が詰まるでしょう。自殺したくなる。向うは石、こちらは木。もともと生理的になじまないはず。そこから日本人の美意識に合ったものを探せばいいのに、紳士淑女の風情をしたがる。あるいは時代錯誤の頭の中でこんなもんだろうと作った、安っぽい服を喜んで着ている。おかしいね。

—— 自分の価値観より人に見せるのが目的。

—— そこでランクを上げていく。夜の服は、ランクにささげる服かもしれない。

—— オートクチュールが、再び熱い視線を浴びて。

—— 僕はオートクチュールが勢力を持てるとは思わない。パリにいるスタッフのマークが、オートクチュールのコレクションに行って、かなり興奮してた。話題の若手と中堅の二つを見たけど、別世界に入ったようだ。バック・トゥ・ザ・フューチャー。雰囲気も取巻きも、何十年も昔のままで止まっている。耐えられないって。

—— 耀司さんも、オートクチュールをすすめられているんでしょう。たった一人、たった一晩のためにソワレを作るのってどう思う?

—— 3か月、4か月苦しみ抜いて、数時間華やかな人々のスポットライトを浴びて完結する。着る人がブタだろうとカバだろうとかまわない。職人のそこが大好きだし、そこが大嫌い。一生着られない人が作る服には、物としても欠陥があるのではないか。疑いのないことがいやです。自由、発展、飛躍がなくなる。息苦しい。象牙細工、刺繍、カットグラスのような、ごく普通に美しいといわれる手工芸品の大半が、この犠牲のもとに作られている気がします。職人がそうと気づかなくても。美術館、博物館で感じるむなしさ。マークがぞっとしたのは、それだと思う。

—— じゃあ、オートクチュールはお断わりね。

—— 春夏では、もっと着やすい服を作ろうと思っています。でも、この間のヨウジヤマモト プルオムがすごく好きで、そこから抜け出せなくて困ってる。

—— がんばって。

—— ゴルチエと僕とコム デ ギャルソンがなかったら、プレタポルテはつまらないというふうにしなければ……なんてね。

—— ところで、クリスマスは?

—— 子どものころからずっと新宿の歌舞伎町に住んでいたでしょう。キャバレーでジングルベル、三角帽子のサラリーマンのネクタイがずれずれになって、いやでしたね。個人的な抵抗があるから、溶け込めない。年末年始は、嫌いです。

6

1

What Happened on?

JAMIE MORGAN

Musician (Singer)
COMME des GARÇONS

ジェイミー・モーガン

'59年4月29日、イギリス生れ。
コマーシャルのフォトグラファーとして世に
出た彼は、現在ミュージシャンとして
『WALK ON THE WILD SIDE』
というアルバムを発表。

Phil Butcher

PHILLIP BUTCHER

Musician (Bassist)
YOHJI YAMAMOTO

フィリップ・ブッチャー

'58年5月15日、イギリス生れ。
バンド経歴の豊かな彼は、主にベーシストとして活躍中。
また、ソングライター、プロデューサー、
エンジニアとしても才能を発揮。
イギー・ポップの'86-'87ワールドツアーでは
'87年4月、公演のために来日。

6·1
THE MEN

COMME des GARÇONS & YOHJI YAMAMOTO

photographs : Taishi Hirokawa

まず、はじけるように飛び出してきたのはジョン・ルーリーだった。昔、「俺は、一日中部屋に閉じこもってサキソフォンを吹いてる。世捨て人(hermit)さ。」と、うそぶいていた男が尖兵で飛び出してきた。まったく、その歩きっぷりは世捨て人そのもので、ノソノソ首をもたげて這う蜥蜴のようだ。ジョン・ルーリーがいかに仕事を厳格に選ぶかを知っているものは、彼の登場に感動しないではいられなかった。

それからは、もう檻から猛獣が次々に飛び出してくるようなものだった。そやつがどこの国で何をしているか、入国検査官になるつもりはなかった。この地上にたったひとつの生命として生まれたことを、全身で悦んでいる男たちがいるだけだった。前衛ジャズのトランペッターのドン・チェリーは酔っ払ったように揺れながら歩いて、ついには座り込んでしまった。デニス・ホッパーは、地獄をくぐってきた男だけが持つ静けさを漂わせて、聖地を歩むかのように進み出た。

男たちは、歩きながらすれ違い、視線を交わし、肩を抱き、つかの間の別れを惜しむように交錯した。それはすばらしい光景だった。誰一人として、無傷のものはいなかった。easygoingで生きているものはいなかった。一人で立って、手に何一つ武器を持たずに、世界中を相手に戦果の疑わしい戦いを闘っている。有名かどうかは、どうでもよかった。誰か飛び入りでステージに上がったとしても、文句を言うものはいないだろう。そこは、人間の尊厳と自由のために闘うものの場所だった。

男たちは、日曜の朝、よそいきを着せられて照れている少年に見えた。思い思いのしぐさで、服を動きになじませ、何とか早く自分だけのものにしようと、ぎこちないダンスを踊った。それは、男が服と無二の親友となるための荒っぽい儀式だった。

ファッションは、もうファッションにとどまることをしないだろう。同じ服を着せられて、同じように生きることを強制されることにツバを吐きかけろ。群れから離れて、生きろ。全身全霊で、エゴイストとして生きろ。そして、どんなことがあっても生きのびろ。一着の服は、そう叫んでいる。いや、その日、世界に向かって、そう叫んだ。 text : Makoto Saeki

Makoto Saeki
佐伯 誠●編集者、ライター、インタビュアー。文芸、アート、音楽、映像はもとより文化、社会全般に造詣が深く、独自の審美眼で、1991年のリニューアル号より『ミスター・ハイファッション』にレギュラー執筆者として寄稿する。2009年より、文化学院の文芸コース講師

EDGAR WINTER

Musician (Singer, Guitarist)
YOHJI YAMAMOTO

エドガー・ウィンター

風のように前進するエドガー・ウィンターは
大胆不敵なそぶりの中に、
隠しきれないナイーブさとデリカシーを
のぞかせていた。その、ちょっと
当惑したような様子は、アーティスト固有の
感受性のかたまりだったのだと思う。

DENNIS HOPPER

Actor, Director
COMME des GARÇONS

デニス・ホッパー

デニス・ホッパーが、きびきびとした足どりで
舞台を往来すると、舞台には
大きなドアがあって、彼はそのドアを開けて外まで
歩いていきそうに見えた。
ボスの貫禄で左右に心を配る目は、
観客に律儀な会釈を繰り返しているようだった。

cooperation : The Hopper Art Trust

6·1 THE MEN

ROSE

反《アンチ》フォーマルが伝えるもの。

「作曲家もデザイナーも、ものを作るってことは最後の一瞬まで答えが変化し続けることをやっているんだ。ところができ上がったものは人にインパクトを与えなければいけない。それはすべての作曲家やデザイナーに通じるものではないんだが、ヨウジには強く共感している。つまり、フォーマル（形式）ってものを捨ててしまっている人間が、既成の概念には見向きもしないで作品を提案することは特別なことなんだ。ヨウジはそれをやっている。だからヨウジの服は衝撃的なんだ」

'65年、ルー・リードやニコとともにあの神話的なロックグループ、ヴェルヴェット・アンダーグラウンドを結成したジョン・ケール。クラシックの出身でありながら、時代の寵児アンディ・ウォーホルらと前衛の最前線で社会に反モラルの思想を投げかけてきた彼が言う「フォーマルを捨ててしまったもの……」という言葉と、その部分での山本耀司への連帯感は揺るぎのない説得力を持つ。ジョン・ケールの強い光（闇?）をたたえた目と、一度も笑顔を見せなかった表情は、山本耀司の服を着ることでより際立った輪郭を持ち、ある種、崇高ささえ感じさせた。彼はこのショーでいったいどんなメッセージを伝えたかったのだろうか。「それはヨウジの問題なんだ。俺はただ彼の服を着て歩く、それだけだ。ヨウジが着る側の男たちを選んだのだし、コウジのショーに出ることを俺がオーケーした。それですべてが決定しているんだ。メッセージって、そんなことだよ」

前衛とはおそらく、限りなく純粋で潔いものにちがいない。'91年6月1日、ジョン・ケールはそれを舞台で体現していた。

JOHN CALE
Singer, Composer
YOHJI YAMAMOTO
ジョン・ケール

「ヨウジは何も要求しないんだ。
彼は、ミュージシャンってもののセンシティビティをよくわかっている。
ヨウジはセンシティビティを呼び寄せるんだ」

photograph : Taishi Hirokawa / September

CHARLES LLOYD

Musician (Saxophonist)
YOHJI YAMAMOTO

チャールズ・ロイド

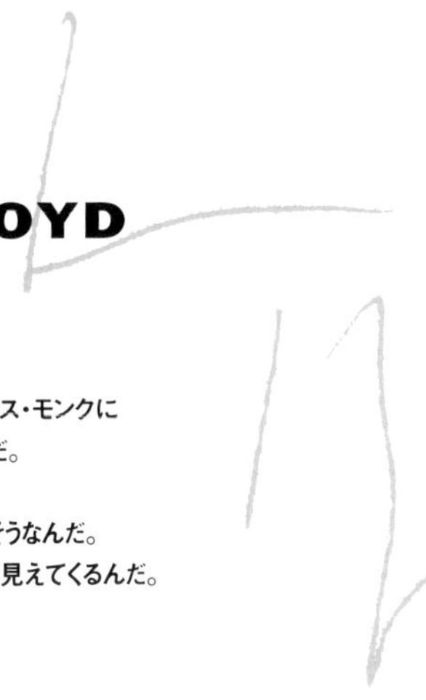

「シンガーが完璧に歌うだろ。で、セロニアス・モンクに
“どうだい?”ってきくと、彼はこう言ったんだ。
“ミスしたほうがいいな”ってね。
それはとても勇気がいるが、ヨウジも全くそうなんだ。
ヨウジの服は誰が着てもその人の個性が見えてくるんだ。
この意味わかるか?」

心やさしきロマンティスト。

相倉久人 text : Hisato Aikura

白髪に近いグレイ・ヘア。年齢を刻んだブラウン・フェイス。そのコントラストにもう一色〈黒〉でダメおしをねらうかのようにファッション・グラス……。こころ憎いばかりのカラー・コーディネイト、貫禄じゅうぶんの“オジサン”ダンディズムである。

それでいて、気取ったところはぜんぜんない。左右の客席にあいそをふりまきながら、軽い身のこなしで悠揚せまらずステージを闊歩する感じは、とてもファッション・ショウ初体験のインスタント・モデルとは思えない。それもそのはず、実をいうとモデル体験はともかく、ことパフォーマンス(演奏)にかけてはステージ歴30年という大ベテランなのだ。

チャールズ・ロイド。本業はジャズ。'60年代には、モダン・ジャズ・シーンにこの人ありとして知られた名うてのサックス・プレイヤー／リーダーである。

1968年に自分のグループを率いて初来日。このとき東京公演を終えた彼を名古屋から京都まで追っかけていき、新幹線の車中であれこれ取材した記憶がある。去る6月1日、明治神宮プールで録画されたコム デ ギャルソンとヨウジヤマモトのジョイントをモニターで追いながら、イモな回想シーンの演出定番みたいに、23年前のそのときの写真を二重写しに思い浮かべた。

1968年といえば、アメリカ西海岸のサンフランシスコを中心に、ヒッピー運動の一環として出てきた反戦平和主義〈フラワー・ムーブメント〉〈フラワー・パワー〉のまっさかり。ドラッグのちからを借りたサイケデリックな花綵・花飾りのイメージと、兵士たちの銃口に一輪ずつ花を挿して歩く「ラブ&ピース」のうったえが、特異な時代の空気を醸成していた時期である。

べつに当時の情勢分析に深入りする気はないけれど、一方には黒人学生／活動家を核とするより過激な〈ブラック・パワー〉というのがあって、両者のあいだには決定的とはいえないまでもある開きがあった。そうした事態の複雑さにもかかわらずチャールズ・ロイドは、肌の色を超えて白人ヒッピーやフラワー族のあいだにもかなりのファンを持っていた。

ジャズが「＝音楽である」という前提すらけやぶって突っ走る“過激さ”をひたすら追いもとめていた当時のぼくとしては、そのことでかなりしつこく彼に食いさがったおぼえがある。黒人音楽のルーツであるブルースをこころから愛し、自然のめぐみとそのスケールの大きさ、そしてそのサイクルに取り込まれて生きる人と自然のハーモニーを、表情豊かな音とリズムにのせておおらかに歌いあげる心やさしいロマンティスト――彼の音楽の魅力は当時もいまも、たぶんそうしたあたりにあるのだろう。

その20年のあいだにぼくはジャズを去り、したがってその間彼がどこでどう過ごしていたのか情報的にはデータ・ゼロだが、思いもかけぬショウのモデルとしての再会は、20年たってもその心やさしきロマンティストぶりに磨きがかかりこそすれ、すこしも変わっていないことがよく分かった。

それにしても、いいオジサンになったな。

photograph : Yasuo Matsumoto / September 1991

もの静かな、人生の冒険者。

大林宣彦 text : Nobuhiko Obayashi

山本耀司さんとぼくが会ったのは、ただ一度のことである。でもいまは、それで充分なのである。ぼくはいま北海道。相変わらずの映画の日々で、今度のヨウジヤマモトのコレクションも、ぼくにとっては遠い遠い世界のできごとなのだが、このくっきり澄んで痛いほどの北国の光の中で、ふと想ってみる耀司さんは、ぼくには素敵で、優しくて、とても近いひとだ。

ぼくらふたりを引き合わせたのは、お互いの共通の友人である、高橋幸宏さんだった。親しい友が、その親しい友を、別の親しい友に紹介する。その特別の夜、ぼくは、ほんのすこしの緊張と、たくさんの幸福感とに包まれて、幸宏さんと耀司さんがぼくを待っているという、都内のあるクラブへ急いだ。それは昔、ターザン役者として鳴らした元オリンピックの水泳のチャンピオンが、酔狂の果てに飛び込んだプールがあった、というおかしな伝説を持つ、訪ねていくとちょっぴり気持ちがおしゃれになるぼくも好きな場所で、この夜の気分によく似合っていた。

が、特別にその夜、約束をしていた、というわけではない。たまたま幸宏さんと耀司さんとが、その夜、ふたりでそこにいて、そのすぐ近くの別の場所にぼくがいる、ということを聞きつけた幸宏さんが、「ちょっと来ませんか。いま耀司さんと一緒なので」と電話をくれたのだ。でも、この耀司さん包みのお誘いは、幸宏さんとぼくとの間では、いつか、さり気なく、果たされなければならない、永い間の、約束でもあったのだ。

ぼくが駆けつけたときには、幸宏さんと耀司さんはもうかなりの時間、そこで話しこんでいたふうで、あたたかい空気が屋内にゆったりと漂い、それももうすこしばかり、心地良い倦怠の中にあった。そこで新しい上質のワインが、気取りなく、しかも注意深く選ばれ、三人顔を見合わせて、「では、乾杯!」と、グラスが合わせられたのである。

しかし、その夜、ぼくらの間にどういう会話があったのかを、ぼくはじつのところ、ほとんど記憶していない。耀司さんは、確か他に約束があり、その約束の時間をちょっと遅らせて、ほんの1時間ばかりぼくにつき合ってお喋りしてから、「それじゃ、お先に」と、さらりと帰っていった。その後は、幸宏さんと、いつものように、ワインボトルを空にして、ぼくらも帰っていった筈である。

けれども、とても豊かな夜だった。その夜のワイン以上に、上質の、さり気ない、しかも注意深く選び抜かれた言葉に、その夜、ぼくらは包まれていたという気がする。ひとは言葉で自分を考え、誰かに伝えたいと望み、そのことでできるだけひとを傷つけず、互いに許し合い、幸福になってみたい、と願う。その夜は、そういう人間の奇跡が完璧に実現した夜だった、とぼくは思う。きっとそれは、ぼくらにとって、お互いに、とても大切な夜だったからだろう。

ひとは、言葉と意識の中から逃れることはできない。考え、意識し、行動し、表現すればするほど、自分と他人との関係、更には自分と自分が生きていかざるを得ない時代との関係の中で、ひとはますます不自由に、傷つき合って、不幸になっていく。しかし、それが自分というものの存在の理由である以上、その意識地獄を見据え、とまどい、うろたえ、くるおしく、しかも正直に、勇気を持って自分自身であり続けるなら、ひとはふと、すべてのものから自由になり得た自分を発見する、至福のときとも出会えるだろう。

山本耀司さんは、そういう、自己表現のプロフェッショナルである。ぼくは、確かにその夜、耀司さんから、ひとつの幸福をもらったのだ。

意識と時間との囚われの身であるぼくらを、ふとかぎりなく自由にしてくれる、山本耀司さんのファッションは、言葉が言葉の呪縛から解き放された、最も幸福な言葉であるのかもしれない。

山本耀司さんは、とてもチャーミングで、もの静かな、人生の冒険者である。

YO

MARTIN BENEDICT
Singer (Curiosity Killed The Cat), 26, U.K.

PAUL RUTHERFORD
Singer, 31, U.K.

JIMMY HAYCRAFT
Drummer, 26, U.K.

RICHARD MANNAH
Guitarist, 32, U.K.

CLAYTON TUCK
Singer, Guitarist, 30, U.K.

TOSHIYUKI TERUI
Bassist (Blankey Jet City), 27, Tokyo

KENICHI ASAI
Singer (Blankey Jet City), 26, Tokyo

EDGAR WINTER
Singer, Guitarist, 45, USA

ANTHONIN MAIREL
Singer, 25, France

PHILLIP BUTCHER
Bassist, 32, U.K.

HJI YAMAMOTO

CHARLES LLOYD
Saxophonist, 53, USA

JULIAN GODFREY BROOKHOUSE
Bassist (Curiosity Killed The Cat), 28, U.K.

YASUNORI MIHARA
Guitarist (Paris-Texas), 27, Tokyo

WILLIAM MAGNAJI
Singer, Bassist, 24, U.K.

DENIS LAURENT
Drummer, 28, France

STEVEN BROWN
Guitarist, 31, U.K.

BRUCE SMITH
Music Producer, 30, USA

STUART MURRAY FRAME
Guitarist (Curiosity Killed The Cat), 26, U.K.

MIGUEL JOHN DRUMMOND
Drummer (Curiosity Killed The Cat), 27, U.K.

JOEY STARR
Rapper, 24, France

LUCIEN M'BAIDEM
Rapper, 22, France

YUKIHIRO TAKAHASHI
Musician, 39, Tokyo

FRANK MAMILONNE
Saxophonist, 32, France

JOHN CALE
Singer, Composer, 49, U.K.

DANYCE BARABANT
Yohji Yamamoto Press, 26, France
(Stand-in)

HARUOMI HOSONO
Musician, 44, Tokyo

SILVAIN CHAUMONT
Guitarist, 29, France

WILLIAM STRODE
Composer, 31, U.K.

OTTMAR LIEBERT
Guitarist, 32, Germany

TATSUYA NAKAMURA
Drummer (Blankey Jet City), 26, Tokyo

男の〝おかしさ〟、あるいは〝楽しさ〟。

山本耀司 Yohji Yamamoto

紺のスーツの一団が現われた。男たちは、さらにファンキー。全員ミュージシャンだという。体の中に脈打つリズムが、軽妙な〝歩き〟を誘い出す。ジョン・ケール、チャールズ・ロイド、エドガー・ウィンター……なんといっても中年過ぎがかっこいい。ブランキー・ジェット・シティ3人組のすごみ、高橋幸宏、細野晴臣二人組のおとぼけも、なかなか負けてはいなかったけれど。服はピカソやブラック風アップリケのジャケット、人魚になったマリリン・モンローのリバーシブルコートとショーが進むにつれて、楽しさに加速度がついていく。

　山本耀司によると「楽しくなければ、男の服じゃない」5年ぐらい前からそう思いはじめたそうだ。「無意味、ナンセンスの魅力というのかな。表現されたものの傑作には、どこかおかしさがある。人間が生きていって、ある葛藤がすんだ上で見えてくるもの……フランスでいう、スペシャリテがあるもの。素養がなくても感動できるのが、一流。勉強しないと理解できないものは、二流。おかしくて、楽しくて、意味のないものを作れたらいいな、と思う」それなら出演したミュージシャンたちも、スペシャリテの部類に入るのではないか。「ははは……変なやつばかり勢ぞろいしたから。ミュージシャンにしたのは、雑多な人間が集まりやすいから。服もだいたいこんなもんだろうくらいで着せて。フィッティングし終わると、周りのスタッフがニタニタしている。つい笑ってしまう。男はいつも〝決まった〟と思ったときに、〝おかしい〟という感覚を共存させているのがいいね。きれい、渋い、だけじゃつまらない」では、かっこいい男の条件とは……。「まず、A級とB級のセンスをわかっていなくてはいけない。そして粋と野暮、センスのいい部分とまぬけの部分を同居させる。全部A級にそろえるとかっこわるい。『ダイ・ハード』のブルース・ウィリスが大活躍の場面で、情けない顔してぐちこぼすでしょう。なんでこんな目にあうんだろうって。そこがかわいい。若いっていうのも、かっこわるいな。髪が薄くなって、細胞の破壊が始まった人たちがよく見える」そうすると、若さも、背の高さも、センスのよさも、決め手にはならないというわけだ。「もう一つ大事なのは、このへんでかっこよくなりたいんだけど、みたいな人生の計算ができること。打算じゃなくて」なんとなくわかってきた。幸運のときも不運のときも、人生を楽しむこと。ホテルのスイートで飲む冷えたシャンパンの味だけではなくて、落ちぶれて最後の小銭で飲むビールのおいしさを知っていたら、欠けた鏡に映る自分の姿に苦笑いして、ボータイを直すようにネッカチーフを整え、まばらな髪をかき上げたら、それはかなりかっこいい男だ。ミュージシャンたちから伝わる楽しさは、彼らが自分の手に引き受けている人生の楽しさなのだ。厳しくて、だから値打ちがある……。ステージを歩くことも、エクスタシーを感じておもしろかったという。その時その時を楽しむ姿勢。ある種のダンディズム。男のかなりハードな状況を考えてみよう。戦闘機のパイロットだとしたら。それでも楽しむ余裕はあるだろうか。「アメリカの戦闘機の写真を見ていたら、ノーズ・アートといって、前のほうに絵が描いてある。ガールフレンドとかセクシーな女とか。男が命かけるときに、どうしても描きたいものがこの程度なのか。笑えるね。その絵を革ジャンにつけたらかわいいと思って」それが、’40年代風空軍のジャンパーとピンナップガールになった。世の中の決り事や価値観に従ってシリアスになるより、笑い飛してしまおう。ヨウジヤマモトのコレクションを貫いていたものは、楽しさに姿を変えた、しなやかな反逆精神なのかもしれない。

"LUCIEN" IN EFFECT!
BOYEEEEE!!
SO KEEP COOL!
"MARI LOVE"
SEE YA!!

LUCIEN M'BAIDEM

RAPPER
YOHJI YAMAMOTO

ルシアン・ンベイデム

JOEY STARR

RAPPER
YOHJI YAMAMOTO

ジョイ・スター

ステージの両端に陣どった二人は、
硬派の不良少年のように清潔だった。
真っ白いシャツと灰色のパンツが、
無言でいる彼らの性質を際立たせていた。

6
ptember 1991 / photograph : Taishi Hirokawa

What'
ed on?

1996

YOHJI YAMAMOTO PRINTEMPS-ÉTÉ “BACKSTAGE” PHOTOGRAPHIE: MARK BORTHWICK

ヨウジヤマモト。'96春夏パリ・プレタポルテコレクション。

photographs & collage : Mark Borthwick / text : Nobuko Kojima

コレクションと流行は、一つの箱にリボンをかけられたペアのカップのようなもの。けれど山本耀司は、まずリボンをはずしてしまう。そして流行も、その大きな流れに乗れば安全なのに、あえて急流に挑もうとするように。それでいて流行を超えて輝くヨウジヤマモトの魅力はどこから来るのか。彼の'96春夏コレクションは、多くの実験の場でもあった。ジャポニスムに続いて、タブーとしていた本格的なスーツに取り組んだこと。順番を決めないアドリブ的演出。リンダ、ナジャ、カースティン、アンバーなどトップモデルの起用。「ショーは服とモデルのセッション。このモデルに着てもらえば安心というだけでは発見がない」と山本耀司。'95年10月14日、パリのPAJOL(フランス国鉄倉庫)で行なわれたコレクションを、会場からバックステージまで、誌上に再現してみよう。その、ファッションという名の冒険を。

左ページ　胸もとのあきがシャープなノースリーブのテーラード型ワンピース。シンプルなデザインこそ着こなす側の個性が重要だ。モデルはベテラン、カースティン(Kirsten)
右ページ　出番直前のモデルのミナ(Mina)。七分丈の袖がノスタルジックなギャバジン製のテーラードスーツで

普通の見せ方をしないで、
ぐじゃぐじゃに出す。
すべて一つの精神、同じ女の人
なんだという実験です。

ショーのフィナーレを飾ったコットン製の白いシャツ。右・左　フロントの大きなボーがアクセントの"ビッグ・ボー・シャツ"　中　綿サテンの後ろあきの変形シャツ。ドレスラインに華やかさを添えた帽子は、平田暁夫のデザイン

photograph : Mark Borthwick / March 1996 **high fashion**

Yellow Whats Her

NAME

?

**ショーは、服とモデルのセッション。
このモデルに着てもらえば
安心というだけでは発見がない。**

左ページ　今回のショーでベテラン勢に交じって、妖精のように現われた新人モデルのオードリー
右ページ　慌ただしいバックステージのモデルたち。スーツ、ワンピース、ドレスと、シンプルなデザインの決め手は美しいフォルムとボディだ。ステラ、ジャニン、ミナ、カースティン、シャロームなど、スーパーモデルたちの本番前のピンナップ

photographs & collage : Mark Borthwick / March 1996 **high fashion**

YOHJI YAMAMOTO

服に順番はない。

——'96春夏コレクションでは、かなり意識的な実験をなさったそうですね。まず、見せ方では?

山本　服については、昼間は仕事、夕方以降はカクテルと話が簡単なんですが、ショー全体の流れの中で、スーツのコーナーが進んでカクテルになるという普通の見せ方をしたくなかった。ドレス、タウンウェア、スーツをぐじゃぐじゃに出す。すべて一つの精神なんだよ、同じ女の人なんだよ、という実験を今回初めてしてみて、すごく大変でした。出番を決めなかったんです。着替えのすんだ順番に出るから。楽屋はすごかった。

——穴はあきませんでした?

山本　予定より10分長くかかりましたけど。音楽も金属音だったので、人によってはエンドレステープを聞かされているようだと。

——ドレスで終わるかと思ったら、またスーツ。

山本　服に上下関係はない、シルクのドレスもコットンのパンツも同じ服だというのは、ずっと考えていたテーマだったので、思い切ってショーの演出として……。ほんとうは客席にコーヒーやカフェオレを出して、カフェで通りを眺めるような雰囲気にできたらよかったんだろうな。

——東京も同じ演出の予定でした?

山本　もちろん。

——ところが会場の都合でキャンセル。

山本　パリではプレスやバイヤーに、東京では学生にも見てほしいと思っていたので、大きな会場でないとコレクションの意味が半減してしまうんです。僕も残念でした。

スーツへの挑戦。

——今までになくスーツが多いんですね。シンプルで、すごくきれい。

山本　スーツというのは19世紀、20世紀のどのデザイナーも手がけたトラディショナルなもの。やりたくもない、興味のないアイテムだったんです。

——抵抗したり、からかったりで作ったことはありましたね。

山本　まともに取り組んだことがなかった。いわゆるこけおどしのない、本格的なスーツを僕が作ったらどうなるのか、挑戦してみようかなと思った。で、スーツがテーマだ!となったわけです。

——作るときいちばん大切にしたことは?

山本　僕の印象では、女性のボディはこうあるべきだという完成された美、鋳型がスーツだと思う。ディオールのテーラードスーツのように、どんな体を入れても完成されたフォルムになる、一種のよろい。やはり胸が高く、ウエストの絞りがあって、ヒップにふくらんでいく、女性美の典型的鋳型と、どう取り組んだら新しい発見があるのかなと。

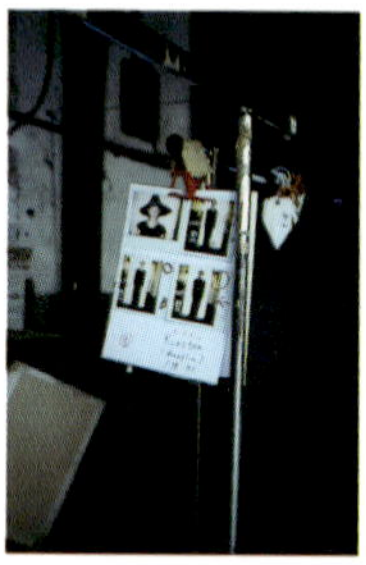

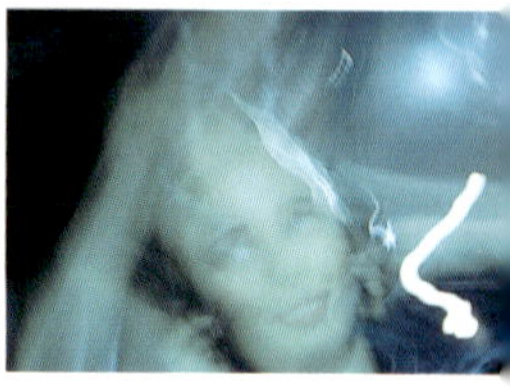

——もともと誇張が好きではないでしょう?

山本　でもスーツとなると、胸のふくらみとウエストの細さを誇張しなきゃいけない。そこが興味もあるし、難しいところでした。

——余分なデザインが何もない、機能的でエレガントな仕事着という感じ……。

山本　完全に仕事着の一つです。オフィスを意識している。簡単に言うとニューヨークかな。流行にはひっかからない、エグゼクティブな女性を想定しました。

アンチトレンド。

——流行を追わない……。

山本　それがスーツをテーマにしたもう一つの理由。流行がはっきり見えすぎちゃった。来年の夏はこうなるだろう、と。'50年代、'60年代、'70年代と20年、30年前をコピーする、リファインする、そういうモードが盛んですよね。「いやだなあ、最も流行のない服を作ろう」という、一種のあまのじゃく精神です。スーツというアイテムが、ミニマリスムに感じられた。

——ほとんどジャケットとスカートだけ。

山本　コーディネーションをしない。全裸の上にスカートはいてジャケット着て出かける。必要最低限。流行も何も関係ない。それはスーツの持っている、僕の好きな要素。デザイン的な、アイディア的なデザイナーのエゴを露骨に見せない、インサイドワークが多い仕事ですから。

——というと?

山本　外からぱっと見ただけでは意味のわからない仕事が、ものすごく多かった。衿の形、肩の傾斜、肩パッド、ウエストを絞る位置、服の比重……重心に重きを置いていたから、洋服屋さんの発表会みたい。

——それだけ技術があれば、クチュールにすることもできたのに……。

山本　クチュールというのは、いつも気持ちの隅に引っかかっている問題です。デザイナーを続けるかぎり、無視したり、避けたりできない。針一本でモンスターに立ち向かうようなものかもしれないけど。

——で、今回は牙城ともいえるスーツの部分を攻めてみたわけですね。全体の8割がスーツ。そのバリエーションはどんなふうに作ったんですか。

山本　僕のコレクションにはパターンメーキングの三羽がらすがいて、3人がそれぞれ僕のイメージに向かって仕事をする。三つのプロトタイプができるわけで、それを一つの方向にまとめるか、三つを自然に出したほうがいいのか。3人ともうちのスピリットの服を作っているので、今回は編集しないで、三つの柱にしました。少しゆるめに作ったのと、建築的なものと、トレンディな雰囲気が自然に入ったものと。

シャツで遊ぶ。

——スーツの割にシャツが複雑……。

山本　スーツのそばにシャツがいてほしい。ただ男のワイシャツをシンプルに作るのでは話にならない。女性用にアレンジしてみようというのは、重要な仕事でした。白いシャツとスーツという、基本中の基本。スーツがシンプルな分シャツで遊んで。

——プリントも遊んでる……。ドレスの花柄、水玉まで手がきなんですって?

山本　柄が生きている状態を作るのは、手作業のプリントでないと。グレー、紺、黒ばかり見ていたら目が疲れる。柄物は、目を休めるためのサービスです。

——ジャポニスムに続いてタブーを破った今回の実験、挑戦で、勝負はどうついたと思います?

山本　うーん、判定勝ちかな。

——パリで見た人が、アルマーニ以来のスーツの提案があったと……。新しいスタンダードというか、大人のファッションになるといいですね。

山本　まだまだ満足できないから、次もスーツは続けます。深まるか、ふざけだすか、わからないけど。

YOHJI YAMAMOT

%

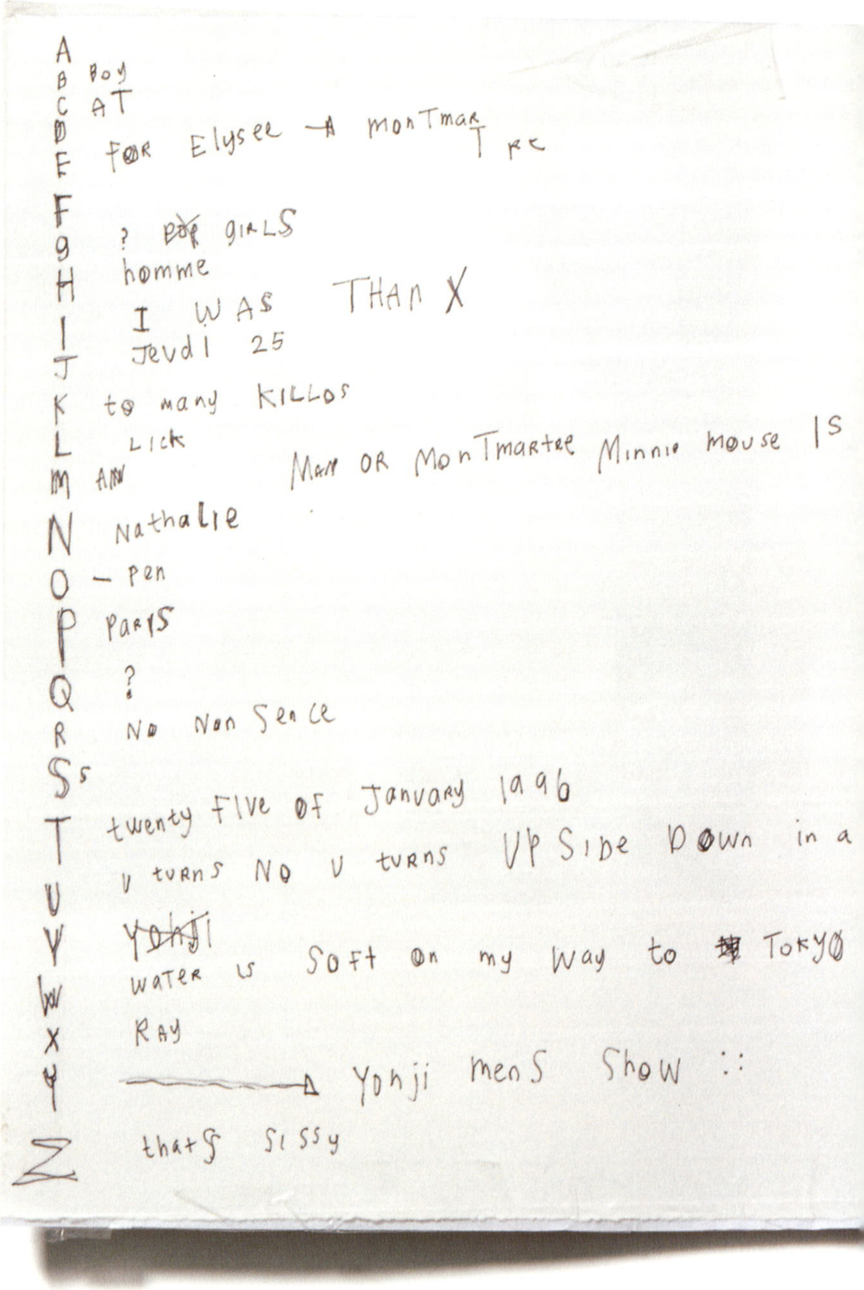

'96-'97 AUTUMN-WINTER COLLECTION.

18:30 THURSDAY 25 JANUARY 1996
ELYSÉE MONTMARTRE:72 BOULEVARD ROCHECHOUART 75018 PARIS

O POUR HOMME

1/2

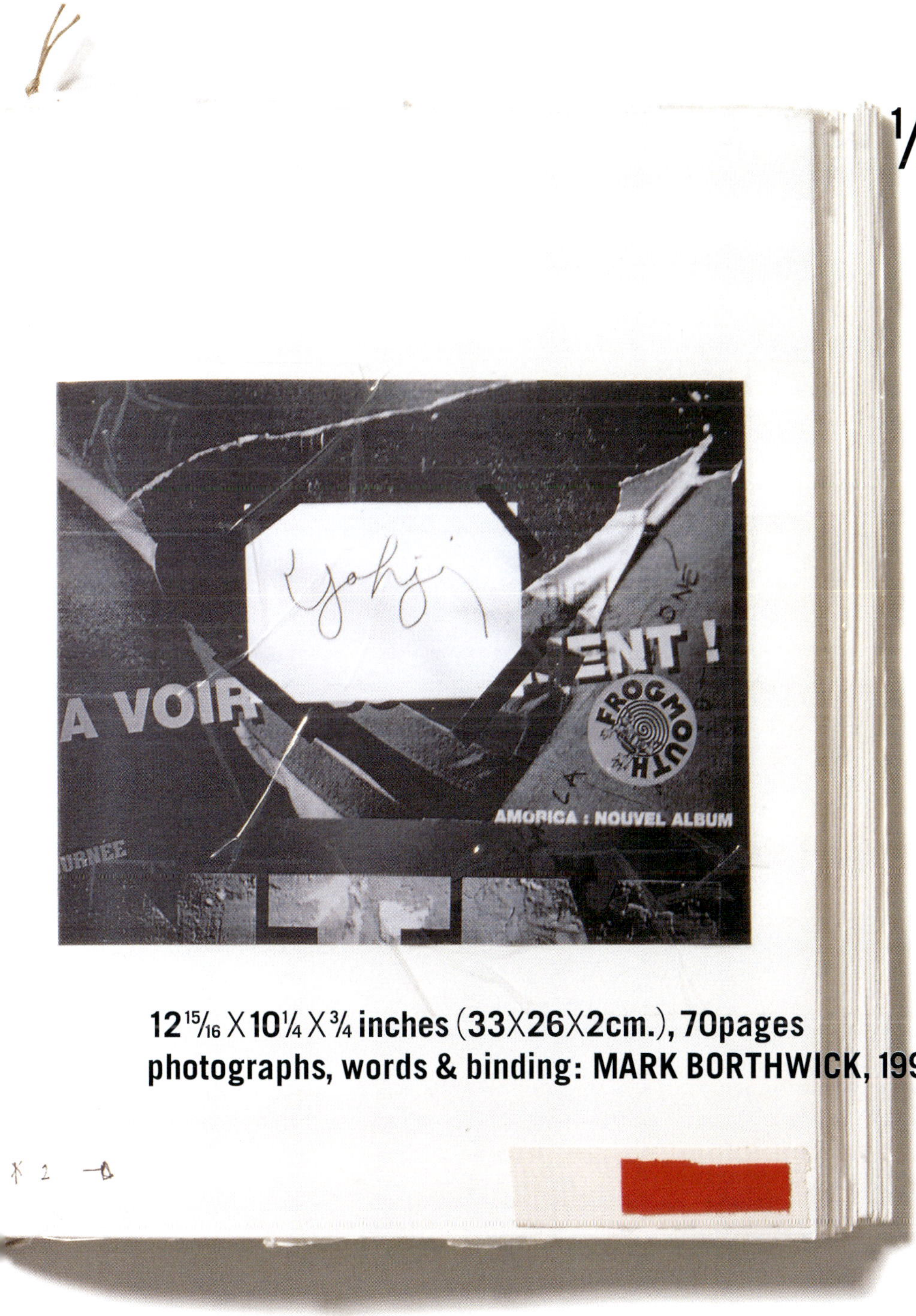

12 15/16 X 10 1/4 X 3/4 inches (33X26X2cm.), 70pages
photographs, words & binding: MARK BORTHWICK, 1996 PARIS

ヨウジヤマモト プルオム、'96-'97秋冬コレクション。

photographs, words & binding : Mark Borthwick

1996年1月25日、木曜日の午後6時30分、「男と女」や「真夜中のカウボーイ」などのメロディアスな映画音楽をBGMに始められた、ヨウジヤマモト プルオムの'96-'97秋冬コレクション。会場はパリのライブハウス、エリゼ・モンマルトルで、約1100人の観客が集う中、熱気にあふれたショーが展開された。山本耀司いわく「'91年の湾岸戦争の真っ最中に敢行した、'91-'92秋冬コレクション以来、久々にテンションの高いショーを行なうことができた」という今回。新進の若手カメラマン、マーク・ボスウィックが写真を撮り、そしてそれを彼自身が編集した記録集のような一冊の本が、3月の初旬に編集部に届けられた。

マーク・ボスウィックが制作した本は全70ページで、白い画用紙にコラージュされたモノクロやカラー写真のコピーで構成され、麻ひもで粗くくくられていた。味のある字体でページの中に書き添えられていたメモのような言葉は、ショーの印象を切り張りのように断片的に語っている

1996

nagase,

IN YOHJI YAMAMOTO POUR HOMME '96-'97 AUTUMN-WINTER COLLECTION.

Blue

ナガセとモトキ、二人の有名日本人。

ナガセとモトキ、人気と実力と話題性を兼ね備えた二人の有名日本人が、今回のコレクションに出演した。
二人とも175センチ程度の、日本人としてはいたって平均的な身長だが、180センチを優に超える大柄な外国人モデルたちの中にあっても、彼らの存在感は際立って見えた。
ステージ上を歩く姿勢やそぶり、客席への目線の配り方、服の着こなし方など、すべてにおいて光っていた。

フェークファーとナイロンという、ケミカルな素材の質感と色彩をラディカルにミックスした、ジップアップのロングコート。
暗く狭い空間で、コートに意図的にストロボを当てて、服の魅力を引き出しているマークの写真。静かにそこに立つだけのモトキと、オーバーなリアクションがフォトジェニックなナガセのコンビネーションは、
対照的かつ絶妙のキャスティングだと思う。この二人が共演する映画があるとしたら、いったいどんな内容のものになるのだろう……

49/50

motoki,

nagase, masatoshi

41/42

舞台にでたらまず正面向いて3秒は持たせなきゃ、っていったら、どうしたと思う?
1、2、3って指を折ってみせた。ライターを小道具にしてみたり、
ideaが軀につまってる。すごく繊細で、すごく瞬発力があるね。(山本耀司・談)

text: Makoto Saeki

永瀬正敏●俳優。1966年宮崎県生れ。'83年、17歳の時、相米慎二監督の映画『ションベン・ライダー』で主役デビュー。'89年、ジム・ジャームッシュ監督作品『ミステリー・トレイン』に抜擢され、その演技で俳優としての立ち位置を明確にする。'91年、山田洋次監督の『息子』では、日本アカデミー賞最優秀助演男優賞など数々の賞を受賞。F・T・フリドリクソン監督の『コールド・フィーバー』('95)、ハル・ハートリー監督『フラート』(日本公開'97年)など、海外の監督による外国映画にも多数出演している

小道具を持ったり、カメラを向けたりすると、とたんに輝きを放つのが永瀬正敏だ。
普段の柔和な優しい視線から、急にテンションにターボをきかせて強い顔つきになってしまう。
フレームの中での永瀬の集中力は、天性のものだと思う

motoki, masahiro

33/34

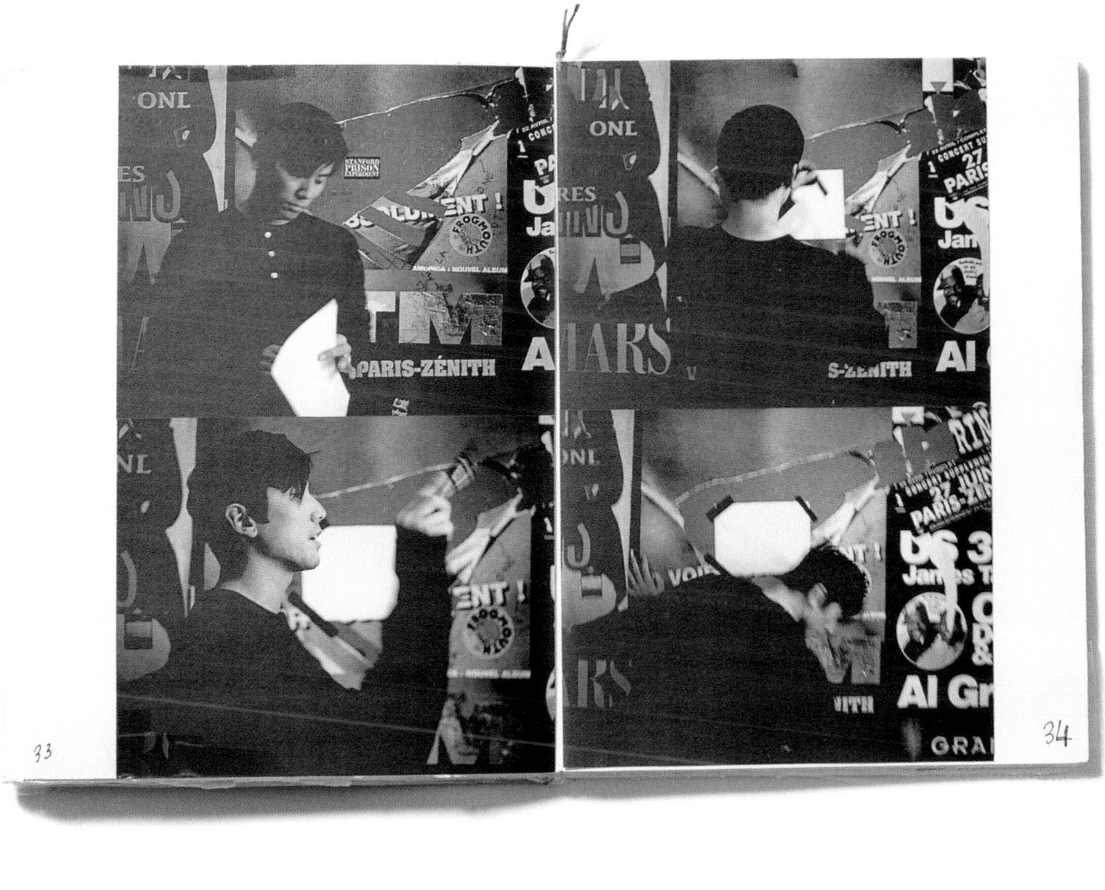

あれだけ過剰にやれちゃうカレが、そこのところを抑えてスッと立ってる。
modelに徹してた。それがおもしろいでしょ。
出てくるだけでパッと目立つ自分を知ってるから、そこをとっても禁欲していたんでしょうね。(山本耀司・談)

text: Makoto Saeki

本木雅弘●俳優。1965年埼玉県生れ。'92年、岡野玲子の漫画が原作、周防正行監督の映画『シコふんじゃった。』で主人公を演じ、俳優としての存在感を不動のものとする。以後、多数の映画、ドラマ、CMに出演。テレビで放映されるCM一つとっても、確固とした役柄への集中力が見え、深く記憶に残る。近作ではドラマ『坂の上の雲』(2009-'11)、『運命の人』('12)などに主演。自身が発案、主演した滝田洋二郎監督の『おくりびと』('08)は、'09年に日本映画史上初の、米アカデミーの外国語映画賞を受賞

モーション、肉体、音色、ルックスなど、すべてに色気のある、日本人としてはエキセントリックな魅力を持つ本木雅弘。
マークがカメラを向けると、一枚の紙を取り出し黒のマジックで“Yohji”という文字を(61ページ参照)書き入れた。
パリでの彼は、ストレートに感情を発散せず、静かで穏やかな、まるで澄んだ湖のような悲しげな美しさをたたえていた

MODELS IN YOHJI YAMAMOTO POUR HOMME '96-'97

11/12

name : BARTABAS
occupation : ACTOR & PRODUCER
age : SECRET
race : FRENCH

name : ANTON CORBIJN
occupation : PHOTOGRAPHER
age : 40
race : DUTCH

9/10

53/54

name : TONY CORSIN
occupation : GÉRANT SOCIÉTÉ
age : 50
race : FRENCH

ヨウジヤマモト プルオムの男たち。

ヨウジヤマモト プルオムのショーには、
年齢、職業、国籍にかかわらず、
さまざまなプロフィールの男たちが登場する。
くまのプーさんのような人なつっこそうな若者から、
ジャック・タチのような
とぼけたキャラクターの中年など、
まるで人物事典を見るような楽しみが、
このショーにはある。

会場内の白いタイルの前や、
会場近辺で撮影された、リアルな男たちのポートレート。
11/12 左　バルタバス、"ジンガロ（馬を使った演劇）"創始者、俳優、年齢秘密、フランス
11/12 右　アントン・コービン、カメラマン、40歳、オランダ
53/54 右　トニー・コルサン、写真修正会社管理職、50歳、フランス
15/16 左　デウデ・エメ、マルチアーティスト（ポピー・モレニの夫）、42歳、フランス
3/4 左　マーク・ブルス、彫刻家、58歳、オランダ
3/4 右　フランソワ・ギヨー、心理学者、31歳、フランス
13/14 右　アルチュール・ド・ル、ミュージシャン、28歳、フランス

AUTUMN-WINTER COLLECTION.

15/16

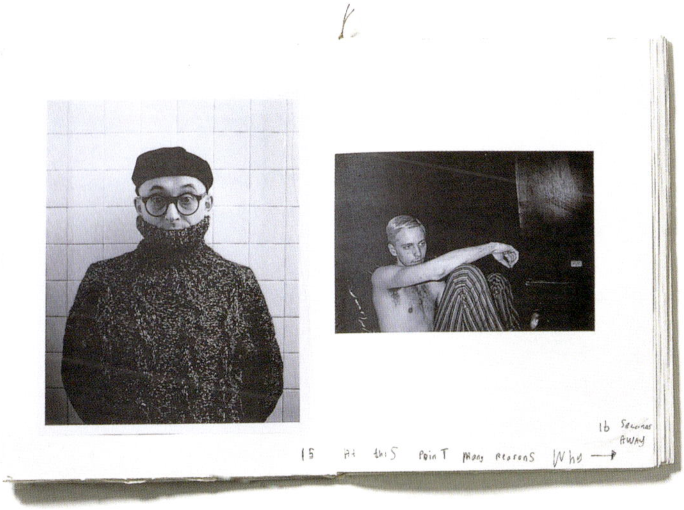

name : DÉUDÉ AIMÉ
occupation : MULTI ARTIST
age : 42
race : FRENCH

3/4

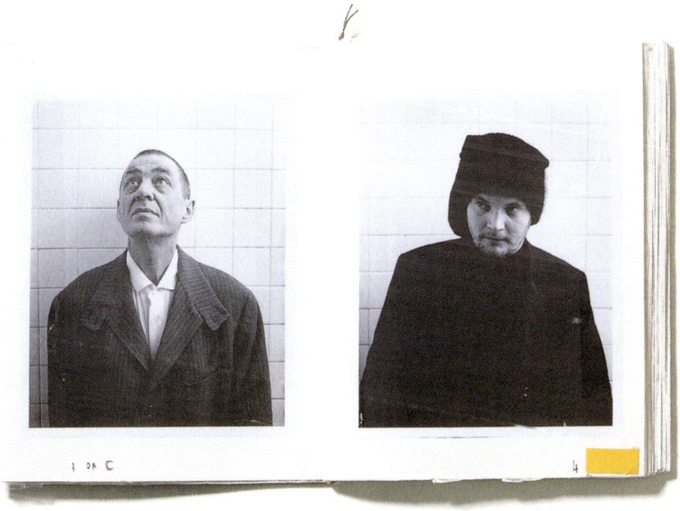

name : MARK BRUSSE
occupation : SCULPTOR
age : 58
race : DUTCH

name : FRANÇOIS GUILLOT
occupation : PSYCHOLOGIST
age : 31
race : FRENCH

13/14

name : ARTHUR DE LEU
occupation : MUSICIAN
age : 28
race : FRENCH

スペシャリテ。

text : Makoto Saeki

39/40

もうずいぶん前のことになるが、ジャン・ジュネを取材したフィルムをみてその部屋に強い印象を持った。硬そうなベッドがあるだけで、家具らしい家具もない。小さな窓があるだけで、すぐに連想したのは監獄だった。なんと荒涼とした部屋であることかと傷《いた》ましい気持ちになった。しかしこの頃になってまったく逆のことを思うようになってきた。虚空にことばで大伽藍をつくりだすことのできる詩人には、あっけらかんと無一物こそがふさわしい。むしろ殺風景はとびきりのgorgeousというものではないか。山本耀司にそんなことを話したら、グイとその飄々とした面貌をつきだしてうなずいた。

思いがけない、といえばいいのか予測していなくもなかったのだが、住むなら監獄のようなところが理想だという。移動中の車がすみかのような気がすることがあるともいう。贅肉をつけていない鋭い痩身をまえにして、やはり、このひとは非所有へとむかいつつある時代の尖端にいると思った。このひとはヨーロッパのブルジョア的な美意識を拒絶した。modeの舗道の敷石をはがして、そこは海だ!と叫んだ。その過激さはいささかも失せてはいない。

けれど、このひとのつくる服には拒絶だけではないやわらかな受容がある。ちょっと短めのpantsにコロッとした靴のおとこがトコトコ歩いてくると、前衛俳句が五、七、五とつんのめっているような気がする。そこに宇宙的なヒューモアがたちこめる。こちらの頬をゆるめさせる。その飄逸味はちょっと類がない。

こんどのcollectionにはスペシャリテという題がついているのだが、すぐに思い浮かべるのはレストランの自慢料理の一品という意味のspécialitéだろう。それも言外に匂わせているかも知れないが、ある技術に秀でたもの、職人、達人のことらしい。

明け方のパリのcaféにそのおとこはいて、クロワッサンを抓んでいるかもしれない。夜なべ仕事に憔悴してはいるけれど、だれにも服従しないでいるものだけが持つdignityがアウラのようにおとこをきわだたせている。彫刻家だろうか、画家だろうか、それとも小説家か。あるいはもっと匿名の手仕事に携わっているのかもしれない。かれこそはまぎれもなくspécialitéだ。

かつてこのひとは趣味的なるものを、そのsnobismを、その審美主義の凡庸さを、ツバを吐きかけるようにして撃った。しかし、いまかれをとりまくのは灰色の無力感にうなだれた街と青年だ。そのことがかれを苛立たせていないはずはないのだが、それをむきだしに表現したりはしない。丹念な職人仕事とヒューモアにくるまれた服の貌だ。風を食らって地を転がっていくボヘミアンを装った"挑発と戦闘"がthrillingだ。

山本耀司は、ショーに出演するモデルたちには
基本的には何も指図はしない。
ただ一つ、ステージのいちばん先っぽで
「プレスのカメラマンたちが
写真を撮るから、2、3秒立ち止まってほしい」
とのリクエストがあったぐらい、男たちの、
素朴な照れや持ち味などを殺さないために……

yamamoto, yohji

35/36

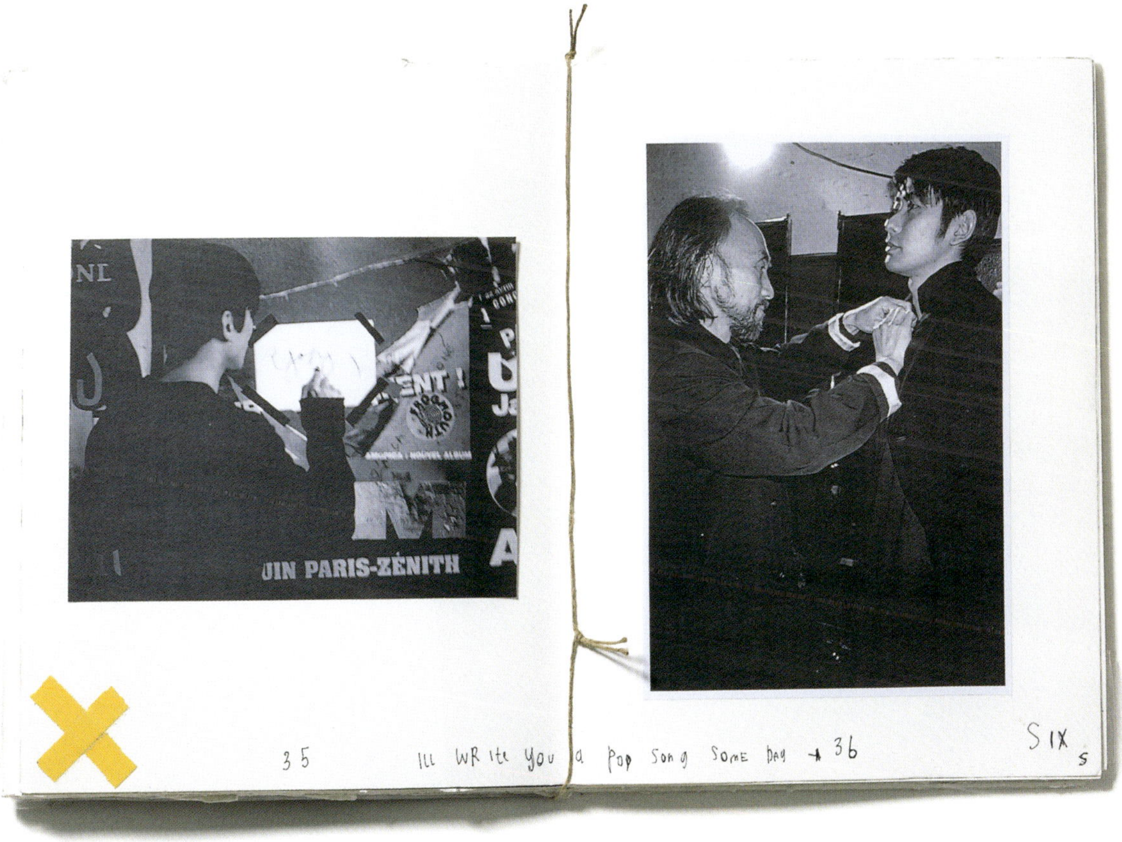

69/70

0/0

「このマークの本を、'96-'97秋冬シーズンのカタログにできたらね……」と言っていた山本耀司。
この世の中に一冊しかないこの本は、ショーをその場で見たのと同じくらいの感触やテンションの高さを、本という形の中でしっかりと収録できているのではないかと思う

YOHJI YA

A R T B O X b y C H R

1

CHRISTOPHE (graphic designer)
BRUNO K. (actor)

JOSE (flamenco dancer)

ヨウジヤマモトの世界を詰めた、一点物アートボックス。

ここに紹介する写真は、ヨウジヤマモトの依頼により、プルオムの1998春夏パリ・コレクションのバックステージで撮影されたもの。写真を撮られることに慣れていないはずの普通の男たちが一様に個性的な表情をしているのは、ステージ終了直後の解放感を陽気なフォトグラファー、クリストフ・リエがねらった結果であろう。そうして実を結んだ作品は、アートボックスの形となって完成した。

1 リボンつきのシャツは、ショーのエンディングに多く登場。2 ショー最中の緊張が漂うバックステージにて

MAMOTO

I S T O P H E R I H E T

2

MIOHFL (antique shop owner)

1997

BRUNO K. (actor)

4

MAFAL (student), TSURUMI (staff)

3 長身の俳優ブルーノは派手なスーツも難なく着こなす。4 右はヨウジヤマモトの社員。左のマファルは高校生。5 フランス人のダニエルは公務員。ドレッシーなシャツがよく似合う。6 ロマンティックな白いシャツを着こなした少年たち。前列左のジャンはモデルになる前からヨウジヤマモトのショーに出演していた。7 連続写真風のレイアウトが美しい作品。8 リチャード・アヴェドンを思わせるような、縦にぶれた構図の写真。リヒトの表情が爽快。9 表情の違う2枚の写真を並列して、相似形のおもしろさをねらった。靴の黄色が写真のスパイスになっている。10 記念撮影風の1枚。白いシャツのポイントになる花のプリント、大きなリボン結びのボーなど、今シーズンのヨウジヤマモトはロマンティシズムにあふれたウエアが多い。11 加藤和彦は山本耀司の強い希望で出演を快諾。ショーでも人気の凸凹コンビは共に俳優。12 右はレストランを経営している川合フランコ。東京からパリへ。左は火を吹くパフォーマンスを行なう芸人のマーカス。袖が切替えになったスポーツジャケットの着こなしが最高

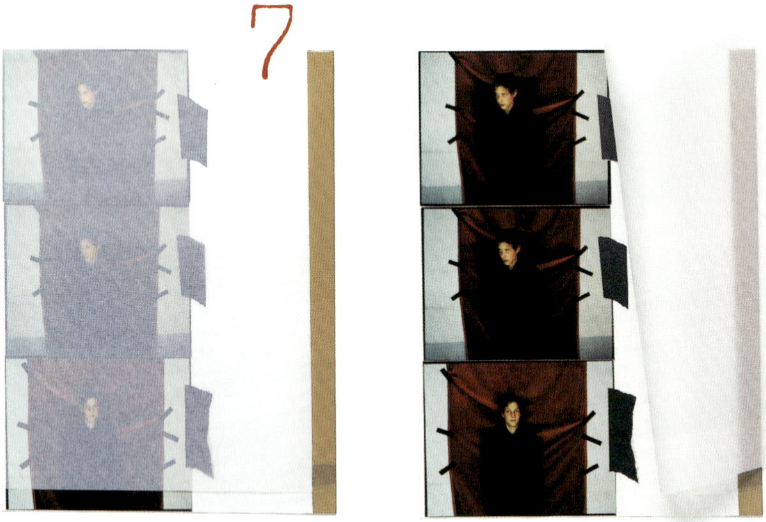

JEAN-BAPTISTE (model)

DANIEL (public servant)

FRANCO (restaurant owner), RIHITO (model), DAVID (photographer)
PATRICK (photographer), MARTIAL (musician), TSURUMI (staff)

DANIEL (public servant)

MARCUS (entertainer)
JEAN-BAPTISTE (model), BRUNO H. (artist)

RIHITO (model)

MAVA (student), MAFAL (student), KAZUHIKO KATOH (musician), JEAN-MARC (musician, artist)
PHILIPPE (actor), TIAGO (actor)

MARCUS (entertainer), FRANCO (restaurant owner)

YOHJI YA

ART BOX by CHR

制約のない活動の場を与えるということ。

ヨウジヤマモトは毎回ショーの記録のために、フォトグラファーをバックステージに入れている。『イタリア・ヴォーグ』などで活躍中のマーク・ボスウィックをキャリアの早い時期に起用したり、若いフォトグラファーの才能を信じて貴重なコレクションの記録を任せる、その試みは大きな価値を持つ。そして、今回のパリ・メンズコレクションを手がけたのは『デイズド・アンド・コンフューズド』『ヴォーグ オム インターナショナル』などのファッション誌が作品を掲載する、29歳のクリストフ・リエ。写真を撮りはじめてまだ2年足らずだが、ヨウジヤマモトとは一年前に'97春夏のメンズとレディスのバックステージ撮影を行なってからのつきあいとなる。

「One Size Fits All Mankind(どんな男性にも合うサイズ)」という明確なテーマのもとに、パリのプレス担当との共同作業で集められたモデルは25名。プロモデル2名を除いて、職業も様々な素人だ。異なった人種というよりも、バラエティ豊かな体形を基準にして、テーマに合う人物を探した。フォトグラファーに制約を与えずにヨウジヤマモトが任せたバックステージの記録写真は、一枚一枚がコンセプチュアルにデザインされ、アートボックスとなって届けられた。ファッションデザイナーとフォトグラファーとの相互信頼関係が結実したコラボレーションは、確かなカルチャー創造の場を我々に知らしめてくれるものであるといえよう。

MAMOTO
ISTOPHE RIHET

このボックスは、ショー出演者たちのポートレートを紙の箱にはりつけ、上からビニールテープをかけたもので、クリストフ・リエ制作。この中に作品が収められている

Wandering, Playing,

Performers : Kocani Orkestar,
Les Gitans, Les Manouches,
Les Tziganes, Taraf de Haidouks

Passing

From Paris Men's Collection
Yohji Yamamoto pour Homme
Autumn / Winter 1999-2000

彷徨する男たちのシンパシー。1999

男の服のあり方を、新たなシーズンのたびにモデルたちのパーソナリティへと投影させて私たちに問いかける山本耀司。
今年1月に行なわれたパリ・コレクションに登場したのは、かつてジプシーと呼ばれた放浪の民、ロマ族のミュージシャンたちであった。
強烈な存在感とそのパフォーマンスで会場をさながら祝祭の舞台と化した彼らは、服のみによらず自らの来歴によって醸成された人格でそれを着こなしてみせた。
決して立ち止まることなく流れるように通り過ぎた男たち。あふれる音と衣服が共振するショーの高揚感の後に残されたものは、
彼らと山本耀司の懐に奥深く抱かれた、彷徨する男たちの魂のシンパシーだった。

photographs : Yutaka Yamamoto

Performers : Kocani Orkestar, Les Gitans, Les Manouches, Les Tziganes, Taraf de Haidouks

5つのバンドのカラーはその音楽のテーストとともに多彩で個性的。チャーミングな美男子ぞろいのレ・マヌーチェ、ブラスバンドにアコーディオンが加わったコチャニ・オーケスター、レ・ジタンはポップなテーストのギターの弾語りがメーンだ。12人の大所帯であるレ・ツィガーヌはバラライカやツィンバロム、コントラバスといったバリエーションに富んだ楽器を操る。また、タラフ・ドゥ・ハイドゥークスはCDもリリースしているメジャーなバンドで、メンバーのテクニックには、この日会場に集まったミュージシャンたちの間でも尊敬とあこがれのまなざしが注がれていた。真剣な音合せの一方、ルーマニア語、フランス語、固有の民族語がないまぜになったにぎやかな話し声が行き交うバックステージのエモーションは、そのままショーのステージへと引き継がれた

男たちの邂逅の時。

ほの暗い通路の先にある扉の向うから、にぎやかな中にもどこかもの悲しさを含んだ変拍子の旋律が、いくつも重なって反響し合いながら、もれ聞こえてくる。重い鉄の扉を押し開くと、半ば設営を終えたショー会場のあちらこちらに数人ずつ陣取った男たちが、バイオリンやアコーディオン、ツィンバロムといった思い思いの楽器を手にたたずんでいた。

POPB SALLE MARCEL CERDAN

1月27日、この日のパリは厳寒期には珍しい、暖かく穏やかな陽気であった。中心部から見て南東の方角、12区のセーヌ川沿い、ベルシー総合体育館の中にあるサル・マルセル・セルダンはフランスの著名なボクサーの名を冠した競技場だ。約1000人を収容するホールは、通常、スポーツやコンサートなどに使用されている場所である。壁に沿って赤いプラスチックのスタンドシートが階段状に連なるホールの真ん中に、サーカスの舞台を思わせる円形のステージが組まれている。その周りに配置された木製のクラシックな折畳みいすの数、約400。入り口から見ていちばん奥の一角に、パーティションで仕切られたメイクルームとフィッティングスペースが設けられている。本番を4時間後に控えて慌ただしく立ち働くスタッフの中にあって、その男たちはまるでコンサートの開幕を前にしたときのように、楽器の調子とバンドのハーモニーを確かめる作業に余念がない。

Performer

ジタン、ツィガーヌ、ヒターノ……地域によってその呼び方は異なるが、いわゆるジプシーと俗称された民族〝ロマ〟は全世界で600万から1000万人存在していると推定される。インド北西部にルーツを持つこの民族は11世紀以降、数百年の長きにわたってヨーロッパ大陸を西へと流れ渡り、伝来の家族共同主義と独自の掟をかたくななまでに守りながら、訪れた先々の風土や文化をのみ込んで多様化してきた。ペルシアから地中海を抜け、イベリア半島に達した者がフラメンコの原形を生み、クリミア半島を通って東欧に入った者たちがロシア宮廷の楽師になったように、彼らが生きるために身につけていった数々の技能の中でも、音楽と芸能の才が特にたけているのはよく知られたことだ。

ルーマニアの伝説的な楽団であるタラフ・ドゥ・ハイドゥークスをはじめとする5つのグループ、49人のミュージシャンをモデルとして起用したファッションショー。彼らと山本耀司との邂逅は、昨年10月のドイツにさかのぼる。ピナ・バウシュ率いるヴッパタール舞踏団と、世界中のさまざまな分野のアーティストとのコラボレーション。自身も一人の表現者として参加していたこのプログラムにおいて、山本耀司は彼らの音楽性と強烈な存在感にほれ込んだという。リハーサルのためにフィッティングルームへ着替えに入っていく男たちは皆、一様に奥行きのある面ざしを持っていた。彼らのルーツを彷彿させる彫りの深さや濃い眉、幾重にも刻み込まれたしわ、ひげの表情、そして人懐こさの中に強靱なバイタリティがのぞく目の強さ。体形もまたしかり。目をみはるほど大きな太鼓腹を揺すりながら歩く男、杖をついた老人の古木のような腕、堂々たる厚い胸板……その体躯はどれも実に饒舌である。均整のとれたプロのモデルとは全く違う、まるで長い時をかけて風化した大地のテクスチュアのような存在感は、真新しい服を圧倒的に着る人のほうへと引き込んで、有機的な化学変化を起こしている。

Sympathy

昨日の大まかな打合せに次ぐ本番前の最終リハーサルを、山本耀司はスタッフとともに見守っていた。客席の最前列に座った彼の後ろ姿は泰然と落ち着いていて、しかもどこか楽しげに見える。

「これでもけっこう緊張してるんだよ。彼らを安心させるために笑ってる」

ショーは客席正面のスタンドシートにすべてのミュージシャンを座らせた状態のまま始まることになっている。服は一人一着、着替えはない。グループごとに順に立ち上がってステージを回り、その間のBGMを他のバンドが持回りで演奏するという、まさにライブコンサートばりの演出だ。

男たちのステージ衣装になるのは、ロング丈のコートやジャケットにゆったりとしたシルエットのパンツ、あるいはそれにサロンスカートを重ねた、体を包み込むボクシーなシルエット。黒やグレーのバリエーションを中心としたダークトーンにカーキや赤が加わり、ベルベットの鮮やかなさし色が印象的に挟み込まれる。それはクラシシズムとフォークロアが織りなす華やぎのある正装だ。「自意識のポジションがちょうどいい」という山本耀司の言葉どおり、そのパフォーマンスは堂々と誇り高く、しかも自然体で美しい。コートの裾を翻し、ストールをなびかせて、彼の前である者は一瞬立ち止まり、ある者は帽子に手をかけてちらりと笑う。その視線が出会う先には、体制や権威によらない者どうしの、立場や国籍や年齢を超越する強いシンパシーが流れていた。

変拍子のリズムは日常感覚を心地よく麻痺させて、聴く者をまるで小さな村の祝祭か大道芸の舞台に連れていくがごとき幻想に誘う。彼らの遺伝子の底に流れるアナーキズムと、複数の感情が渾然一体となった狂おしいまでに濃厚な音が、畳み込むような勢いで次々と繰り出される中に歌と手拍子が重なり、ステージは次第に熱を帯びていく。

「本番が始まったら、もうこっちのコントロールはきかないね」

ひととおりのリハーサルが済んだ後も、演奏は一向にやまない。一つの曲をほかのバンドが引き継ぎ、それが終わりかけるとまた別のセッションが始まってしまうのだ。終りのないコンサートの予感に、山本耀司は笑いながらそれでいいのだとうなずいていた。男たちに託したものは、すでにすべて引き渡されている。そして彼らはその答えを出してくれた。

Cacurica
Taraf de Haidouks

Nicolai
Taraf de Haidouks

体・服・歌。text : Nobuko Kojima

成長とは、欲望の数を増やしていくことらしい。裸で生まれたはずなのに、気がつけば有形無形のいいもの欲しさでがんじがらめだ。わずらわしい、でも抜けられない。そんなことはないさ、と山本耀司はコレクションを通して言っている。体があって、何か着なきゃ外に出られないから服があって、あとは歌や楽器があれば生きていける。そんな人間もいるのだと。家柄、学歴、地位など関係なし。最小限の持ち物と最大限の自由が彼らの財産だ。ほんとうのいい女は、そういう男たちについていく。

体。

理想的な男の体といえば、ギリシア彫刻のアポロン像やミケランジェロのダビデ像を思い浮かべてしまう。筋肉質の堂々とした体格。目的は、闘いに勝つことにある。猟、競技、戦争……動物であれ人間であれ、相手を打ち負かすために作られた体。何世紀にもわたって刷り込まれたヨーロッパの美意識だ。それは地球上のほんのわずかな人間の優位性を示しているにすぎないのに、人々は無条件に受け入れてしまった。本来闘いを好まず、寄り添って地を耕していた民族は、当然違う特色を持つ。したがって西洋文化に触れて以来、多くの日本人がコンプレックスに悩まされることになった。

美の基準は一つしかないのか。1981年、初めてのパリ・コレクションで山本耀司が問いかけたのは、そのことだと思う。オートクチュールを基本とする服作りの約束事を外し、絢爛たる色彩に背を向けた黒一色の世界。ぼろルックあるいは乞食ルックとも呼ばれたヨウジヤマモトのモードは、すべての権威、ファシズムを嫌う彼の、伝統的価値観への反逆であり、解放へのメッセージでもあった。ヨーロッパの人々は強烈な衝撃を受け、反発もし、賛同もし、けれどコレクションを重ねるごとに支持者は増えていく。東洋人だけではなかったのだ。完成された美の呪縛から逃れたかったのは。むしろ彼らのほうが、体形も、肌、髪、目の色も千差万別。ボディラインを強調せず個性を際立たせる、非構築的な服の優しさに、ほっとしたことだろう。

服。

「僕は、何々ふうに見える服って大嫌いだ」と山本耀司は言う。金持ちふう、利口そう、育ちがよさげ、立派、そんなふうに見えるよりはいかがわしいほうがいい。男らしく、というのも嫌。いわゆる男らしさ、女らしさは、管理しやすいように作られたものだから、押しつけられて苦痛でなかったはずがない。

ヨウジヤマモト プルオムのコレクションを振り返ってみると、洗練された男、エリートふうの男はほとんど登場していない。裏町のやんちゃ坊主が田舎の二枚目気取りが、精一杯かっこつけている風情。それは新宿の歌舞伎町という歓楽街で洋裁店を営む母親の下に生まれ育ったデザイナーが、今も変わらずに持ち続ける目線なのだ。力ずくでぎりぎり生きている人間たちの中、戦争で父親もなく、やせて小柄な少年は防衛手段として空手を習得しなければならなかった。進学した名門校では環境の落差にとまどい、葛藤を抱えながら自己を確立していく。学生時代を通して、彼は確実に権力への反抗心と、支配を拒み自由に生きる人間への共感を育てていった。

もともと男物の基本は、ロンドンのサヴィル・ロー周辺で完成されたダンディズム。ヨーロッパの覇権主義に裏打ちされた服を、彼は内側から溶かしていこうとする。武器は、敵を知るための構造と技術の徹底的研究、そしてユーモアと諧謔の精神だ。まずレディスに使われる光る素材やパステルカラー、刺繍やパッチワークなどで、うふっと笑わせながら男らしさ、女らしさの枠組みを解体してしまう。昨年、オムのショーに自立する女性たちを登場させたのもその一環。服と人の自由な関係を、自然な形で印象づけた。形式美のシンボル、ネクタイも格好の冗談の的。ど派手にしたり、シャツの衿をボータイふうに肩幅から飛び出すほど大きく結んだり。スーツにアウトポケットをいっぱいつけて、作業着みたいにしたこともある。もしクラシックな品格とステータスを感じさせる服があったとしても、世の中の基準に迎合しているわけではない。単にからかっているか、おじけづく若者たちを、しょげることはない、偉そうに見せるのなんか簡単なことだよ、と励ましているのだ。

高みにのぼるより地平の広がりを愛する彼の仕事が、今回のコレクションで最もふさわしい着手を得たようだ。遠い昔、音楽芸能を携えてインドからヨーロッパに流れてきた人々。ロマ族のミュージシャンたちは、青年から老年、やせ形から超肥満、短身から長身とバラエティに富んだプロポーション。それでも全員がヨウジヤマモトを自前の服のように着こなしているのはなぜか。命も運命も自身の手のうちに抱えている彼らは、服にその一端すら預けない。楽しんでも、頼らない。ロングスカートだろうが、飾りひもつきジャケットだろうが、背中で斜めにカットしたマントだろうが、自分に引き寄せ、似合わせてしまう。

歌。

ミュージシャンたちが属する5つのバンドは、楽器から飛び出した音が前の音を捕まえるかと思うほどアップテンポだったり、しっとりとメロディアスであったり、野太く田園的だったり、それぞれに特徴があるのだが、こめられた喜びも悲しみ

Outline:

もむき出しで人間くさい。やせ細った老人の叫びにも似た歌など、うまい下手の評価を超えた次元にあった。生きるための表現。いつか聞いた山本耀司の言葉を思い出す。「人生、仕事、すべての過程に楽しみがある。意気投合したり、励まし合ったり、傷つけ合ったり、やっている最中が大事で、結果はどうでもいい」ものを作る人は、途中のおもしろさゆえに作るのだという。彼らだって歴史に残る賞をもらったり、世界ツアーを成功させようとは思わないだろう。そんなものいらない、という誇りもある。今この時を歌に演奏に燃焼しきって、仲間とねぎらい合えれば人生のすてきな一日だ。こうして生身をさらし、磨き砂でこすられながら、味のある顔ができ上がっていく。「いちばん悲しいのは、卑しい顔の人間が服装で目立とうとすること」。生まれつきがどうであっても、悲観したものではない。いい顔になれるのだから。

“if”、で物事を考えるのは無意味かもしれないが、思いを巡らさずにはいられない。もし彼がデザイナーでなかったら……。きっとストリートミュージシャン。道端の歌うたい。目に見えるようだ。パリの地下道かどこか。雑踏の中をかすれぎみの優しい歌声とギターの声が聞こえてくる。いつも黒ずくめの男。人足が途絶えると、帽子の小銭をポケットに入れて酒場に向かう。ワインかウイスキーか、魂の食べ物で一日を締めくくると殺風景な部屋に戻り、同じ明日のために眠る。目の覚めない朝が来るまで。

PINA BAUSCH + YOHJI YAMAM

OTO : Fusion Between the Two 2002

同質のアビリティ。
ピナ・バウシュが着る
ヨウジヤマモトのポートレート。

ヨウジヤマモトの服を好んで着る人の動機は、
それが著名なデザイナーズブランドの
服だからではなく、はやりのスタイルだからでもなく、
極めて個人的な自然にわき立つ欲求からではないだろうか。
その服のファンの数を計るすべは知るところではないが、
山本耀司の作り出す服には、理由を超えて、
ある種の人たちのエモーションをかき立てる資質がある。
そしてこの一点が、ピナ・バウシュの創造する舞台と酷似しているのだ。

photographs : Yasuo Matsumoto / makeup & hair : Tomita Sato

086 / MR October 2002 / photographs : Yasuo Matsumoto

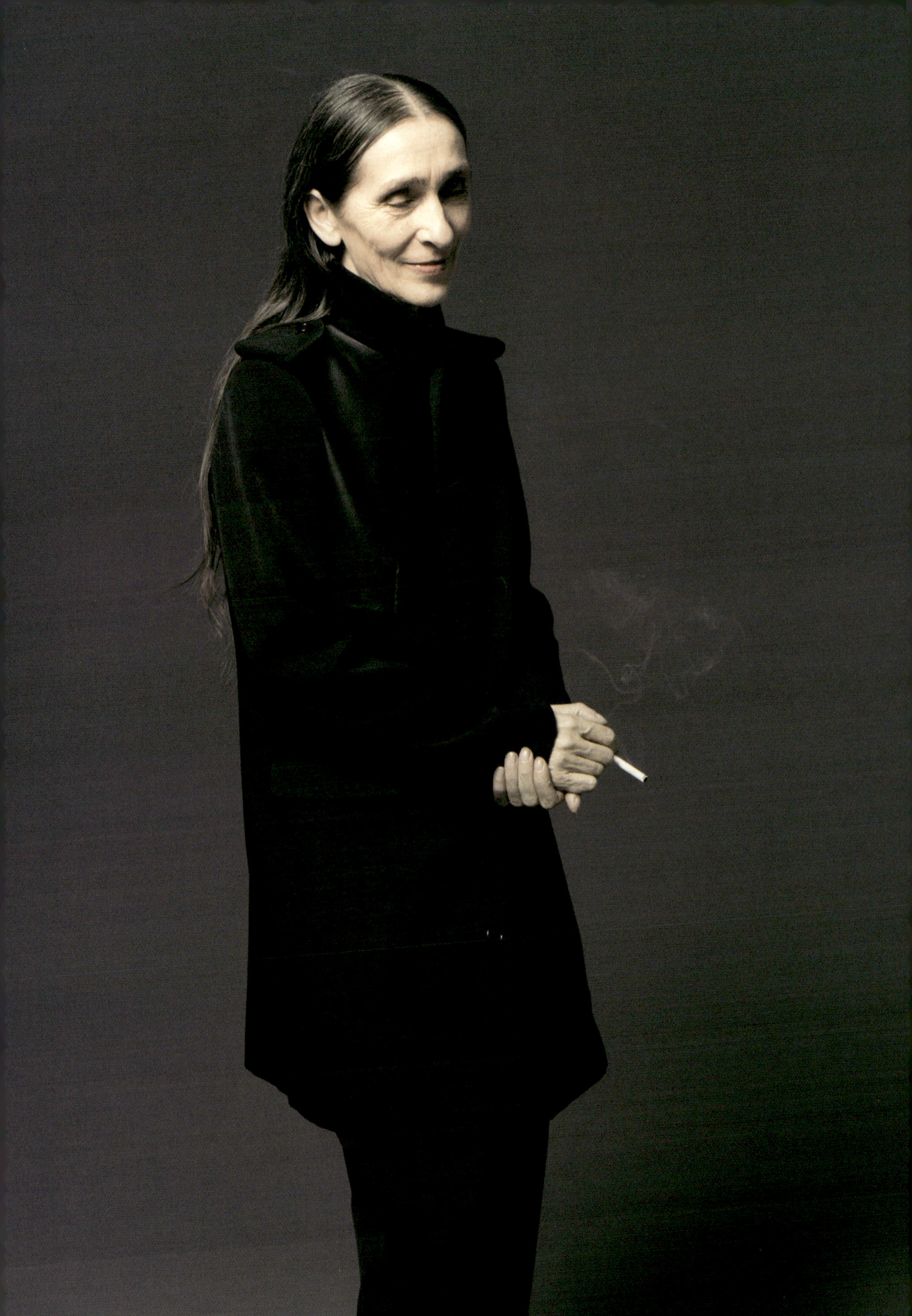

Pina Bausch

1940年ドイツ・ゾーリンゲンに生まれる。'55年、フォルクヴァンク芸術大学でドイツ表現主義舞踊の先駆者であるクルト・ヨースに師事。首席で卒業後、ニューヨークのジュリアード学院舞踊部門に留学。'62年、帰国後、フォルクヴァンク舞踊団のプリマバレリーナとして活動。振付けも始める。'73年、ヴッパタール舞踊団の芸術監督に就任、演劇ともオペラともくくれない、全く新しい創作活動を開始。'77年、フランスのナンシー演劇祭で上演した『七つの大罪』が絶賛され欧米各地で公演、高い評価を得る。以来、『カフェ・ミュラー』『カーネーション』『ダンソン』など40を超える作品をつくり続け、すべての舞台が世界中で賞賛される。2002年5月、彩の国さいたま芸術劇場、東京・新宿文化センター、滋賀県立芸術劇場びわ湖ホールで公演。2009年6月30日逝去。同年、ピナの子息、ザロモン・バウシュがピナ・バウシュ財団を設立。ヴィム・ヴェンダースがピナの生前から撮り始めた映画『Pina/ピナ・バウシュ 踊り続けるいのち』が、日本では'12年に公開。ヴッパタール舞踊団は活動を続け、2014年3月、彩の国さいたま芸術劇場で来日公演予定。演目は『コンタクトホーフ』

山本耀司の服を着るピナ・バウシュの写真を撮りたいのだったと確信したのは、今年1月のパリで。ヨウジヤマモトのメンズのショーを見終わって観客が一斉に出口に向かうとき、バックステージの山本耀司に会いにいくピナが、人波と逆方向に歩いてくるのが遠くから見えた。すれ違ったときに、ヨウジのメンズとレディスの両方を着るピナ・バウシュの写真を撮りたいと長年思い続けながら抑制していたことを、突然に知覚したのだ。

創造者とは、誰も気づかないものが見えて、人が素通りするものに反応してしまう人のことだ。その人は日常生活の中では、多くのことを口ごもり、内向を余儀なくされるだろう。しかし、潜伏したイメージはやがて鍛錬され、熟成し、作品という形に結実していく。観客を陶酔に誘う希少な作品とは、すべてそうやって生み出されるものではないか。素顔のピナ・バウシュの目は、30年もの間、創造し続けてきた人の思惟の深遠さと孤独を体現していた。ところが彼女が笑顔になると、一転孤高の顔は少女のような稚気にあふれ、ブルーの目は無防備なまでの甘美さをたたえる。その表情の大きな振幅と、素の時間の静かで内気そうな様子もまた、ピナ・バウシュが天性の創造者なことを語っている。

「偏屈者の僕が、生涯この人の命令だけは何があっても従うと素直に感動したのは、ハイナー・ミュラーとピナ・バウシュだけです。要するにそばにいたいんです」本誌'99年2月号で「着衣の肉体。ピナ・バウシュと山本耀司のコラボレーション。」という小特集を組んだときに山本耀司が書いた文の一節だ。ピナと耀司は十年来の友人どうしだが、なんの形容詞もないこの肉声そのままの言葉は、二人の緊密な連帯をよく表わしている。創造する世界は異なっていても、世界中の大勢の人のエモーションをかき立ててしまう磁気を放っていることにおいて、ピナ・バウシュと山本耀司は同質のアビリティを所有しているのだ。

Pina asked Yohji
Ein Fest in Wuppertal 25 Ja

1999 photographs : Bernd Hartung

着衣の肉体。
ピナ・バウシュと山本耀司のコラボレーション。

'89年、ピナ・バウシュとヴッパタール舞踏団の来日公演の日、舞台は1万本のカーネーションで埋めつくされていた。
モダンダンスとも演劇ともカテゴライズしがたいピナの世界は、
おそらくすべての観客を初めて見る異様な美しさに引きずり込んでしまう。
終演後、ロビーにあふれ出てきた人々の表情は至福の舞台への陶酔感に満ちていた。
その人ごみの中に、デザイナー山本耀司の顔もあった——。
'98年10月の23日間、この舞踏団の25周年イベントが彼らの本拠地ドイツのヴッパタールで開催された。
世界中から参加したダンスやバレエ、音楽分野の著名なアーティストの中には、山本耀司の名前が記されていた。
そして多くの人が予測したようにダンスとモードによる舞台が始まるはずだったその日、彼は意表を突く舞台をつくった。
空手が登場したのだ。彼の重要なファクターを占める空手が
モードとともにダンスに拮抗して、全く新しいコラボレーションが展開されたのだ。

for “Something”
hre Tanztheater Pina Bausch

「偏屈者の僕が、生涯この人の命令だけは何があっても従うと素直に感動したのは、
ハイナー・ミュラーとピナ・バウシュだけです。要するにそばにいたいんです」（山本耀司）

ピナ・バウシュを語る。——山本耀司

interview & text : Yoshiko Aoki

■ピナ・バウシュとの出会いについて。

彼女の公演を初めて見たのは10年ほど前、パリで。その作品がその時よりさらに10年前に作られたものだと聞いて非常に驚きました。'70年代の後半というのは、ファッションも含めて世界中が何かを大きく変えたいと躍起になっていた時代でしょう。すごいことをしている人がいる、とショックでした。それまで僕が理解していたモダンダンスの概念とは全く違う"新しい芸術"があるのだと、それを創造した人に畏敬の念と感動を覚えました。

僕はそれまで「どんな女性のために服を作るのか」という質問に対して、「現実には存在しない理想の女性のために」と答えていたけれど、彼女と出会ってからは「ピナのために」と答えはじめた。コレクションに来てもらったり、食事をしたり、お互いのチャンスが合えば会うようになりました。ピナとは必然と偶然が重なって出会ったのだと思っています。

■コラボレーションのきっかけについて。

'98年の1月ごろ、ピナが僕と一緒に何かやりたいというのを聞いて、彼女の関係者とパリで会いました。とんでもないことを引き受けてしまいそうだな、と思いながらも最初から断わるつもりは全くありませんでした。僕はピナに対して絶対服従なんです(笑)。

■内容のアイディアについて。

一方的に僕が考えました。で、7月にエクサンプロヴァンスでピナに会ったときに提案して。最初、彼女はびっくりして戸惑っていたけれど、その後すぐに「すばらしい」と言って、僕を信頼して任せてくれた。

■空手を提案した理由は。

ダンサーの稽古を特別に見学させてもらったことがあります。練習着で踊る彼らの体の美しさに、シンプルに感動しました。体の動き、柔らかさ、ポテンシャルな美しさを見て「僕の服の出る幕はないな」と思った。服で舞台を表現することはあきらめたんです。その時、僕が自分の"something"のためにやっている空手のことを考えた。最高位の空手師範のある種の動作は芸術なのです。だからダンサーと空手の肉体表現を即興で出会わせてみようと。文化背景の違う体の潜在能力が交換されたときに起こる予測不可能な物語、それを上演するしかない、といった気持ちでした。

■舞台はいかがでしたか。

ブーイングが起こって全く否定されるかもしれないと、それは怖かったですよ。中にはモードの山本がピナと組んで何かをするということに期待して見に来た人もいるかもしれない。空手の師範まで巻き込んでおいて彼らに迷惑はかけたくなかったし。僕が何をする者なのか知らない人も中にはいるだろうというわけで、過去のコレクションの作品をダンサーたちに着てもらって、会場の入り口に、まるで雑木林のようにたたずんでもらう演出をしたのですが、彼らは圧倒的な存在感で服を着こなして、入場してくる観客に、無言のプロローグを展開してくれました。これが観客に対しての何か大きなエモーショナルな役割を果たしたように思います。その後、女性空手師範がステージで空手を披露したとき、自然に拍手が起こった。舞台袖で「これはいけるだろう」と感じた。もちろん完璧とは思わないけれど、ピナ・バウシュというダンスにおける"世界の頂点"の人の前で1時間の舞台を任されたということだけで幸せでした。

■アートにおけるコラボレーションとは。

まずコラボレーションは危険をはらむものだといえます。お互いが譲り合って五分五分の関係を重視すると非常につまらないものになる。激しい衝突があって初めて何かが生まれるのだと思います。思い切って相手の領域に飛び込んでこそ予期せぬおもしろいものが生まれる。でもそれは素人がプロフェッショナルな相手の懐へ入ろうとすることなわけですから、ダメージを受ける可能性が大きい。リスクが高い。衝突が激しいほど反発と賞賛の両方がつきまとう……コラボレーションを考えるたびに胃が痛みます、ほんとうに(笑)。

■ご自身が舞台に立たれたのは。

必然性は全くないです(笑)。ピナが「一人だと怖いからヨウジも出てほしい」と言うので。ピナといえども、異文化との出会いを体験するのは怖いらしいんです。それで僕の出方をあれこれ考えて。ピナに襲いかかってる空手家たちを僕がどんどんなぎ倒して英雄になるとか(笑)。でもそれじゃあまりにもつまらないということで、照明を抑えて、ピナがステージにいないとき、ほんの少し空手を披露しました。

■空手は黒帯と伺っていますが。

7、8年前、体が憔悴しきって限界だったころ、母親の英会話の先生がたまたま指導員をやっていて、それでなんとなく始めたのがきっかけです。でも運動なら何でもよかったわけではない。ジョギングやジムなどの身体第一主義は大嫌いで、やるなら相手のいる、真剣勝負の格闘技をやりたいと。ちょっと気を許すと自分が大けがをすることもあれば、相手を傷つけてしまうこともある。緊張感がないといけない。戦うという緊張感に身を置くことの心地よさ、それと、これ以上は無理、というところからさらにあと少しの体力を要求されて、それが終わった後の爽快さに引き込まれたんです。日ごろの仕事が神経戦ですから、そこから解放してくれる空手は、今では僕にとって生活の一部です。

■モードと空手、二つを融合させた理由は。

一つには、なぜ僕が今までモードを続けてこられたのか、ということがあります。コレクションに参加した当時、パリで僕はモード・ジャポネという代名詞をつけられてしまった。意外でした。本人としては、西洋の伝統的な服で、インターナショナルな新しい何かをやりたかっただけなのに、なぜそんな名前を冠されるのかと。僕は東京に生まれ、戦争で壊滅状態になった廃墟のようなところで育った。だから、それまで日本が持っていた鎮守の森の記憶がない。日本人という感覚がない、強いていえば東京人という程度の認識しかなかった。ルーツやアイデンティティといった言葉には興味がないんです。それらは生活する中で自分で探し出すもので、伝統の中から見つけるものではないと思っていた。ところが最近は、血が流れているもので認めてもいいかな、と思える自分の中の"日本"もあります。空手は実は中国から沖縄に伝わったもので、当時九州に占領されて弾圧されていた沖縄の男たちが、家族を守るために秘密裏に毎晩、型を練習していたらしいのです。差別され、抑圧された人々が生み出した武器なんです。僕は、そこにとてもシンパシーを感じますね。

■ピナ・バウシュへのメッセージを。

彼女は狂気の人だと思う。言葉を誤解しないでほしいのですが、つまりコインの表裏のように、バイオレンスと優しさ、愛と孤独をあわせ持っている。「春の祭典」という作品があるけれど、彼女の振付けは非常にダイナミックで若く明るい雰囲気なのに、生きていくうえでの些細なことに対する反応の鋭さ、我々が見過ごしているものをとらえている。人として生まれてきた以上は誰もが持っている孤独、寂寥感、ゆがみ、苦悩、そういったものを芸術の域まで引き上げて表現できる人は、ピナ・バウシュを含めてわずかしかいません。

10月23日19時
ヴッパタール・オペラハウス。

当日、オペラ座ではまず、ピナとダンサーたちの衣装のフィッティングが行なわれた。山本耀司がピナのために用意したのは黒いアシメトリーなドレス。そしてパリ・コレクションで発表されたヨウジヤマモトのモードが、ヨーロッパやアジアのさまざまな国籍を持つ男性と女性のダンサーたちの鍛錬された肉体に着つけられ、その美しさを際立たせていった。19時、開演。舞台には9人の空手師範とともに山本耀司自身も登場し、この日本の武道を披露した。三つの異なったジャンルのものは舞台上で、国籍を超えた初めて見る純粋な舞台芸術として、観客たちの喝采を浴びた

山本耀司を語る。——ピナ・バウシュ

interview & text : Yoshiko Aoki

ヨウジと最初に知り合ったのは東京で。日本公演の時だったと思うけれど、とても長いおつきあいだから、言いきれないほどすばらしいエピソードがぎっしりあります。一言でいうなら、私たちはお互いをとても素早く理解し合えたの。それはおそらく、表現をする仕事をしている者どうしの、相手への直感的な敬意のせいだと思うのです。分野は異なっていても、物を作り出すことの必然的な孤独や恐怖感、そしてそれと同じ量の喜びや愛情、それはまるで感情のように作品から見えてくるものだと思うの。'92年ごろに、彼のモードを着て写真のモデルを引き受けたこともありました。パリ、ベルリン、アルル、ヴッパタール、東京、長い間にいろんな場所で会って、共感は深まっていったのです。

ずっと前から、いつか彼と一緒に表現したいと考えていて、今回のタンツテアターの25周年の祝祭で実現できないかしらってこちらから提案したの。最初、ヨウジはびっくりして「怖い」って言いました。ヴッパタールに来てもらって私たちの稽古を見てもらったの。彼はとても真剣に私たちのトレーニングを見つめていました。その時、何か感じるものがあったみたい。ヨウジは私とsomethingコラボレーションするものを半年以上かけて探してくれたのです。そして提案されたのが空手。ヴッパタールの祝祭には、世界中のいろんな分野のアーティストとの、50以上のプログラムを予定していたのですが、マーシャルアーツもぜひ入れたかったので、彼のアイディアで空手が私たちを連結してくれました。空手はもともと彼が深く関わっていたものだけれど、ヨウジはステージをディレクションするとき、ほんとうに身が縮む思いをしたでしょうね。私もそうでした。新しい試みをするときはいつも絶対にそう。そして彼は今まで誰もやったことのない"something"を舞台で表現したの。空手と、彼のモードと、私のダンス、三つのものを融合させたのです。自分の分野を超えて、相手の土俵で新しい何かをつくり出そうなどという、予測のつかないことに果敢に挑戦する人が、いったい世の中にいるのかしら。ヨウジはそれをしたのよ。大きな拍手でフィナーレを迎えたとき、私たちは心から喜びを分かち合いました。私にとってあの舞台は、忘れられない彼からの最高の贈り物。今でも、あのコラボレーションのことを思い浮かべると、ひとりでうれしくなって顔がほころんでしまうの。

ベルリンでピナ・バウシュとヴッパタール舞踏団が10年ぶりに公演することになった前夜、ピナにヨウジの話を聞くことができた。記者会見上での短いインタビューだったが、会見が終了すると大勢の記者でごった返す会場で、ピナは私を見つけてほほえんだ。そして私が取材のお礼を言うより早く、静かに、はにかみながらこう言った。「時間がなくてごめんなさい。私、もっとヨウジのことを言いたかったのだけれど、言葉ではうまく説明ができなくて。おしゃべりがとても下手ね。私が話した何倍もヨウジはすてきで、すばらしいのだということ、わかってくださる?」

**「会った瞬間に感じたのは二律背反。つまりan imbalanceということだった。
理想の女性を求めて、自分は服を作り続けていたわけだけれども、
ピナに会ったとき、この人のために作ってきたのかもしれないと思った。
またもう一つ、相反して感じたのは、美しい人はぼろを着ていても美しいという言葉があるが、
ピナには自分の服を着てもらう必要がないほど、まさにそれだった。
威厳と優雅さが、目の前を歩いていくようだった」(山本耀司)**

photographs : Bernd Hartung / February 1999

「横姿、あるいはちょっと斜め後ろから見た女の人の姿に、妙な感動を覚えます。過ぎていくもの[illegible]がるような思い」

山本耀司の美しい反乱。

それがオートクチュールかプレタかは、
見た人が判断すればいい――。
7月8日のオペラ座、山本耀司は今まで
誰も考えなかった新天地に挑んだ。
クールに、時にダイナミックにセクシーに。
理想とする女性像も垣間見せながら。
クチュールの本流を再認識させるような、
日常の見える快適なエレガンスで
プレタとクチュールの境界を取り払った
みごとなコレクションを発表した。

photographs : Yutaka Yamamoto

beautiful revolt YOHJI YAMAMOTO
2002

「品ということと、いわゆる無駄のない、すべて省略した美しさと。要するに、省略の中にはプライドが含まれていますから」

「だから布の“分量”というものが重要になる。体にきちんとのっているか、吸いつくか、体から離れてそよぐように揺れるか……」

beautiful revolt YOHJI YAMAMOTO

Tsunemasa Uema
1972年東京大学文学部社会学科卒後、朝日新聞社入社。'88年からは学芸部(現・文化部)でファッションを担当、パリやミラノをはじめ、コレクションなどを取材。2007〜'08年、AFP通信の日本語サイト、AFPBB Newsの編集長。'07年より、文化学園大学・大学院特任教授。メディア論、表象文化論などを担当

捨てるべきものを捨てた男こその美の表現。上間常正 interview & text : Tsunemasa Uema

パリ・オペラ座で開かれたショーは、比類なく美しかった。鳴りやまぬ拍手に、山本耀司は初めて二度も舞台に姿を見せた。まだ半信半疑の思いと、「えい、出てしまえ」と出てしまった気恥ずかしさ。その両方を押し隠したような笑みを浮かべて。バックステージにも客が押しかけた。笑顔で挨拶を受けながら、その目はほんとうに称賛してほしい何人かの姿を求めてさまよっていた。やがて、やっとそれを確認したように安堵の表情が浮かび、いつもの余裕の笑みを取り戻した。

その数日後、サン・マルタン通りのアトリエで。「今度ばかりは、負けたら終わりのギャンブルだったので」賭け金の代償にしたのは、まだあると信じてきた若さと女性への思いだった。

老いはだれにでも忍び寄ってくる。体力まかせの情熱、後で恥じればすむやりすぎや誇張、時代との添い寝……。当然だと思っていたことが、ある日ふと難しく感じられる。

「2年ほど前から"引退"を考え続けてきた」クリエーションですら、才能よりも若さに支えられていたことに気づいた。そして女性への思いの変化。

「きょうはどんないい女に出会えるか、と毎朝思っていたのに、そんな気が全然しなくなった」

バイロイトでオペラの衣装を担当した時、演出をやった前衛作家ハイナー・ミュラーに「娘を紹介する」と言われた。乳母車を引いて現われた若い女性に挨拶したが、娘は乳母車の中の幼児のほうだった。その時、ミュラーは60歳をとっくに超えていた。

「空手をいくらやっても、オレの体力ではかなわないと思った」そして、もう女性そのものからも逃げ出したくなった。

絶望的な喪失感。引退への思い。しかし"引退"という言葉には、たいていの男がそれを受け入れるという救済感覚がある。「いったん引退をウエルカムしてみたら、気が楽になった」そして逆に、「このまま終わってしまったらムカつく」との思いが強くなった。クリエーションにかけては世界の第一線で勝負してきた自負がある。だがビジネスでは日本ブランドは欧米のブランドにやられっぱなしの状態が続いている。

過密スケジュールのプレタポルテのコレクションは、もはや落ち着いて服を見せる場ではなくなった。老舗ブランドが威信を示すオートクチュールも、中身は"化石"の世界だ。その両方に反発してみたくなった。あえてオートクチュールの場にショーをぶつけたのは、自分をほんとうに受け入れなかったパリの本丸への挑戦でもあった。

「最後の線香花火なのかもしれないが、無理やりにでも行動したくなった」だが、新しいものを強引にでも作り出す体力、そして女性へのぎらつくような思いなしに、それでもまだ美しい服がつくれるのか?

喪失感覚を痛切に耐えて、新たに手に入れた武器は「オレは古くてもいいんだ」という開き直りだった。すぐ古くなってしまう新しさもあるし、いつまでも新しい古さもある。その古さを武器にどんな女性をめざすのか。

「最近はエレガントでいい女がめっきり減った」だが、それは女性だけの責任ではない。むきだしのセクシーさ、あるいはとれたての桃のようなみずみずしさは、男の欲望を挑発する。しかしエレガントでいい女であることは、挑発性とは必ずしも結びつくわけではない。

オペラ座のショーで登場した服には、山本が喪失感と引換えに得た、エレガントでいい女への新たなまなざしを反映しているように見えた。

モノトーンに近い色づかい。モデルたちの'20年代風の髪型は、決して奔放に風をはらませないかのように平面的になでつけられている。

綿のビュスチエドレスは、フォルム自体のエレガンスを誇示するかのように体からスクッと立ち上がっている。

大きなリボンがのぞくミリタリーブルーのつなぎは、まるでサンローランを思わせるような優雅なシルエット。コットンでこれほどエレガントな造形がこれまでにあっただろうか。服は体がなくてもそれ自体で美しさを主張できるかのようだが、実際は驚くほど軽くて着やすい。

ブラウスジャケットから透けて見えた背中は、どきっとするほど美しかった。

こうした美しさの表現は、捨てるべきものを潔く捨てた抑制がないとできない。ここに現われた女性たちは、男たちのギラギラした視線とは違う位置にいる。"いい女"だった。

山本は以前と同じように「コレクションは女性へのラブレターだ」と言う。ひょっとすると、今やっといい女への恋文を書きはじめたのかもしれない。だが、やっと見つけたいい女が、気まぐれに若い男に恋してしまうこともある。人生はそんな皮肉にも満ちている。

才気煥発なこのデザイナーは、そんなことは百も承知だ。男がギラギラと輝けるもう一つの対象はビジネス。

アディダスとの新たな提携はその布石の一つだ。7月にパリで開かれた発表の記者会見ではこう語った。

「スポーツウェアは、機能的にも市場的にも大きな可能性を秘めている。ファッションと融合させたこれまでには存在しなかったものを作ってみたい」

それはデザイナーとしての意欲であると同時に、ヨウジヤマモトのビジネス基盤を今後に向けて確かなものにしていこうとのねらいが込められている。といっても目的はお金ではたぶんない。大資本ブランドへの反発は、体力とともに衰えるわけではないからだ。

「最近はふと思い出すんですよ。20年ぐらい前に、モンタナに言われたことなんですが、ヨウジは池に石を投げて、波紋は広がったのに石は沈んだ、って」

このほど出版された『Talking to Myself』は、一人のクリエーターの集大成のようだが、それ自体が進行中の作品である。革新的な探索と不変のスタイルとの共存。彼は言う。「いまこの瞬間に生きて、生活して、人を愛したり悲しんだりしている生身の人間に着てもらって初めて完成する服。それがファッションだ」

「服というものは、後ろから作っていくものだと僕は思う。後ろは服の支え、それがしっかりしていないと前は成り立たない」

1993

MAMOTO=
YREUTH/GERMANY

山本耀司、パリ→バイロイトの1か月。

photographs : Yutaka Yamamoto

クローズとコスチューム、つまり服と衣装は全く違う種類のものだ。
服は基本的に、人が生活するためのもので、衣装は現実離れした虚構の世界のもの。
服としては、最もリアリティが必要とされる、
男の服のコレクションと、舞台の上での作りごとがすべてのオペラの衣装。
二つの異質な現場を通り過ぎた、'93年7月の山本耀司をルポした。

ワーグナーのオペラ『トリスタンとイゾルデ』第三幕のトリスタンの衣装。
右はベストで、左はフロックコート風の長いジャケット

YOHJI YAMAMOTO POUR HOMME

**YOHJI YAMAMOTO IN '94
SPRING & SUMMER
MEN'S COLLECTION WITH
HIS STAFF OF CENTRE DES
BLANCE-MANTEAUXIN PARIS.**

'94春夏ヨウジヤマモト
プルオム・コレクション。

7月2日の午後2時30分、パリ・メンズコレクションの先陣を切って行なわれた、
'94春夏のヨウジヤマモト プルオムのショー。
今回は特に意識して、年配の男たちに多く出演してもらったという。
男は年をとるにつれて服との調和がよくなっていくことを、
観客たちはあらためて実感させられた。

左ページの写真は、ナチュラルレザーの靴に味わいを加えるため、
ヨウジヤマモトのアトリエの屋根の上で、
靴を天日干しにしているところ。右ページは会場でのリハーサル風景。
ちょとしたしぐさにも、男たちの照れや緊張が見え隠れする

one : STEVEN BRINKE
record buyer, 44, american

two : RÜDIGER VOGLER
actor, 51, german

three : PIERRE GERIN
gardener, 61, french

four : JEFF GRAVIS
painter, 55, french

five : ALAN BILZERIAN
clothing retailer, 49, american

six : BOB RUTMAN
musician

seven : RICHARD BOHRINGER
actor, 52, french

eight : OTTO SANDER
actor, 52, german

nine : MICHEL CONTE
37, french

ten : NORBART JONAS
68, french

eleven : ERIC PERROT
22, french

twelve : PATRIC CHAUVEAU
painter, 53, french

thirteen : JEAN VINANT
architect, 82, french

fourteen : STEPHAN SUCHKE
theater director assistant, 35, german

fifteen : SERGE BRAMLY
novel writer, 44, french

sixteen : ADAMA KOUYATÉ
painter, 58, french

seventeen : TOMMASO BASILIO
37, italian

eighteen : DAVE CHEUNNG
restaurant owner, 40, french

nineteen : BEN BRYAN
stylist, 19, english

写真は、本番前のリハーサル風景。
後ろ姿は、『ディーバ』や『サブウェイ』『フランスの思い出』で
おなじみのフランスの俳優、リシャール・ボーランジェ

シャツとくたびれた白。 text : Ikuko Fujii

先シーズン、レディスコレクションを発表したマレ地区にある元市場だったブランマントー・センターで'94春夏のメンズショーも行なわれた。大きなポスター風の招待状にはカスケットをかぶり、ジレを着た縞シャツ姿の老人が鼻眼鏡をかけて編み物をしている図。今シーズンのコンセプトのイメージである。

「おじいさんが持っている生活の最後の態度のようなものがとてもかっこいいと思ったから。ひたすらかわいいなと思う。あれは僕が見つけた写真ではないのですが、ショーのコンセプトを言ったら、グラフィックデザイナーがこれはどうですかと見せてくれて、笑っちゃった。一発で決まりました。もう男も女もないと。あの写真を見たら決して誰も嫌な感じはしないでしょう」男性は限りなく優しく女っぽくなり、女性はますますシンプルに男っぽくなっていく第三の性の出現をほのぼのとしてほほえましいイメージで肯定しているようだ。

「テーマは二つあるのです。一つは白っぽい世界をつくりたいと思いました。これまでずっと黒っぽいものばかりをつくってきましたから。白っぽいといってもロサンジェルスの西海岸みたいな白ではなくて、くたびれた白。白をバチッと着るのはおすましの感じで恥ずかしい。照れくさいんです。もう一つはシャツを真剣に考えたいと思って。そしてそのシャツは老若男女に着せたいと。少年からおじいちゃんまで同じシャツでいいのではないかと思うのです。このシャツのアイディアはコレクションからコレクションに進みながら、そのコレクションが教えてくれたのですよ。素材はいわゆるシャツ地といわれているブロードまでいかない安いコットン素材、キャンブリックを使っています。この薄いコットンでジャケットも作っちゃえというわけで。そしてわざと裏地の黒がにじんでくるように仕立て、くたびれた白をねらいました。白はとにかく、くたびれていなければいけない……」シャツはチュニックシャツといってもいいほどほとんど長い丈。またそのシャツはくたびれたような感じなのでシャツの別名であるリケットと呼んでもいいのではないか。ワイシャツ独特のカットアウェイの丸みのカットの裾に、さらにストレートカットの裾をつけ足したり、ランダムダーツが無数にとられていたり、ドレープ風にねじってあったり、アシメトリーなフォルムであったり、ピンタックを多用したハイウエストのものであったり、打合せのボタンどめが倍の深さであったり、三枚重ねの衿がポイントだったり、パウダーピンクや空色に白との、2色の組合せのものだったり、ウィットに富んだクチュールテクニックを駆使したシャツのバリエーションである。パリにデビューしたときから「ヨウジのシャツ」といわれて、とりわけインテリの男性たちに人気だったが、今シーズンはその定評を決定的なものにしたといってよいだろう。ほかによれっとしたパジャマスタイルの長いジャケットやパンツ、薄くて軽いナイロンのラグラン袖のレインコート、でれっとしたビスコースニットのTシャツや長いカーディガン……体になじんだような軽くて薄い素材が多用され、全体にゆったりとしたフォルムが主だが、大きなモデルに小さい服を着せた感じのもあって新鮮だった。ベッドの中から出てきたままのようなレイアードルックも多く、今はやりのグランジなエスプリもある。いつものようにアーティストやジャーナリスト、俳優、ミュージシャンたちに着せているので服にいっそう個性とリアリティが感じられる。今シーズンは、フランス映画界の渋い演技派のリシャール・ボーランジェがスターモデル。彼の小説を山本耀司が翻訳したり友達づきあいの人でもある。同じように、友人のヴィム・ヴェンダースの映画で常連の俳優オットー・ザンダーやリュディガー・フォグラーたち、黒い肌に白髪の画家のアダム・クヤテ、82歳だが若々しい建築家のジャン・ヴィナン、中国料理レストランのオーナーのデイヴなどユニークな男性たちの出演だった。

models

平均年齢が50歳に近い今回のショーは、俳優、庭師、建築家、レストランのオーナーなど、モデル以外のリアルな男たちが会場を行き交った。
それぞれ違う個性で、ヨウジヤマモト プルオムがしっくりとなじんでいるモデルたち。人間をじっくりと観察できる。©Yohji Yamamoto inc.

OPERA, "TRISTAN AND ISOLDE"

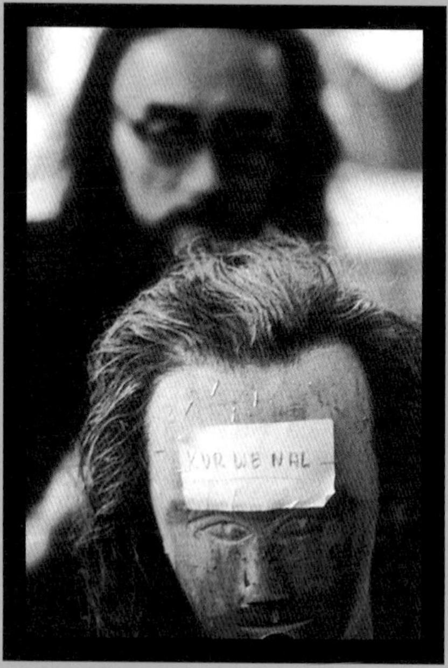

YOHJI YAMAMOTO IN WAGNER OPERA, "TRISTAN AND ISOLDE" COSTUME WITH THE STAFF OF THE BAYREUTHER FESTSPIELE IN BAYREUTH

1993年7月25日から8月28日まで、ドイツの
バイロイト祝祭劇場で上演されたオペラ
『トリスタンとイゾルデ』の衣装を、山本耀司が担当。
1876年以来、ワーグナー・オペラの上演を続けている
ドイツ文化の象徴のような場における実験的な舞台は、
かの地のオペラ界をかなり挑発したようだ。

左ページは、歌手のかつら用の木型と山本耀司。
「自分の本業も含めて、頭をやったのははじめて」だという。
右ページは、第三幕のトリスタン用のコート。
とれかかった袖、くしゃくしゃに洗いをかけて汚したり、
崩壊後の世界を表現するための衣装

ワーグナー・オペラ『トリスタンとイゾルデ』の衣装。 text : Ikuko Fujii

「バイロイトのワグネリアンの殿堂における17回めの不変の慣習は歴史と政治の闖入によって乱されてしまった……」とは「フィガロ」の記事だが、ヴァイツゼッカー独大統領、コール首相、ゲンシャー元外相、ツーボン仏文化大臣、デュマ仏元外務大臣たちに囲まれて元ソ連大統領ゴルバチョフ夫妻が『トリスタンとイゾルデ』の初日に列席し、10分開幕が遅れてしまったというわけだ。『トリスタン』はドイツ古代のトリスタン伝説に着想を得て、ワーグナー自身が台本も書いた円熟期のオペラ三幕。悲恋がテーマで、シェークスピアの『ロメオとジュリエット』などとともに現代に通じる愛の普遍性を表現しており、1865年、ミュンヘンで初演された。'93年のバイロイトにおける『トリスタン』はハイナー・ミュラーの新演出による。彼は東ドイツ出身の劇作家。作品に『ゲルマーニア ベルリンの死』『ハムレットマシーン』などがある。オペラの演出はこれが初めて。デコールはオーストリア人の世界的に著名な舞台美術家エーリヒ・ヴォンダー。'70年の『オテロ』から'93年の『サロメ』まで23年の経験をもつ。コスチュームは日本の前衛デザイナー、山本耀司。慶應法科、文化服装学院デザイン科卒。'72年、自分の会社をつくりデザイナーとしてスタート。'81年、パリ・モード界にデビュー。オペラの衣装は'90年、リヨン・オペラの『蝶々夫人』に続いての2回め。指揮はダニエル・バレンボイム、'81年から6シーズン『トリスタン』を振っている。トリスタンにはテノールのジークフリード・イェルザレム。イゾルデ役にはメゾソプラノのワルトラウト・マイアー。いずれも初役だ。ほかにマルケ王(バス)、侍女のブランゲーネ(アルト)、メーロト(テノール)、クルヴェナール(バリトン)、牧人(テノール)ほかで6時間(幕間2時間)にわたってジオメトリックな箱型の舞台で歌う。バイロイトのシーズンは7月25日から8月28日までの約1か月間。シーズン中、『トリスタン』は7回上演され、5年間続く。

7月25日、『トリスタンとイゾルデ』プレミアのカーテンコールでのメーンスタッフ。右から、演出のハイナー・ミュラー、指揮者のダニエル・バレンボイム、衣装の山本耀司、舞台美術のエーリヒ・ヴォンダー

平面のグラフィックの世界。 text : Ikuko Fujii

ハイナー・ミュラーによる演出のコンセプトは、平面的なグラフィスム。すなわち幾何学的な形によるグラフィスム。三幕の舞台は象徴的に色が決められ、一幕は「赤錆色」。昼間で航海中の船上。広い舞台は立方体の箱型に区切られ、前面に大型の四角、奥に小さな四角がある。二幕は「ブルー」。人目を忍ぶ恋人どうしの愛のぬれ場。騎士をイメージする胸甲が300近く三角と四角に区切って並べられる。三幕は「グレー」。すべてが終わった後。城の廃墟の中。エーリヒ・ヴォンダーの幾何学的なデコールは幾何学的な照明と相まって極めて明快で、迫力がある。衣装もできればグラフィックに、そして歌手をあまり動かしたくないので、動きにくい服を作れなどと言われたが、結局動きも増えて裏切られてしまう。「舞台の上でいかにグラフィックにするか、嘘のグラフィックの世界ですから。ただその嘘にも真実がこめられていなければいけないということ。カラフルでグラフィックな舞台ですから、そこにまたグラフィックな光る衣装が出てきては二つがぶつかり合ってしまう。だから余計な色はいらない。洞穴のように吸光性の黒をつかって四角い穴や三角の穴ができるようにやってみたかった。そして素材を探しているうちにウェット素材(潜水服の素材)にぶつかった。光を吸ってしまう性質が気に入って。それからいちばん気にしたのは衣装に時代性が出てはいけないということ。全く抽象的な形にしないとだめだと。僕は初めから終りまで抽象論で通したかったのですが、三幕は現代服、背広になってしまった」それはぼろぼろに穴があいたりして破壊されたものにしてあったが。彼が作った衣装は一幕で5点、二幕で5点、三幕で8点と全部で18点だが、イゾルデの重ね着があるので20点ほど。靴や手袋のアクセサリー類まで作った。衣装のためのデザイン画はいっさい描かれなかった。東京で製作されたパターンは劇場側のアトリエ(約50名)に送られ、男物と女物のチームによって作られた。「服を作る人間として完結した気分になれないのは本人たちの体で充分にフィッティングできなかったということ。たった一回で違うチームに僕の手法でパターンメーキングや補正をしてもらうという不可能さに欲求不満になった。いちばん難しかったのがトリスタンの服で、一、二幕ともなかなかグラフィックに決まらなくて、劇場のアトリエと仕事していちばん苦労したのが、まず僕のものを見る視線をどうやって伝えたらよいか。もう一つは何か違う国から来た有名らしいデザイナーにこき使われるのは嫌というふうにはしたくないこと。皆、ハードワーカーで労を惜しまないという点では自分の日本のチームとそんなに違わないと思いました」本格的にバイロイトのアトリエで仕事が始まったのはメンズコレクションのショーを終えた翌日から。朝早くから夜中までアトリエに入り込んで、パターンメーキングから、カッティング、染色、かつらのカッティングまで全部一人でこなした。「衣装のほかにしなければならなかったのがかつらの髪型。とにかくシンプルでストレートにしたかったんです。ショーのヘアでもよくぶつかるのですけど、頭に服とは別のメッセージがのっかってしまう。アトリエの人にシンプルでナチュラルにしてくれと言っても通じなかったので、自分でカットすることになってしまって」ヘアカット用のはさみを持ったのは初めて。嘘の世界を楽しみながら追いつめていくために、何かナンセンスな作業がひとつ欲しいといって、オブジェを使った。エポキシ系の樹脂の透明な色の棒で作った飛行機や昆虫を思わせるオブジェは造形作家の高浜幹の作。このオブジェは歌手たちにとって邪魔ではなかったかと翌日の記者会見で質問されていたが、オブジェを加えることによって、単なるジオメトリックなフォルムの衣装に何かしら新しい味を出していたことは確かだ。カーテンコールで現われた出演者たちの衣装をまとめて見たとき、ヨウジのコスチュームは成功だったと感じた。彼は今度やるんだったらデコールとコスチュームと両方やってみたいという。

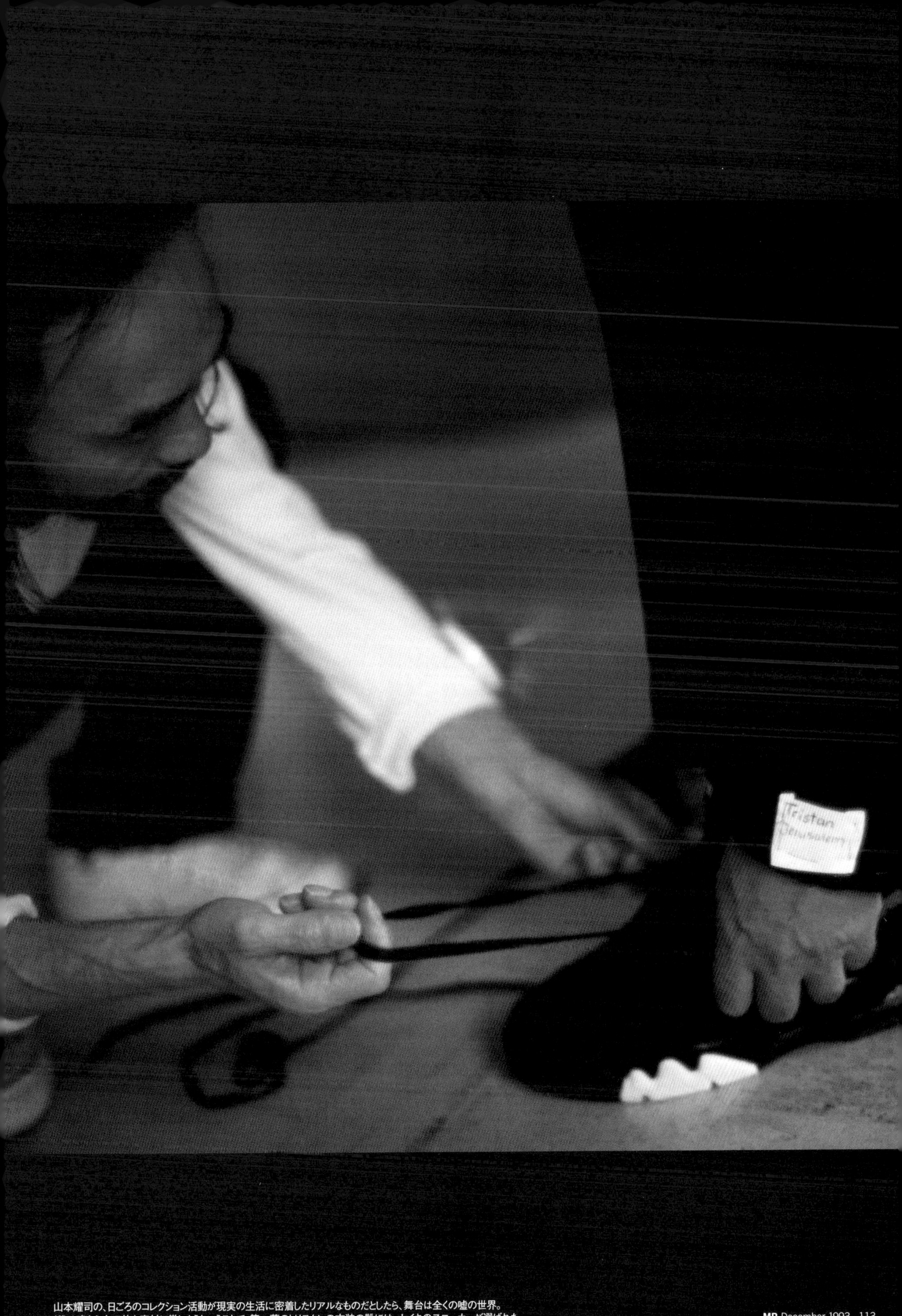

山本耀司の、日ごろのコレクション活動が現実の生活に密着したリアルなものだとしたら、舞台は全くの嘘の世界。
どうせ嘘なら人工的な素材に徹しようということで、第一幕のトリスタンの衣装の靴には、ナイキのスニーカーが選ばれた

2004

PROFILE OF YOHJI YAMAMOTO & Y-3

YOHJI YAMAMOTO

左ページ　表裏ともに違うプリントを施した手の込んだテキスタイル。長いトレーン風のデザインや袖口の折返し、エプロン状のワンピースなど、アシメトリーなデザインでこのテキスタイルの持つ美しさと贅沢さを印象づける。ペプラム状のパネル布が長く垂れたワンピース。
右ページ　ヨウジヤマモトの2004-'05秋冬コレクション。

ヨウジヤマモトとY-3、山本耀司のクリエーティビティが増幅する。

photographs : Yutaka Yamamoto

ヨウジヤマモト、Y's、Y-3……自らの名前をブランドに冠する責任とは誰かがつくった歴史の流れに乗るのではなく、すべてを自分でつくりだすという点において自分自身を信じられるかどうかを背負い込むこと。ここでは去る1月にいち早く発表されたヨウジヤマモトとY-3をフォーカスしながら、服となって表われる山本耀司のクリエーティビティを詳らかにする。

「服に力を取り戻す」ための挑戦。

世の中広しといえども、いま山本耀司ほど多くのブランドを手がけるデザイナーはおそらくいない。レディスの2ブランドとメンズに加えて、アディダスとのコラボレーションブランド、Y-3を合わせると、年間8回もパリでコレクションを発表している。なんとひと月半に一度、世界に向かって生身をさらしていることになる。

しかも、そのデザインはいずれも方向性が違う。オートクチュールの時期に見せている、ヨウジヤマモトは、プレタポルテの形式はとっているが、極めてクチュール的であるために事実上はオートクチュールだと思われている。というよりも、山本が「プレタとクチュールに変わりはないでしょ」とパリ・クチュール界に乗り込んで、あっという間にそれを認めさせてしまったのだ。ワイズでは純粋なプレタポルテをつくり、Y-3ではモードとスポーツウェアの橋渡しをしてみせる。

山本耀司のすごいところは、それぞれのブランドで、常に時代の主流に逆らう新しい流れをつくろうとすることだ。いつも強いメッセージをショーに託す。たとえば、1月にパリで発表した'04-'05秋冬のヨウジヤマモト。山本は二つの命題を観客に問いかけた。一つめは、「服に力を取り戻せるか」。ショーに登場したのは、極太チェーンを巻きつけた黒のパンツスーツや、往年のスキャパレリを思わせるコート。金ボタンのいかついダブルブレストコートもある。

アイテムだけなら、いまはやりのパンクと単なる'50年代調、ミリタリールックということになる。ところが、それがヨウジ流の大胆なカッティングと独特のボリューム、細心の仕立てにかかると、それぞれのモチーフよりも服としての存在感が迫ってくる。こうなるともう、パンクやミリタリーはちょっとした味つけでしかない。振り返ってみれば、かつてのほんとうによい服は、ただそれだけでも美しかった。「最近はマーケティングやスタイリング、広告で服を見せる手法ばかり。服自体に力がなくなっているのは、僕らの責任」と山本は言っていた。

もう一つは、ショーや作品全体に漂う楽しさだ。冒頭は床に落ちたオリエンタルな小花柄のジャケットを、ロマンティックなドレスのモデルが自由に重ね着していく。かと思えば、パンツスーツには、昔の郵便配達のおじさんが持っていたような大きなポケットのバッグがついている。ピーコートやペプラムジャケットは、裾が少し外側にはねて、歩くたびにスイングした。

その楽しさをもっとストレートに表現したのが、3月に発表されたY-3だ。スポーツウェア寄りだったデザインをぐっとモードに近づけて、享楽的な気分を演出した。ライン入りのトレーニングパンツではなくフィフティーズのフレアスカート、スウェットパーカはピンクのスカジャンに変わった。なによりも発表のしかたがおもしろい。一度だけのショーではなく、1週間連続でのパーティ形式で作品を見せたのだ。観客は暖炉のある部屋でシャンパンを飲んで音楽を聴きながら、そばでくつろぐモデルを眺めた。

戦争やテロなどの暗い雲が立ちこめる中、こんな楽しさこそがファッションの役割の一つなのかもしれない。そんな服が、もう決して若くもないデザイナーの、命がけとも感じさせる服作りへの情熱から生まれてくる。それが、胸を打つのだ。

photograph : Shin Shin /

Y-3

左　片裾にだけ、3本ラインのリブをつけたトレーニングパンツとエクスクルーシブラインのロングブーツ
右　エクスクルーシブラインの中でも、今シーズンを代表するのが枕村さえ子のイラストがプリントされたリバーシブル仕立てのブルゾン。チュールを忍ばせたギャザースカートにも刺繍が施してある

山本耀司のトーキングジム。1997

日本が生んだ世界的なデザイナー、山本耀司。
紛れもなく巨人でありながら巨人と呼ぶには繊細で、ひねりの入った、
その的を射た言動はリアルばやりの世の中では異彩を放っている。
山本耀司のこの20年の軌跡は映画監督のヴィム・ヴェンダースがフィルムに
収めたくなったほど即成のモードの文法からはみ出ていて、美しい。
彼の言葉を媒介に、いつも即成のものに挑んできた
その世界をのぞいてみたい。

YOHJI YAMAMOTO's TALKING SESSION

1997 S/S

#001 パリに現われた日本人。

1996年10月12日、ヨウジヤマモトの'97春夏コレクションは開催された。パリの伝統であるオートクチュールに挑んだかのような作品に、誰もが賞賛と拍手を惜しまなかった。それは、'80年代初頭、パリに現われた日本人の作る服に向けられた、半ば反発の交じった視線とは、全く質の違ったものである。この15年間でパリもまた変わった。

——耀司さんがパリ・コレクションに初めて参加なさったのは'81年で、その1、2年後には、川久保玲さんとともにパリに一種のショックを引き起こし、それが逆輸入の形で日本のファッションの色を塗り替えることにもなったわけですが、パリに行くというのは、最初から耀司さんのタイムテーブルの中にあったことなんでしょうか。

山本耀司(以下、山本)　ま、ごく自然に。僕らの時代は、パリ・モード一辺倒だったから。学校(文化服装学院)でも、まずパリ・モードっていうものを勉強するでしょ。だから先生としてのパリというイメージがありますね。学生はいつも先生のこと半分嫌いだし、ただし教わっているからにはいつかは褒めてもらいたいと思うし……。東京でデザイナーとして始めたときも、パリがこうだから……、パリの流行が今こうだから、パリのトップデザイナーが今こういうことをやっているから……とか言われるたびに反発して、違うことやろうとしていました。

久田さん(当時の『ハイファッション』編集長、久田尚子)が、始めて3年めか4年めくらいのときに展示会にいらして、いつまでこんな汚いもの作ってるのって……。パリはもっと色がたくさんできれいなのになんでこんな の作るの、いいかげんよしなさいよって、言われたことがあって。悪い印象じゃないんだよ。まあ振り返って思えば、確かに当時の僕は周りを見ないで仕事していたな。流行がなんだとか、パリがどうしたとか全然関係なく、自分の世界の自分の仲間たちのための服、それも東京を中心とした日本の仲間たちのための服というのに向かって、それがパリとどうずれようとロンドンとどうずれようと全然気にしない、むしろそれがちょっとしたプライドだったんですね。

——そのころ、反発していた具体的な先生というのは?

山本　僕らが勉強したのはまず、ピエール・カルダンとかイヴ・サンロ　ランですね。ちょといい趣味ぶってユベール・ド・ジバンシィ、とか。そういう時代、そういう流行の下で勉強していた。構築的な未来派とかコスモポリタンとかいわれていた方向ですね。

——マドレーヌ・ヴィオネというのは、もっと後になってご自分で発見されたんですね。

山本　当然そうです。もしあそこで、ヴィオネを先に勉強していたら、今までの自分の生き方が変わっちゃったかもしれないね。ヴィオネとかガブリエル・シャネルってのは、若い男の学生にとって、まだファッションを本気でやるかどうか腹も決まっていない男の子にとっては難しすぎるんですよ。

ただあのころって、今とすごく状況が似ている。世界中の輸入品がいいとされていて、いい場所占めて……。あのころ一番はサンローランかな。サンローランが置いてある店はいい店みたいなね、そういう時代……。でも僕は、ほんとうの意味での日本生れの服をやりたかった。オートクチュールってのは勉強したけど影響はされてないってのが正しいかもしれないよね。

——パリにいらしたときは、コム デ ギャルソンと並んですごい反応でしたね。賛否両論、否のほうが多かったかもしれない、これが服?というような。

山本　でもけっこうちゃんとした服も作ってたんですよ。僕はもともとコートから始めたメーカーで、レインコートとかトレンチコートばかり作ってたでしょ。だからしっかりした服は作れる。よく若いデザイナーはシャツから始めるけどね。ある時なんか、素材工房の所長が特別に作ってくれたアニマルヘアで織った布で服を作ったんだけど、でき上がったのを見て、何か違う、素材を見て感動したその感動に届いてないと思い、ショーの前日に大急ぎで洗濯機にみんな突っ込んじゃったこともある。干しっぱなしでアイロンもかけないでしわくちゃのままショーに出したりした。たぶんある面では素材を追い求めていたんだね。素材感みたいなものを。形はきものに近い直線的な形で……。パリ行くころっていうのは、そんなふうにいろんな素材の実験もし、分量の大きさとか作り込む服、それからバランス的なことといろんなものを実験していって、とうとうアトリエや工場に転がっている布きれもきれいだなというふうに見えはじめたころなんです。自分のものづくりの周期が上がったんだか下がったんだか知らないけれど、ちょうど服を壊したいなあと思うころにパリに行くことに決まったんだよね。

もう一つは、日本全国にいちおう取引先ができて。営業部にはってある日本地図に虫ピンで印つけていたんだけど、沖縄から北海道までだいたい制覇して、俺たちみたいな服を買ってくれる店はそうはないから、メジャーな服じゃないからね、まあだいたい日本はこのくらいでいいんじゃないかなと思うようになっていた。次はじゃあパリに一軒出そう。こういうテーストの服を好きだって言ってくれるパリジェンヌだって何パーセントかはいるにちがいないっていう思いで。

でも俺はあまのじゃくでね、猛烈にあまのじゃくで、いつもばかだなあって思うんですよ。自分の素直な作り手としての心のまんま進めばいいのに、パリ行くって決めてから日本的な要素を全部外そうとしたんだね。直線裁ちとか、日本のきもの的なものとか、誰から見ても日本っていうもの全部。どちらかっていうとヨーロッパ的なカッティングで勝負してみようとした。いちばん最初の展示会のテーマはポルトガルだったのね、日本に初めて洋服が入ったときの服をテーマにして。で、それでもすごい日本的だって言われたのにはびっくりした。同じ時期にパリに行った川久保玲さんはずばりきものやって……。

——田植え服みたいでしたよね。

山本　そうそう、これは僕もびっくりしたけどね。パリ行くのになんできものなんだよって、初めてパリに行く日本人がなんできものなんだよって。川久保さんヨーロッパの題材使ったってものすごい力量があるのね。なのになんできものなんだよっていう思いと同時に、素直でいいなっていう。そういう時期だったから、僕はそういう時期だってわかってても割合と逆らうほうで。こうやれば受けるってことは必ずやらない(笑)。照れちゃう。

それで、2回め、3回めから、服の破壊だとか言われるように。

——おそろしく着られそうもない洋服ばかりでしたね。

山本　いろんなこと言われたなあ。こっちはもう実験が楽しくてやってるだけだから。あのころは豪語してました。着てもらおうと思って作ってるわけじゃないって。そしたら稲葉賀恵さんなんかびっくりしてました。

——パリの反応は予想していた。

山本　分析すればですよ、ウーマンリブとか、女性が社会に進出していくとか、女性がインテリジェントになるとかっていう時代に、ティエリー・ミュグレーとクロード・モンタナが、そんな女いやだよねって、やっぱり女は腰振ってね、お盆持って歩いてきて「はい」って言うのがいいよねっていうのをやったわけですよ(笑)。ミュグレー、モンタナの絶頂が崩れだしてきたころ、僕らが入る。パリもなんか探してたのね、新しいものないかって。バイヤーとかジャーナリストたちが。だから小さな店一つオープンしただけなのに「お宅、卸はしないの」とかって、いろんな国の人が詰めかけてきて、びっくりしました。雑誌とか新聞に載る前に……。

1981-'82秋冬シーズンに
パリで初めて発表された、
ヨウジヤマモトのコレクション

――そうだったんですか。でもパリはパリで沽券があるから、沽券にかかわる、という感じで素直に褒めませんよね。

山本　最初に取り上げられたのは、「リベラシオン」という新聞だったんだけど、要するに、リベラシオンは、僕と川久保さんの仕事を題材にして自分たちの言いたいこと言って、既成のファッションジャーナリズムに論争を仕掛けた。

――リベラシオンには、それまでモードのページはなかったんですよ、「ル・モンド」とか「フィガロ」のようには。モード記者なんていうのもいなかったのが、あの時初めて号外のコレクション号を出したんです。

山本　ああ、そうなんだ。で、リベラシオンが、フィガロとかの伝統的モードに完全に反対意見を唱えるデザイナーが出てきたということを、僕たちを利用して言った。それでわーっと人が来た。大変でしたよ。ビルの5階の事務所に、エレベーターが壊れるくらい多くの人が押しかけてきて、売れ売れって。エレベーターの前で、社員が人員整理を行なったほど。

　僕が言いたいのは、ねらって行ったわけじゃないということ。日本でもマイナー、パリでもこういうのが好きな少人数の人が絶対いる。そういう人たちに着てもらえればいいっていう程度のつもりで行ったわけ。世界の美のショーウィンドーのパリとしては、ちょっと変わった新しいものが来たのでそれを論争の材料にしたり、新しいムーブメントの材料にしたり……こっちも翻弄されましたよ。

――ところで最初にパリに行ったときの、少しのパリジェンヌが着てくれるかもしれないとおっしゃった、そのパリジェンヌとはどういうイメージだったんですか?

山本　ええっと、朝起きてね、髪もろくにとかさないで、パジャマの上にトレンチコートを着てぎゅっと前を絞って、パンと新聞を買いにいって、それでくわえタバコでみたいな、粋な女がいるやろなーと(笑)。

　完全にドレスアップしないで、カーディガン一枚でどこへでも行っちゃうよ、みたいな。それでもきまっている。

――かなりかっこいいですね。

山本　そういうひねくれた女が1万人に2、3人はいるだろう。そんな女がちょっと目にとめて、ひょっとしたら着てくれたらうれしい、そういうような服だから……。簡単に言うと、オーソドックスとかコンサバティブとかクラシックとかいう服をみんな体験してきて、もう服なんか飽きたよ、疲れたよ、という人たちのための服っていうのをやりたかった。

――で、いかがでしたか?

山本　いや、それどころじゃなかったよ。ばーっと大騒ぎになっちゃったから。

　ほんとに賛否両論。賛否両論っていう言葉じゃ足りないくらい。ものすごく褒められたし、ものすごくけなされたし……。で、いつの間にかそこに、〝モード・ジャポネ〟っていう肩書きが、誰がつけたかわからないけれど、僕と川久保さんだけに、そういうのがつけられて。三宅一生さんにはつかない。高田賢三さんにもつかない。なんで、俺と川久保さんだけにつけられたか、そこはだからいわゆる、伝統の美学に対する挑戦を真っ向からしたっていうことの代名詞なんだろうなあ、って。向うが勝手に思ってることだから。こっちは今言ったように違いますからね。パリジェンヌ……いちばんかっこいいのはそういう人たちなんだと、その人たちに着てもらうために行ったんであって、反抗しに行ったわけじゃなくて。っていうつもりなのに、パリの伝統美に反抗したっていう。〝黄禍〟とまで言われた。

――そのパリの評価っていうのはその後も物作りの上で影響を及ぼしましたか?

山本　そうですね……。次はこういうふうになるだろうっていうトレンディな傾向がわかっても、絶対その正反対やってみたいあまのじゃくなところは変わらなかったですね。決して道の中央を歩くデザイナーにはなるまい――要するに、オーソドックスにはなるまい、その時代、'80年代のオーソドックスにはなるまいと。やっぱりどのシーズンもそのシーズンに対するアンチのテーストでやってきたようですね、どうやら。

――でもそのころは耀司さんのそういう思惑とは裏腹に、世の中のほうがそれを真ん中に、真ん中っていうのは違うかもしれませんが、若い人たちの間ではすごく真ん中に……。

山本　そうね。ヨーロッパの当時の若い人たちは、今ちょうど30歳ぐらいでしょうかね、僕らが'82、'83年から5、6年の間、そういう激しい仕事をしているところに影響を受けたと、ストレートに言う人が案外いますね。コム デ ギャルソンやヨウジの服に影響を受けたという……。

――フランス人のジャーナリストというのはどうですか。一般的にフランスでは、ジャーナリズムが、モードの世界でもきちんと批判精神を持っているといわれますが、日本と比べて、よく見てるなという感じはありましたか?

山本　それは人によりけりで、3種類ぐらいいますね。日本にもいると思いますが。一人めは、お金のために書いてる人。次は、自分の美学にはまらないものは絶対に褒めない人。最後は、自分の美の寸法にははまらないんだけれどもこれは何かあるのかもしれない、と真剣に批評文を一つの作品として書き上げる人。もちろんその三つめの人が好きなんですが。要するに、批評文、文章そのものがモードになってる。ただね、日本語ではなかなか書けない、書き表わせないことが、フランス語でなら書けるということもある。ヴィム・ヴェンダースも言ってました。「芸術はフランス語でしか書けない」米語では書けない。フランス語でしか書けない。だから僕は読んでもわからない。フランス人に訳してもらっても全部直訳だからさっぱり意味がわからない。でも、パリには50年もコレクション見続けてるジャーナリストとかがいるでしょう。そういう人たちはやっぱりね、その人たちの鋭い目っていうのはやっぱり勉強になりますよ。モード史そのままを生きてきたという人たちがいるってことはすごいことだよね。カルダンの恋人だったみたいなジャーナリストとか、クリスチャン・ディオールを知っているというよぼよぼのおばあさんだとかね。ただおもしろいのは、というか注意しなくてはいけないのは、モードに限らず、パリを支えてるのはフランス人だけじゃない。外国の人のほうが多いんだよね。

――パリは〝場〟っていうことですか。

山本　うん。だから生っ粋のフランス人にはなかなか出会えない。それはまた、フランスの文化政策のおもしろいところで、新しいもの、可能性のあるものはどんどんパリに連れてきてしまう。批評力のあるショーケースみたいなところなんだよ。だから、パリをひと言で言えば、ルーヴル美術館ということになると思う。ドイツに占領されそうになったとき、いちばん最初に担ぎ出したのは、ルーヴル美術館の作品だというからね。それくらい大事らしい。僕はフランス人そのもののほうが大事だと思うんだけど、彼らフランス人は、人間よりも美術品のほうが大事みたいです。

――耀司さんの洋服も、向うの美術館に入っているんじゃないですか?

山本　何十点か入ってますけど、それは僕の知ったことじゃない(笑)。

1997 S/S

1996-'97 A/W

#002

僕が今、少しだけいらだっていること。

photographs : Yoshiaki Tsutsui

少々過激な発言も飛び出した今回。
若いというだけで、社会に対して優位な立場にいるとなぜか信じている若者たちに、そして彼らが安住しているイージーでコンサバティブな日本社会に、辛口のメッセージは投げかけられた。

僕は最近、ファッションデザイナーの、流行やファッションの中に占める役割や位置、そういうものが、これから、21世紀に向かってどう変わっていくのだろうかということに、いちばん興味があります。というのは、'60年代後半から'70年代のファッションが、もうそろそろ下火ですけれども、ずいぶんはやりましたよね。ああいう服というのは、間違いなくボディを小さく原型的に作って、肩幅を狭く入れて、場合によってはセットインスリーブの古くさいのをつけている。僕が言い続けているのは、ああいう服は素人でもできるということ。こういう流行の中では、ファッションデザイナーはいったいどういう役割を担えばいいのか。常に流行というものは街、ストリートから始まる。で、ファッションデザイナーというのはその後追いをする。それが一般的な流行の定番的な要素なんだろうけど。川久保(玲)さんが何かの誌面で「イージーな時代にはいいかげんうんざりしている」と言っていました。作る側はやっぱりそうあるべきだと思う。けれど、消費者にとってはイージーな服の現代的な意味や価値というものもあるんだろう。

もう一つ大きく語りたいのは、日本だけに起きている特殊な現象のことです。それは、一般的にお嬢さんといわれる人や、あるいは親の援助で暮らしているような若い人たちが世界の高級な有名ブランドを着ているという異常な事態。これは、日本人そのものの文化論なのか、精神論なのか、きっとそういうことになると思うんですが、難しい言葉では言えないけれど、すごく不思議な、とにかく異常な状態ですね。ヨーロッパやアメリカの若い人は絶対高いものは着ていない。古着とか、フリーマーケットで買った安い服を上手に着てますよね。ほとんど2,3千円で買えるような服しか持ってない。それが若い人たちのかっこよさだと僕は思っている。ところが、日本ではどうだろう。ブランド、ブランドと言って、わざわざイタリアまで行く人もいるし、偽物探して香港へ行く人もいる。ある年齢を過ぎて子育てが終わったオバさまたちが一つの発散として、ゴージャスなショッピングに走るというのは、わからないことではないですけど、なんで若い人たちまでそんなことをするのか。これは日本だけに起きている特殊な現象ですよ。僕はああいう女の子のこと、女性だとは思ってないね。アホな女の子。甘やかされて、要するに若いってことがすごく偉い、若いことが最高、あたし若くてきれいだから誘惑したいでしょ、みたいな。顔に出てる。25歳を過ぎたくらいの女性たちですらもうオバサンと呼んで侮辱する。しかもそれが許される。日本の男たちはそういう女の子たちの"FRESH MEAT"、新鮮なお肉をセクシーだとかかわいいだとか言ってちやほやする。

日本人ってのは、島国の中でお互いを許し合い、甘やかし合いながらやってきた人種だから、一般的にこれがいいといわれてる風潮に逆らうと、疎外される。問題意識のある人、反抗心のある人はそういうムラ的な社会からどうしても外される。その外される部分の中ではっきりと行動をとる人たちは海外に出てしまう。それが、いいかどうかはわかりませんが。

とにかく今世界中が悪趣味な時代。——プラダを着てエルメスのリングをして、ルイ・ヴィトンのバッグを持ち、フェンディやフェラガモの靴を履いて、裏に毛皮を張ったコートを着て。そういうブランドで身を包んで、誰が買ってくれたか知らないBMWとかポルシェに乗ってる人が『装苑』読みますか? 見てくれないでしょう。彼女たちがもしファッションの雑誌を読むとしたら『VOGUE』、あるいは、日本の雑誌でもあるじゃないですか、特集「イタリアンブランド」「世界の名品」。すべてがコンサバティブ。徹底的にコンサバに流れてる。疑問がない。要するに、お金持ち風に装えばいいという、この悪趣味。今日本に蔓延してるちょっとなおらない状態。これは病気です。

それに対して今、日本のファッションデザイナーが何をしているかというと、僕とか川久保さんとかがやった'80年代のアバンギャルドの練直しでしかない。服を壊してみたり、ペイントしてまた剥がしてみたり。例えばベルギーとかオーストリアに目を向けてみると、アントワープから出たドリス ヴァン ノッテンのように、作品的なものづくりはしないけれど、トレンドセッターとして時代に合った軽く、いい意味でイージーで、シンプルな服を作る若者がどんどん出ているのに。

プレタポルテを支えてきたベテランのデザイナーたちがオートクチュールをやると言いだしている。ティエリー・ミュグレーもジャンポール・ゴルチエも。アズディン・アライアも。

オートクチュールというのは、要するにフランスの国策産業だし、フランスにとって最も大事にしてきた城だしね、それが化石化してしまった今、なんとかしたいという組合の動きがある。本来そういう古い価値観に反抗して出てきた若手、かつて若手だった人たちが、援助を受けて今やオートクチュールをやろうとしている。そうすると、これからの時代をリードする若者、それをストリートと呼ぶとすれば、ストリートとデザイナーはどんどん離れていく。距離ができていく。今後、デザイナーとストリートはどういうふうにつながっていくんだろうと、僕はつくづく思うんですね。なぜ反逆児たちが、昔"アンファン・テリブル(恐るべき子どもたち)"とも言われたような人たちが、エスタブリッシュされたオートクチュールをやるのか。今、世界中がコンサバティブになっていて、ゴージャスな服が売れている。イタリアンモードが世界を凌駕してますよね。僕が想像するに、それに対してのパリの復権、ていうのをたぶんやりたいんじゃないか。イタリアンモードっていうのはほんとにコンサバですから。

フランスのジャーナリストが、プラダの服は悪趣味な服の代表選手だというふうに言ってるわけですよ。僕は、ミウッチャ・プラダ、彼女のやってる服は素人でも作れる服の形をしてますけれども、そういう服の中では最もでき栄えがいいなあと思ってます。細部にわたって、カッティングとか仕立て、それから素材のあしらいなどが、いいと思ってます。いいと思ってますが、あの服はこれからの若者たちの疑問を解決してくれる服じゃないと思う。お経みたいなもので、これを唱えていればあなたは救われるといったような、そんな服ですよ。

それにしても、なんで日本人の若い女の子って、あんなに偉そうな顔をしてるんだろう。僕が言ってるのは、16、17歳から22歳くらいまでの女の子たち。僕に言わせると、高校2、3年からもう娼婦の顔をしている。それはテレビの影響がすごくあるだろうし、日本の風俗をコントロールする大人たちの戦略もあると思う。

僕はそういう意味では古いんだと思うけれども、その年齢の若さっていうのは、大人に対する疑問、自分に対する疑問、社会に対する疑問、大人たちが決めた約束に対する疑問で、苦しむ時期だと思うんですよ。だから、考える、悩む、本を読む、そういう時期だと思うんですよ。そんなの全然しないで、ただ誘惑的に、セーラー服を脱ぎ捨てたら高級ファッション、ブランド、ブランド。今のブランドという言葉の代名詞は、イタリアンファッション、それからフランスの一部のゴージャスなブランドでしょ? ぜーんぶ古いものですよ、大昔のブランド。でも、そういう子たちに強烈な反対意見、そういうのは古いよ、ばかばかしいよ、と言葉ではなくて作る服でわからせるのが我々デザイナーの仕事だ、というふうに僕は思っている。そういう意味ではデザイナーもまだまだ力が足りないんじゃないかな。自分も含めて、強烈に思います。

僕は、ヘビメタとか、ロックをやってる子たちのことが大好きなの。ロックっていうのは、精神そのものが反抗じゃないですか。だから正規の学校の路線に自分を合わせるなんて冗談じゃねえ、ということで外れてる。ロックやりたい、暴走族やりたいというのは反抗ですよね。だからそういう子たちの着ている服って好きだねえ。昼間は肉体労働をして夜はバンドやってるというような子どもたちは、僕は一つの怒れる若者の形だというふうに思っている。中にはファッションだけでやってる子もいるだろうけど。ただし、日本にほんとうのロックが育つかというのはまた別問題で、ヨーロッパのパンクなんていうのは、階級社会だからそういう方向に行かざるをえないということがあるし、そのすぐそばには、ドラッグの危険がありますからね。

とにかく日本は甘いね。すごい甘い。何しても食べられるからね。僕、フリーターって言葉が大っ嫌いなんですよ。フリーターってのは完璧に社会が甘やかした存在。というのは食べられるわけでしょ。何もしなくても。誰かが食べさせてくれる。ちょっとアルバイトすれば食べられる。そういうような若者が甘えられる社会の両局面としてフリーターと、ブランドものを着込んだ豊かな家庭のばかお嬢さんたちがいる。最近また、家柄がどうだとか、どこの大学を出ただとか言いだしている。完全に昔に戻ってるね。すごいコンサバ。

僕が悲しいのはね、そうやって10代の後半でそれだけ享楽的な暮しをして、その後どうするんだろうと。あっと言う間に年とりますからね。

軽いんだね。軽さというのが僕は現代のキーワードだと思うんです。今は哲学とか思想が失われた時代だから、昔の人ならマルクスに傾倒したり、いろんな哲学者のことを一生懸命勉強して、どこまで悩んだかどうかは別として、若い苦しみをどうやって生きていけばいいのかという参考書になってくれる、考え方のリーダーがいたが、今はそれがいなくなっちゃった。指針がないというか、苦しみを共有してくれる思想がない。だから自分の肉体すらも軽いギャグ的なものになっていってるんだと。大げさに言うと、日本の若い女性たち、総売春婦。それも生活が窮迫して、しようがなく追いやられたというのではなく、遊びとしての売春。それがなんで悪いのという。若い魅力を発散して、たまにはお金に代えて、というのを容認する雰囲気が日本の社会にはある。だから、お金持ち的なものを代弁できるファッションがトレンド、ブランドとして日本を圧倒している。大人に対する深い疑問を考えて、苦しみながら解決していくのは古い、ダサイと。僕は若者に限らず生活者が生きていくうえでいちばん大切なものは、これでいいのかっていう疑問、自分のこの苦しみはいったい何なんだろうという疑問だと思うんだけど、その疑問に直面する、ぶつかるということすらあんまりなくて、風俗の中で適当にごまかしていく、それで済んじゃってるような気がする。

今あらゆるモード学校がデザイン優先主義で、服を一着じっくり作るという教育が全然ない。それを訓練とか鍛練というふうにいうと、犬でさえ訓練が必要なのに、今の日本の若者にはない、学校教育の中にも全然ない、と思ってる。訓練というのは非常につらいでしょ。なんでこんなことするの、という。でもつらいことをやって初めて見えてくるものがあるというのを、僕は声を大にして言いたい。ピアノのレッスンでもつらいでしょ、基礎は何でも。そのつらさを今の人たちというのは耐えられない。でもそのつらさを通り越したときに初めて見えてくるものがあるんですよ。これはもう、今どきの若いもんは、なんて言う老人の怒りぐさみたいでいやだけれど。

僕は、たまたま、空手なんていう武道をやっていますが、頭でこういう動きをするんだって覚えても体は動かないです。考えることよりも体が先に動くためには、訓練、訓練、鍛錬、鍛練というのを繰り返さなければいけない。そうすると頭より先に体が動くんです。そういうふうに、大げさに言えば、苦しみの果てに見えてくるものをもっと信じなさい、と。それが見えないかぎり、君の作るものは浅いよ、というのをぜひ『装苑』の読者には、あるいはファッションを志してる人には声を大きくして言いたいですね。今の人はセンスがいいし、世界中の情報にじかにふれられるから、絵がうまいなんていう人は何十万といますよ。要するにデザイナー志望の子が、みんなすっごいおしゃれなんだよね。そんなの要らないと思う。訓練している間は汚いTシャツとジーンズ、汚いジャンパー一枚で毎日学校に行く。そういう時期が絶対あるべきなんですよ、若者は。で、それを通り越して初めて見えてくるものがある、今までできなかったことがふっとできるようになるというのを、実はいちばん言いたい。むちで引っぱたいてでもいいからやらせたい。一般の学校教育は言語道断だけれども、それが専門教育、こういうことを職業にしたいという専門学校に入ってすらも、訓練とか鍛錬とかは全然やってない、今の学校ではね。

僕自身のことになってしまうけど、空手は6年やってます。実に、ピアノのレッスンと似てましたね。何回も何回も基本の繰返し。1年半前に黒帯、初段をもらったんですけどもそれでも依然として、1週間に2回は基本の繰返しをやる。それによって、頭で考える前に体が動くようになれる。

僕がびっくりしたのは、人間の持つ潜在能力、ポテンシャルというのはすごいなあということ。例えば、一般のスポーツといわれるもののほとんどは腕力、体力、そして年齢的な限界がありますよね。ところが武道にはそれがない。例えば僕らがやっているのは、180センチから190センチ、100キロぐらいの大男を一撃で倒す、そういう訓練をしてるわけですよ。それが最終目標なんですけども、そのためにどういう訓練してるかっていうと、ピアノの訓練と同じ。基本、基本。空手のことをあまり言ってもしようがないけれども、年齢にかかわらず自分の体が持ってるポテンシャルを限界まで利用するんです。一つだけ言いますと、実際に人を殴るという行為は、ごく平凡に考えると、手で殴りますよね。ところが、ボクシングでも空手でもそうじゃない。ボクシングの場合は背筋力で殴ります。空手の場合は、脚の裏の筋肉と足首の筋肉と、腰の回転で殴るんです。手じゃないんです。だから、ゴム輪をこう回して、その反発力で飛ぶ飛行機があるじゃないですか。それと一緒で、体をぐうーっとひねって限界まで力をためておいて、その瞬発力で殴るんです。それと、けんかだとパニック状態になりますから、瞬時にパニックにならずにいられるように、訓練しているわけです。

じゃ、山本耀司さんは何かあったら人を殺すんですか、とか、そういうことじゃないですよ。何か、ほんとに理不尽な目にあって、5発10発と殴られて、我慢して、それでも相手がやめないとき、もう自分が大けがするか殺されるか、というときにはそれを出すしかないな、っていう訓練をしてる過程の、形而上のおもしろさです。生き方ではそんなに変わらないような気がしますけどね。ただ、ま、街で危ない人に言いがかりをつけられただとか、けんかを売られたりだとかというときに、落ち着いてはいられます。パニックにならない。冷静になだめる、絶対謝りませんよ。冷静になだめられる、そういうことだけだと思います。ほんとうのところは、僕はただ飛行機に乗る体力をつけるために空手をやってるだけなんだけど。

日本でほんとうに激しく生きたい人たちはみんな海外に行っちゃう。なんとかしないと。僕も日本を脱出したいなと思ってます。違う意味で……。

#003 偉大なる伝統へのパロディ、あるいはオマージュ。

初めて"笑える"服作りに挑戦したという'97春夏コレクション。昔懐かしいなんて言わせない、
新しい美の解釈をユーモアにくるんで見せたデザイナーの気迫は、
ショーが始まって3着目で、敵を爆笑の渦に巻き込んだ。

1997 S/S

——今回のコレクションは、最初に何かテーマというか、キーワードはあったんですか?

山本耀司(以下、山本)　キーワード……。うーん、どうしようかな。

'90年代に入って、特にここ4、5年は日本中が、また舶来ブームでしょ。特にイタリア系の、高価な、それを着れば誰でもゴージャスに見られるようなコンサバな服の流行。かたやお金のない若い人たちは'70年代そっくりのビンテージというか、フリーマーケットで売ってるような古着ファッション。大きく分けてその二つかな。こういう時代感の中で、我々デザイナーの役割、僕たちはスタイリストとデザイナーは厳密に分けたいと思っているけれど、ただ物を作るだけじゃなくて、明日はこうなるよね、こうなりたいよね、というのを創作の中で見せていく、それがとても困難な時代だと思うんです。確かに伝統的なものには美しいものもたくさんあるし、'70年代も、今の10代の子たちにとっては初めてのことだからたぶん新鮮に見えるんだろうけれども。ある人に言わせれば、今の時代は昔のファッションの亡霊が歩いているようだと。そんな、世界中のムードが後ろを向いてる中で、現代の、あるいは明日の新しい女性像とか、新しいファッションを作るとかいうのは何だろうね、って。振り返るばっかりじゃなくて、何だろうね、と、そんなことがテーマ。ちょっと難しいけどね。だから例えばインドへ旅行に行ってすごく感動して、今回のテーマはインドです、というのはすごくわかりやすいでしょ。そういうのは、いっさいないです。

ありとあらゆる題材を使って、現代の、今の僕たちのちょっと重苦しい気分を、一つの新しい美を見つける見つけ方の角度、アングルみたいなものを見てほしいな、と。

——今回、シャネル風のスーツがありましたよね。でも実際、作る人や時代が違えば全く別のものになると思うんですけれども、それを言葉で表現するとしたら……。

山本　シャネルスーツはねえ……。すごく難しいんだよね。なんて言ったらいいかな……。一つの約束になった服。シャネルスーツっていうのはこうだという、誰が見てもわかる様式。それをプラモデルを分解するみたいに全部ばらばらの部品に分解して、そしてまた組み立てて、ということをやりました。シャネルだけじゃないけれども。そうすると、シャネルスーツという常識が要求するパンプスとか、丁寧な仕立てとか、ゴージャスなブレーディングとかいうようなものが、一つの様式化された化石のように見えてきて、そんなものがなくてもシャネルスーツはできるよ、と。だから今、店にあるシャネルスーツの常識じゃなくて、ココ・シャネル本人が現在生きてたらこういうことをやるだろうなっていうようなことをやってみたかった。

だから、裾なんて裁切りだし、糸がぼろぼろ出てるし。靴はパンプスじゃなくて共布で作ったぺたんこのスリッポンで、それも端は切りっぱなし。もっと専門的にいえば、シャネルスーツってきちんと袖をつけずに、ちょっとぐずっとさせるという。それはなぜかっていうと、ココが大好きだった素材というのは、ローシルクやざっくりした手紡ぎの生地。そうすると、ざっくりした繊維というのは伸びやすいから、かちっと仕立てるということはしない。ふわあっと柔らかく、少しくずれるかなっていうすれすれで仕立てる味がいいなって、いつも思うんです。まあ、かなり技術的には難しいけれども、そういうことに的を絞って作ってみました。

偉そうなことをいわせてもらうと、ファッション、モードを、見るか作るか批評するかあるいは編集するか、どんな専門にしても、モードを最低でも15年以上見てる人じゃなきゃこのショーはわからない、みたいな、ちょっと難しいところがある。

ショーが終わって何名かの、アーティストとか作家とかそういう人たちが楽屋に来てくれて、「私はシャネルスーツは着たことがないけれど、こういうシャネルスーツなら着てみたい」と言ってくれた人がいましてね。でもそれって実物見ないとわからないんですよ、味の問題だから。写真にはなかなか出ないんです。ビデオでも出ない。

——それはたとえ実物でも、ハンガーにかけてぽんと置いてあったら、やっぱりわからないものなんでしょうね。

山本　ハンガーにかけて置いてあって、わかる人とわからない人の比率がどんなものかな、というのは今から楽しみですね。

まあ、シャネルだけでなくクリスチャン ディオールのニュールックのパロディもあるし、バレンシアガとか。要するに、シャネルと同時代でオートクチュールの全盛期をつくった大御所。それから僕自身の'80年代にやってきたものに対するパロディもあるし、中国のエスニックに対するオマージュも入ってる。あと、スパングルを一つ一つ手刺繍で縫いつけたレース、それをぱぱっとはさみで裁ち切って作ったドレスもあります。オートクチュールの仕立てのよさみたいな、うるさい価値観をからかうという。

——今回、なかなか思いどおりにいかずに、てこずったところはありますか。

山本　シルクのシフォン、薄くて透けちゃうやつ。あれでディオールのニュールックをやったんです。要するに透けるニュールックというやつを。それはてこずりましたね。ニュールックそのものは、ウエストをきっちりマークして、ヒップを膨らまして、ディオールの特徴ですけれども、上半身と下半身を厳密に分けるという。ところがシルクシフォンって、とろーっと柔らかいでしょう。そういう生地で、ここを膨らましたいというとき、それも芯地を張りつけたりするのはいやだと、いろいろと試みて、最終的には、綿のギャバジンをペチコート代りに服の中に一緒に閉じ込めた。

あと苦労したのはむしろ、オマージュというか、パロディというか皮肉というかそういうものの連続だから、パロディというのはおかしくないとつまらないじゃない。パロディで深刻なんて矛盾でしょう。だから見てて笑いだしたくなるような、ものづくりに初めて挑戦した。このショーはスタートして、モデルを送り出して3人目で爆笑がきたので、ああ、通じたなと思ったけれど。ユーモアっていうのは、センスの最高峰だと思っているんです。センスがよくないとユーモアはつまらないから。文字でいえば、喜劇。悲劇のほうが簡単に人を感動させられるでしょ。ところが喜劇というのは難しい。そういう意味で悲劇よりも喜劇のほうにひかれるよさがあるというようなことを、こびるんじゃなくて、笑いにしようとした。幸福に笑える、ハッピーに笑えるショーにできたらいいなと、そこには気をつかいましたね。

もちろんそれは自分がコレクションという泥沼にのめり込んじゃって、もがき苦しんでいたらできない。ちょっと距離を置いて、自分のことすらも捨ててみる。そういう、物を作るうえでの冷静な距離感。それはどんな分野で物を作る人でも、いちばん難しいそうです。僕はこんなに苦しいんです、つらいんですといって、眉間にしわを寄せたような作品ってのはいっぱいあるじゃない。それは誰でもできる。やっぱり今後僕がやりたいなと思っているのは、すごく深い、重い苦しみなり思想なりを軽く表現すること。これは余裕がないとできないし、自分を突き放したある冷たさがないとできない。

ただ今回、仮縫いをふつうコレクションの時は10回ぐらいするんですけれども、2、3回僕、仮縫い中に笑った。更衣室でモデルさんが着替えて、出てきた瞬間、笑っちゃった。それは珍しいケースですね。パターンナーが僕以上に、ちょっとこう踏ん切れないところを軽く越えちゃって、すごくおかしい服を作ってきて、そこまでやっちゃっていいの?って。今回はそういう楽しみもありました。

——その意味では耀司さんが意図するところを、うまく受け止めて表現できるスタッフもいないと、コレクションは成功しませんよね。
山本　そう。だからファッションと映画作りは似ていて、要するにスタッフワーク、チームワーク。そのチーム全体が、今後の映画はこんなことを言おうとしているんだ、ということをわかって一致してしないと。ファッションショーもそうです。そこのところがある意味、似てると思います。あいつ今度はどういうことをやりたいんだろう、というのを何人かがわかってくれるとやりやすいと思うんですけれども。でもそれって完璧には無理な話で、ショーが終わって初めて、一緒にがんばってくれた人たちが、ああ、こういうことだったんですか、ってわかってくれることのほうが多いです。
——そして狙いどおり、会場からは笑いが起きた。そこが今までのショーと違った点ですか。
山本　それがいちばん大きかった。今まで人を笑わせることはなかったから。
——もちろん始まる前はいつものようにしんと緊張した雰囲気で……。
山本　そうです。特にパリ・コレクションは、ジャーナリストなどは90あるコレクションのうち40から50は見ていて、バイヤーでもやっぱり20から30は見ていて、そういう人が全員来るわけですよ。左右5、6列に分かれてばーっと並んだ人たちがみんなすごいプロ、いろんなものを見つくしている人たち。だから始まる前は、まあ仕事だから座っているみたいな人が大半ですよね。その人たちを最初の2、3着でひきつけちゃうというのは、我々の大事な仕事じゃないかなと思うんです。メモばかりされてるとね、ああ、だめだなと。メモする手を止めさせたい。
——笑いが起きたほかに、何か別の反応はありましたか。
山本　ありました。なんと、僕の15年間の仕事に否定的だった、非常に厳しいコンサバティブなジャーナリストたちまでもが全員立ち上がって拍手してくれた。僕が感覚的に大好きな、尊敬している『イタリア・ヴォーグ』の編集長が楽屋に来て、「人のショー見て立って拍手したのは今日が初めてよ」って、そういうことを言ってくれて、そうかな、そんなすごいことやっちゃったのかな、と。こっちはほら、パロディのつもりだから(笑)。
　ただパロディにしても、最初に戻りますけれど、今のモード、今のファッション、今の流行に対する、みんなが抱いてた疑問に何か答えてあげられたかなというのがこのショーの特徴だったと思うんです。だからいろんな雑誌の編集長から感謝状が来た。このショーを見て編集のヒントが生まれた、と。まあ、こんなショーはめったにできないですよ。次はきっとだめです(笑)。
——そんな。でも褒められるより、けなされた後のほうがうまくいくと、何かでおっしゃってましたね。今はすでに次のことを考えている時期ですか。
山本　もう生地を作ってます。だからこれ(’97春夏コレクションのこと)は捨てなきゃならないんです、念頭から。捨てなきゃいけないのに、こういうふうにインタビューがあるとまた思い出さなきゃいけなくなる(笑)。
　だいたい、次のイメージはショーが終わった瞬間に出るんですよ。その日のうちに。このコレクションではここが足りなかったな、できなかったなというところから出てくる。
——じゃ、今回も終わった瞬間に……。
山本　今回はやばいの。俺今回、ショーが終わったその晩、もうこれでデザイナー辞めようかなと思った。
——それはもう、やりつくしたという?
山本　やりつくしちゃったと言うよりも、とんでもないことをやっちゃったという感じ。いろんなふうに誤解されているから。耀司さんオートクチュールやるんだとか、ニュークチュールと言われたりだとか、’80年代初頭にアバンギャルドのデザイナーとして殴り込みをかけた、要するにヨーロッパの伝統的な美学にどんどん文句を言って反逆してきた人が、ここでオートクチュール、みたいな。
——そっちのほうに行っちゃったのね、と。
山本　そうそう。ま、相当誤解されて言われていることだけれども、僕からすれば、東京から出てきた破壊派のデザイナーと言われていてもね、クラシックとかオートクチュールだってやろうと思えばできるんだよっていうのを、実はちょっと見せたいという気持ちも働いていたし。そういう意味で変なことやっちゃったかなという思いがあって。これは最後なのか、それとも始まりなのか。要するにこのショーを準備する前から、次が俺の最後のショーだっていうふうに思っていたら辞められるんだけれども、そんな思いはなくて、なんとなく、世の中コンサバでいやだなと、頭にくるから超アバンギャルドでやるか、それとも今の、昔懐かしいなんていう連中、あるいは昔懐かしい服たちに対する現代的な理解のしかたを見せてやろうかなあというのを、やりながらどっちにするか決めたから。これが最後だっていう覚悟はなかったから、どうしようかなあ、って。ほら川久保(玲)さんが、超アバンギャルドをやったでしょ。今回。それと全く同じ。
——表現方法が違っただけ。
山本　そう。要するにイージーな時代の中でクリエーターはいったいどこに行けばいいんだ、デザイナーは何をすればいいんだという。力を込めたものづくりがこれだけ評価されない時代に腹を立てていたから。だから川久保さんも僕も、方法こそ違え、同じことを言ってるわけです。
——それに対して評価が高かったにもかかわらず、やばいと思っちゃったんですか。
山本　もうどうしようって感じ。ただし、俺は’80年代にやり続けたアバンギャルド的なことはもうやりたくもない。ほとんど実験しちゃったから。破いたり、洗ったり、染めてまた落としたり、もうありとあらゆることをして、アバンギャルドっていうのが壊れた服の代名詞みたいになっちゃったくらいに。僕とか川久保さんをコピーしたような、よくそういう服を作ってる人がいるけれども。そんなこと今さらやりたくない。そういう意味で、だんだんインサイドワーク的になってる。一目ではわからないという。かといって高踏主義というんでもないんだけれども。自分をとても高い所に置いて見下ろしたような、そういう作家にはなりたくないから。既製服というのは実際この瞬間に生きてる生活者が着て、一緒に暮らす道具か何か、その程度のものでありたいと思っているから。美術館に入れたりとかじゃなくて、着て暮らしてもらう。だから、安いべきだし、着やすいべきだし、というのは変わってないんですけど。10代の子たちの格好を見て、あんなのできるかな、ああずいぶんセンスいいな、なんてドキドキするし、実際生きているみたいだっていう服は年齢と関係なくあるし、いつもストリートとつながっていたいと思う。ただ、インサイドワークの部分が増えていくから、ちょっとわかりにくいかなという反省はあります。
　ただし、’70年代の服みたいなイージーなのはいや。あんなの素人が作ってもプロが作っても一緒だもの。文化服装学院で勉強するときの服の原型あるでしょう。あれを使えばすぐできちゃう。そういうのはちょっと……。だから、今はファッションデザイナーがいちばん仕事がしにくい、受難の時代かもしれない。デザイナーでなく、スタイリストにとってはとても生きやすい時代だけれども。そうすると物を作る人はいったいどこに行けばいいんだという。そういう時代に対するある投げかけですね、今回のコレクションは。

1997 S/S

#004

オートクチュールを超えて。

**跳び越えたら終りではない、跳び続けなくてはならないのがハードルというものだ。
'97年春、〝オートクチュール〟というハードルに向かって地面を蹴り、
'97-'98秋冬コレクションでさらに高く跳んだ彼の視線はもうすでに次のハードルを見つめているのだろうか。**

——今回のコレクションに対する耀司さんの思いを、まず聞かせていただけますか。

山本耀司(以下、山本)　ひと言で言うと、オートクチュールという壁があったら壊さなきゃならない。オートクチュールというハードルがあったら越えなくちゃならないということ。とにかくその先に行くために、どうしてもオートクチュールと対決しなければ、という思いがこの一年間ずっとあって。僕自身は何も変わっていないんですけれども。服にオートクチュールもプレタポルテもない、どんな時代でもどんな題材でも、俺の服は俺だという。題材を通してその向うに見える、俺の女性像を描き続けているわけですから。

——前回は、ショーが始まって3体めで会場から爆笑が起こって、意図が通じたとわかったとおっしゃっていましたが、今回は観客のほうにも一種の期待があったというか、すでに通じるという前提ができていたような部分がありますね。

山本　今回のほうが内容がドラマティックなんです。前回はジャーナリスティックなショーで、僕にはこう見えるよ、というまなざし。前回を玄関とすると、今回は奥の間へ入り込んでいるわけ。というのは、やっぱり前回からの流れで自然にここへ来ないと、見る側も作る側も出口がない。〝オートクチュール的〟という題材で女の人のボディをとらえて、それを新しい解釈で見せるという。でもやっぱり言いたいことは、その向う側に見えてくるものであって、オートクチュールが最終ゴールとは全然思っていない。

——通過点の一つだと。最終的にでき上がった作品というのは、初めからその形が見えているわけですか、それとも作っていくうちに変わっていくんですか。

山本　ほとんど変わらない。今回は特に、パターンナーががんばったコレクションだと思う。

——デザイナーよりもパターンナーが。

山本　前回はオートクチュールってなんだっけ、みたいなコレクションだったけれど、今回は女ってなんだっけ、という。例えばマリリン・モンローとか、グレタ・ガルボとか。スクリーンの女王と呼ばれているような人たちをイメージしたらどうなるか、ということがエッセンスとして入ってる。それをパターンナーがそれぞれの解釈で服に表現した。マリリン・モンローのイメージで作ったはずなのに、ジャクリーン・ケネディになっちゃったということもあったけれど(笑)。

——じゃあ今回、超ミニのスカートとか、太ももまである深いスリットとか、ベアトップとか、今までになく肌の露出度が高いのも……。

山本　女優をイメージしているから。

——ということなんですね。でも耀司さんとしては、あそこまで肌を見せることに全然抵抗はなかったんですか。

山本　うん、最近はタブーなしにしてるから。今までは「ここまでスリットがあってセクシーでしょ」という服を心から軽蔑していたけれど。最近はもうそういうタブーも、むしろ逆にやっちゃっていいんじゃないかと。

——コサージュをつけたスーツもありましたね。

山本　あれは仮縫いの時にパターンナーが「さっきもらったんですよ」と持ってきたのをそのままつけちゃった(笑)。そんな、彼らのノリみたいなものも服に表われている。

——びょう使いとか、パンクっぽい要素は逆に耀司さんらしいと感じましたが。

山本　でも今回のように、アクセサリー的に使ったのは初めて。軍服とか戦闘服みたいに、乱暴にメタルを使ったことはあったけれども。(以前は)アクセサリー否定論者だったから。今回はあえて、アクセサリーを脇役でなく主役として使った。

——耀司さんからパターンナーのかたに提示したのはイメージする女優の名前だけで、フォルムや素材などの具体的な指示は出さなかったんですか。

山本　そう。彼らが自由にイメージして作り上げた。だから、仮縫いも一発でOKというのが半分くらいあったかな。今回は形が先に決まっちゃったんで、素材も仮縫いの時と同じ、ごくベーシックなものを使って。

——今回、いちばん苦労した点というのは。

山本　……自分の精神統一。パターンナーのノリがいいから、コレクションは彼らが作ったとおりに出せばいいんだと思いながらも、それじゃパターンの見本会になってしまう。もっと素材の側に加担してエキサイトしたいという、もう一人の自分がいて。いや違う、おまえは引っ込めとかね。だから体数も、最初は70体から80体出そうと思っていたんだけれど、結局は62体に絞った。

——実際のテクニックの部分ではなく、精神面での葛藤という。

山本　やっぱり(コレクションは)一種の編集作業でしょう。勇気を持って排除していかないと見えてこないものもある。毎回、そのつらさはありますけれども。

——でもパターンナーのかたがたにとっては、すごくやりがいがあったのでは。

山本　だろうね。でも彼らは百戦錬磨ですから、いちいちそれで一喜一憂はしない。もちろん評判がよければうれしいだろうけど。コレクションが終わっても、さあ、終わった終わったって感じ(笑)。

——はい、次ですか。

山本　今回は時間がなくて打上げもできなかったし。作った連中と一緒に、日本語でばか言いながら飯食いたいなと思うんだけどね。

——何か、見てる側のほうがよっぽど感動してるというか、熱くなってるみたいな気もしますが。

山本　ショーが終わった瞬間は、なんて言うんだろう、空っぽになっちゃう。腰が抜けてしまったように。だから、そういう意味ではエネルギーを(ショーに)あげちゃったんだろうけれども。

——今回、会場がソルボンヌ大学の講堂から自社のショールームに変わりましたが、何か意図があったんですか。

山本　いや、ソルボンヌが借りられなかっただけ。あえて場所に凝るのもかっこ悪いなと思って、借りられないなら自分のところでやろうと。だからソルボンヌの学生の都合というわけです。

——狭い会場のほうが服がよく見えるからとか、そういうこだわりがあるのかと。

山本　それは近くで見たほうがカッティングもよく見えるし、どこにダーツがあるかも見える。でもそんなことで通じる、通じないということはないから。遠くから見たって近くから見たって、服の力というのは、あれば通じるはずですから。

——そして、会場が狭くなったことで必然的にバイヤー用とプレス用というふうに、2回に分けて見せることになって。

山本　うん。あれは疲れた(笑)。

——やっぱり、かなり反応は違いますか?

山本　全然見方が違う。バイヤーは厳しいと同時につつましい見方をする。まじめというか。ジャーナリストは楽しんでるよね。一種の演劇を見るような感じで、コミュニケーションがはっきりしてる。

——それは舞台の裏にいても伝わってくるものですか。

山本　もう、舞台から戻ってきたモデルの表情を見ればすぐわかる。モデルが言うもの。ディファレントクラウド、違う群衆だって。

——耀司さんとしてはどちらのほうが疲れましたか。

山本　僕はやっぱりバイヤーのほう。じっくり、じわーっと見られてると、おいおい、ほんとうにわかってるのかよ、と(笑)。

——じゃ、次回ソルボンヌが借りられなかったとしても、少なくともショーを2回に分けなくてすむ広さの場所は必要ですね。

山本　2回はやだね(笑)。

1997-'98 A/W

#005

今日はヨウジの代りに僕が話そう。アズディン・アライア特別インタビュー

interview : Misako Tamagawa

**山本耀司氏いわく、尊敬するデザイナーであり、また信頼する友人でもあるというアズディン・アライア氏。
インタビュー嫌いで知られるアライア氏だが、ヨウジのことなら僕に任せて！と快諾。
パリ特集を飾るにふさわしいゲストの登場となった。**

AZZEDINE ALAÏA

——たくさん、犬を飼っていらっしゃるんですね。いつも一緒に行動していらしたヨークシャーテリアのことは、『エル』で捜してらしたことを知っていましたが。

アズディン・アライア(以下、アライア)　(『装苑』8月号誌上での、耀司氏と愛犬の写真を見て)ヨウジも大きな犬を2匹飼っているみたいだけど……。これを見てますますヨウジが好きになったよ。ヨークシャーをなくしたときはとてもつらかった。小さい犬はかわいいし、どこにでも連れていきやすいから、気がつかないうちにぱっと外に出て盗難にあった。その人は犬が好きで捕まえちゃったんだろうから、今ごろはきっとどこかでかわいがられているはず。自分が見つけられなかったってことは、誰かが飼ってくれているんだろうと考えることにしています。そういうことがあって大きな犬を飼うようにしたんです。5匹いるんですよ。ヨウジ、君がほんとうに犬を好きなんて「ブラボー!」だよ。うれしいよ。

——お二人は、いつごろ、どのようなきっかけで知り合ったのですか。

アライア　もう、ずっと昔から知っているような気がする。思い出そうとしているんですが思い出せない。なんとなく彼のモードが好きだったし、いつの間にか知り合っていた。仕事を抜きにしても、彼との出会いはものすごく重要なことだったので、思い出はたくさん残っています。個人的にはほとんど会うことはないけれど、ほんとうの意味で親友だと言えるし、彼のやっていることはまさに称賛に値するものだと思う。

ヨウジとはよく話をするけれど、レイ(川久保玲)とはそういうわけにはいかない。目だけで会話する。でも僕が以前日本に行ったとき思ったんだけれど、集中すれば言葉がわからなくても、視線とかジェスチャーだけで充分コミュニケーションはとれるんだよ。ジェスチャーというのは世界共通用語みたいなもの。視線や感情、感動も人間みんな同じで、違うのは言葉だけ。

——ヨウジヤマモトの'97春夏コレクションで使われたインド刺繍は、あなたがパターンの一部をアドバイスなさったとか?

アライア　ああ、僕と彼が頼んでいるのが、インドの同じ工場なんだ。彼は優しいから、僕がいろいろとアドバイスしたなんて言っているんだろうけど、全然そんなことない。僕たちはすごく意気投合してるから、いろんなことを話しているうちにそういう話になったんじゃないかと思う。特別にアドバイスすることなんかない。むしろ僕のほうがヨウジの仕事ぶりを見ることでいろいろと勉強になっているし、吸収することが多い。彼の人格はとてもデリケートだし、静かで落ち着いた性格だけれども、私はすぐに感情が高ぶって、しょっちゅう興奮しているような状態。例えば、ヨウジがいい仕事をし、すばらしいコレクションだったと思っているシーズンの時に、雑誌に彼の作品の写真が載っていないとジャーナリストに電話をして「なんであんなにいいものを作っているのに、君たちは写真を載せなかったんだ」と文句を言ったり。私の作品の写真が雑誌に出て、それがあまりよくなかったりすると、すぐに電話してクレームをつけたりね。でもヨウジは控えめな人だから、そういうのは、柳に風と受け流しているようだけれど……。

——お二人はどんな感じの間柄なんですか。

アライア　彼は友人であるし同僚でもあるんだけれど、こういう関係はすごく珍しい。この業界ではデザイナー同士が非常に強い友情で結ばれるっていうのは珍しいこと。ヨウジにもっとしばしば会えればとても幸せなんだけれど、彼は日本に住んでるし、僕はパリに住んでいるからなかなか会う機会がない。僕はヨウジに対してはもちろん、ほかのデザイナーに対してもライバル意識はない。モードのエスプリで、私が好きだと思うものを持っているデザイナーに対して、私が敬意を表することがあっても全然おかしいことではないでしょう。それがたとえ私と違うエスプリであっても。ヨウジはカッティングのこともよく知っているし、プロポーションやボリュームのことも非常によく心得ている。ボタン一つに至るまで、モードのことを極めてよく知っている。デザイナーの中で、彼みたいな人は非常にまれです。実はスティリスト(デザイナーと同じ意味)には2種類あって、ほんとうのスティリストは自分で何でもやれるものなんです。デッサンだけでなく、自分でクリエートしてカッティングまでもできる人。一方では、周囲にいろいろな仕事をしてくれる人がいなければ仕事ができない人もいます。ヨウジはそういう助けを必要とせず、カッティングも縫製も自分でできる人なのです。

その上、彼は音楽を余技としてではなく、プロとしてやっている。彼が歌うのは大好き。私も踊るし、歌も歌うんですよ。そういうことは非常にいいことだと思う。デザイナーにとってそういうことは非常に大切なことじゃないかな。ユーモアのないデザイナーというのはおもしろくない。まあユーモアがなくても、ちょっとしたデザイナーにはなれるかもしれないけど、そういう人の人生、生活なんて考えたらとてもやっていけないね。ユーモアがないと、デザイナーとしては優れていても非常に退屈な人になってしまうんじゃないかと思う。ヴィヴィアン・ウエストウッドとかジョン・ガリアーノなどもユーモアがあるね。

ヨウジは服飾の歴史の中に残る人なんだ。彼は新しいものをモードにもたらした。その新しさとは、要するに服に対するコンセプトがほかの人たちと違うこと。彼のモードの見方、すなわち彼の視点が僕は好き。彼の作るヨーロッパのモードを見ると、ほかの人たちよりももっと深くファッションのことを理解していることがわかる。

僕は逆に、日本のきものなどにも興味を持っているんだよ。色もそうだけど、布地自体のクオリティなどにも非常に得るべきものがたくさんある。巻いて重ねていくきものの着つけは、洗練の極み。あんなに美しいものをどうして日本人は着ないのかな。

——あまり実用的じゃないからではないでしょうか。

アライア　僕はチュニジアの出身で民族衣装を見ながら育ったわけだけれども、それと同じ。大きくて長い袖の服は、袖の上部と首の後ろにボタンがつけてあって、折り曲げて着る。母が袖を後ろに回しているときに、よく脇のほうから手を入れて母の胸を触ったり。すごく早熟だったからね。母たちが着てたものも、きものと同じように非常にいいコンセプトで作られたものだった。

結論から言えば、すべての国の伝統的な服はどれも美しい。アフリカでもアジアでも伝統の服から非常にたくさんのことを学ぶことができる。アフリカに行ったときに見たセレモニーの服は、一見非常に複雑な服のように見えるけれども、種を明かせば単に布をまとっただけであり、色のミックス、色彩感覚でそういう(凝った)印象を与えているわけ……。アフリカの人たちには優れた視覚的センスがあり、宝石に見える装飾品が実はガラス玉だったり……。彼らの服の着方のうまさには驚くばかりですよ。

——耀司氏はここ2シーズン、オートクチュールをテーマに作品を見せましたが、それについてはいかがですか。

アライア　彼が前回、オートクチュール風に服を解釈したあのやり方は、僕はとても気に入っている。彼の独特のやり方でやったんだけど、そういうものがまたモードを先に進めていく先導力になる。ヨウジのオートクチュールの扱い方は、現代に合った非常にモダンなものです。今までのオートクチュールというのは時代に合わない、古くなってしまったもの。伝統的なオートクチュールの仕組みの部分において、つまりテクニックだとか今までの積重ねだとか、そういう意味ではおもしろいものもある。うまく指揮をとって作られた服というのはフランス的なエレガンスがあり、優れたものです。ちょっと古臭くなっているかもしれないけれど、興味深くもあるし、それを続けることによってまたその中から新しい何かが生まれてくる可能性がある。だからヨウジはそれをやりはじめたんです。オートクチュールの優れた部分を研究することによって、何か新しい形のオートクチュールができるんじゃないかと。彼のプレタポルテは非常によくできてるし、コンセプトもいいし、もちろん使われている生地の質も高いわけだし、最後まで非常に気をつけて作られているもので、もうプレタポルテという言葉では言い表わせない……。その人に合わせて作られたからといってそれが最高だとはかぎらないし、工業生産的に作ったものでも、今は非常に高度で作りのいいものがたくさんある。例えばシルクをたくさん使ってドレスを作っても、手間がかかるし、旅行に持っていくにも合理的ではない。極端に言えば、ドレス一つのために衣装入れが一ついるということになる。そういう古いタイプの仕立てのドレスを所有していたいと思ったら、非常にお金や労力がかかるんです。ヨウジが解釈したテーラードの服は伝統的なシルエットの中に現代性があり、実生活に合うように作られています。

――ご自分ではオートクチュールはなさらないのですか。

アライア　コレクションとして発表はしませんが、自分のメゾンではやっているんですよ。今はそういうものが自分にも作れるんだということがわかったのです。プレタポルテはある種のスタンダードな体型の人のために作られたものなので、どうしても合わない人がいる。お金のある人たちは、場合によってはやっぱり自分自身の体にぴったりとフィットしたものを欲しがるものです。僕のところも、ブティックに置いてある服でなく、自分だけのために服を仕立ててほしいという女性が前に比べてずいぶん増えてきたようです。とても高いものになりますが。自分たちがやっているような形での〝オートクチュール〟はいいことだと思う。通りすがりの人が「こういうのを作りたいわ」と言ってきて、それを作ってあげる。金持ちの人が僕のところとヨウジのところでたくさん注文してくれるといいんだけどね。どっちにしてもお互いに嫉妬心もないし。

――耀司氏にオートクチュールをしてもらいたいですか。

アライア　オートクチュールのメゾンをヨウジがつくるらしい、と聞いていたけれど、彼のやっているプレタポルテは、もうそれだけですでにオートクチュールの域に達しているんじゃないかな。彼も僕と同じように、プレタポルテのかたわらでオートクチュールのような服を特別に作るのはいいことだと思うけれど、オートクチュールだけをするということは、ヨウジに関しては僕はとても考えにくい。ヨウジもレイも、自分でそれをするということはちょっと考えられないな。

――あなたもいわゆる従来の形のオートクチュールはしたくないのですか。

アライア　したくない。自分の顧客の注文に応じて服を仕立てるということはするけれど。ほんとうのオートクチュールの客層というのはそんなに広いものじゃないし、世界中に200人ぐらいのものなんだから。世界中でたった200人ぐらいのお客さんたちがいったい何を注文してくれると思う?

私にも金持ちの顧客はいるけれど、それでも2、3着買ってくれるだけなんですよ。

今存在しているオートクチュールのメゾンというのは、化粧品とか香水とかもやっている非常に大きな会社が主で、オートクチュール部門で利益を出しているわけじゃない。要するに広告の一部としてやっているんじゃないかな。縫い子が2か月半もかけて作る従来のオートクチュールは、値段がものすごく高くなるというのはあたりまえで、自分はとてもそういう値段をお客さんに伝えることはできない。もし僕が金持ちであっても、そういうお金のつかい方はしないと思う。社会のためになるようなことに寄付したほうがいいし、あるいは自分の気に入った絵を買うとか、そういうふうなお金のつかい方をする。お金があったら日本に行って、すごくすてきな旅館で遊びたい放題遊んで、お金をつかったほうがいいんじゃないかとさえ思うよ(笑)。

僕は借金をするのが大好きで、どんどんお金を借りる。そうしないと創作意欲というか、働く気が全然しない。わざと高いものを買って、自分自身で「ああどうしよう、どうしよう」って、お金がなくて、仕事しないと払えないっていう状態に持っていく。といってもむやみにお金をつかうんじゃないよ。ほんとうに気に入った絵を買うとか、彫刻を買うとか、そういうつかい方をするんだけれどね。

――いつも耀司氏のファッションショーの時には最前列にいらっしゃいますね。

アライア　たとえ外国にいても、ヨウジとレイのショーには絶対に駆けつける。友達、親友なんだから。それに、彼らの作るものが非常に好きだし、(それを見ることは)自分の喜びでもあるわけです。ヨウジにとっても、友達が来てくれるというのはうれしいだろうし。もう一つはヨウジは今日本に住んでいて、なかなか会う機会がない。ファッションショーは自分と彼が会うチャンスであるわけですから、逃すわけにはいかない。でなければ、彼がパリでショーをやったことは知っていて、知っていながら結局会わなかったことになってしまうんですよ。友情というのは育てていかなきゃいけないものだし、育てていってこそ友情と言えるんじゃないでしょうか。

――耀司氏は今秋からパリに住むと聞いていますが。

アライア　それはいい。いろいろと会う機会も増えるだろうし、一緒に夕食をとることもできるんじゃないかな。

――この連載で、耀司氏を巡るQ&Aをテーマにしたときに、おもしろい答えがありました。「Q.自分にとって、最もとっぴなことは何ですか。A.再婚」

アライア　もしも君がほんとうに結婚することになったとしたら、結婚式には日本まで飛んでいくから、早く結婚を決心しなよ。一晩中歌って騒ごう!

――最後に、耀司氏へのメッセージを。

アライア　〝クチュール〟はやっても、〝オートクチュール〟はしないほうがいい。クチュールのほうはちゃんとやっていかなければならない。というのは、君はクチュールでも非常に重要な人間なんだから。非常にいい服を作るんだから、オートクチュールまでやって、自分の生活が侵されるようなことはやらなくていいんじゃないかな。オートクチュールはお金もかかるし、またそういうことで心配事も増えるし、それを解決していかなきゃいけないし。人生は仕事だけじゃない。歌って踊って楽しくやっていこうよ。

あと一つ、ヨウジと自分の違いでとても大事なことは、ヨウジは決して人の悪口を言わない。僕は彼が人の悪口を言っているのを聞いたことがない。でも僕は、時々欲求不満を爆発させるけれど(笑)。

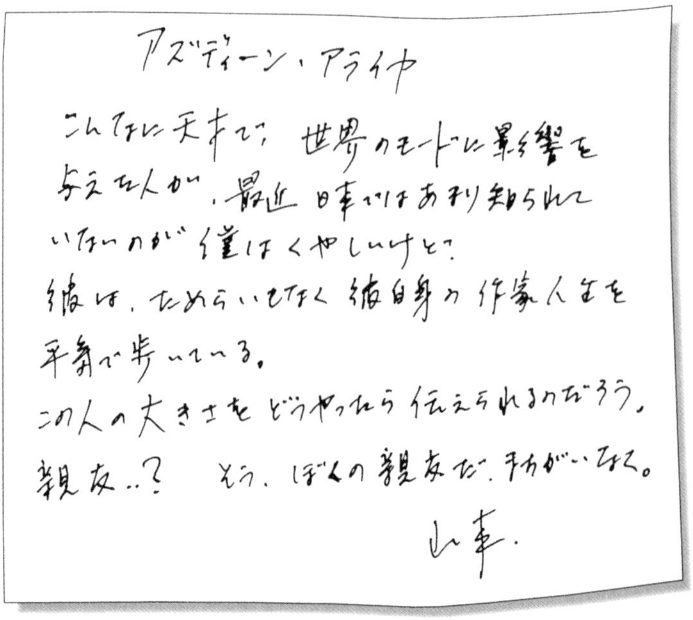
アズディーン・アライア
こんなに天才で、世界のモードに影響を
与えた人が、最近日本ではあまり知られて
いないのが僕はくやしいけど。
彼は、ためらいもなく彼自身の作家人生を
平気で歩いている。
この人の大きさをどうやったら伝えられるのだろう。
親友…?　そう、ぼくの親友だ。まちがいなく。
山本。

ORSON en APHO

REAL MEN

2002

ヨウジヤマモトを着る男たち。

〝リアルマン″は造語である。服を着て誌面に登場してほしい、
プロのモデル以外の職業を持つ人を示し、すぐに、
『ミスター・ハイファッション』編集部内と読者とに通じる符丁になった。
撮影年度もテーマも違うが、ここでは山本耀司の服を着ることで、
その輪郭が明確になることを基準に人選した9人をピックアップした。

text : Toshiko Taguchi

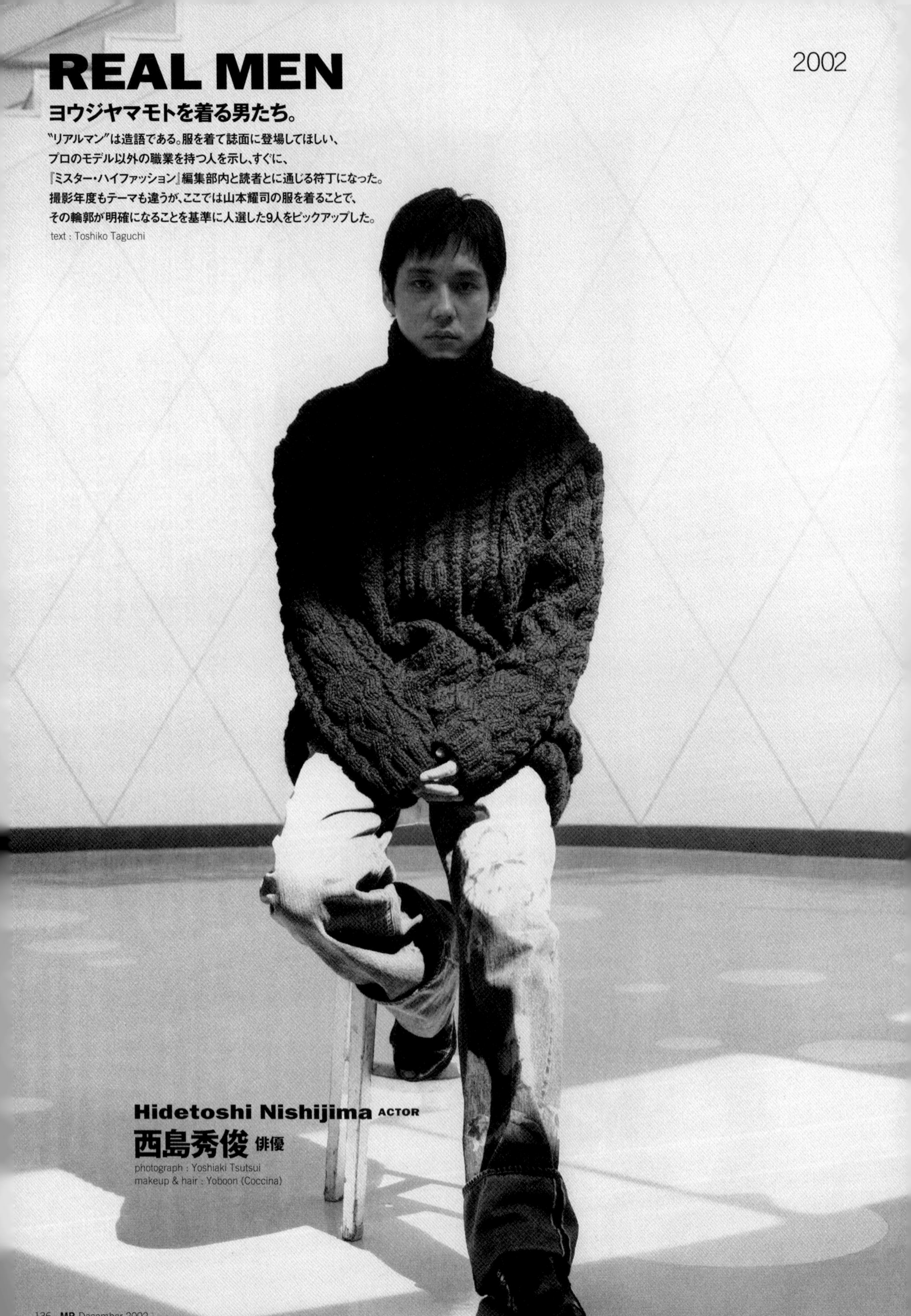

Hidetoshi Nishijima ACTOR
西島秀俊 俳優

photograph : Yoshiaki Tsutsui
makeup & hair : Yoboon (Coccina)

Tatsuya Nakamura MUSICIAN

中村達也 ミュージシャン

photograph : Itaru Hirama
styling : Tsuyoshi Nimura (little friends)
makeup & hair : TAKÈ for DADACuBiC@3rd

2001

Yusuke Iseya ACTOR, FILM DIRECTOR
伊勢谷友介 俳優、映画監督

photograph : Itaru Hirama
styling : Tsuyoshi Nimura (little friends)
makeup & hair : Hiromi Chinone (Cirque)

Takao Osawa **ACTOR**

大沢たかお **俳優**

photograph : Itaru Hirama
styling : Tsuyoshi Nimura (little friends)
makeup & hair : TAKÈ for DADACuBiC@3rd

Ebizo Ichikawa KABUKI ACTOR

市川海老蔵 歌舞伎役者

photograph : Junji Hata
styling : Tsuyoshi Nimura (little friends)
makeup & hair : Yuji Kojima

Yukihiro Takahashi MUSICIAN

高橋幸宏 ミュージシャン

photograph : Naoki Tsuruta
makeup & hair : Yuji Uchida (PIPPALA)

1993

Mitsuru Fukikoshi ACTOR
吹越 満 俳優
photograph : Itaru Hirama
hair : Motoh Yoshimura

Masatoshi Nagase ACTOR
永瀬正敏 俳優

photograph : Bruno Dayan
coordination : Mariko Akaboshi
makeup & hair : Takayuki Tanizaki (Fats Berry)

Morio Agata SINGER
あがた森魚 歌手
photograph : Shunsuke Kuboki
styling : Yoshiyuki Shimazu
makeup & hair : Hirokazu Niwa (maroonbrand)

REAL MEN PROFILE

Hidetoshi Nishijima ACTOR

Age 31 / 2002 / Yohji Yamamoto

西島秀俊●俳優。1971年東京生れ。'94年、渡邊孝好監督の『居酒屋ゆうれい』で映画デビュー。黒沢清監督作品『ニンゲン合格』('99)で第9回日本映画プロフェッショナル大賞の主演男優賞を受賞。饒舌でも声高でもなく、静謐で抑制のきいた演技が観客を強く惹きつける。2011年主演したアミール・ナデリ監督の映画『CUT』は、国外でも高い評価を獲得。'13年NHK大河ドラマ『八重の桜』で八重の実兄、山本覚馬を好演。同年、宮崎駿監督の『風立ちぬ』に声の出演。近作はキム・ソンス監督の『ゲノムハザード ある天才科学者の5日間』。写真は山本耀司が衣装を手がけた北野武監督の『Dolls〔ドールズ〕』('02)公開前、'02年12月号でのポートレート

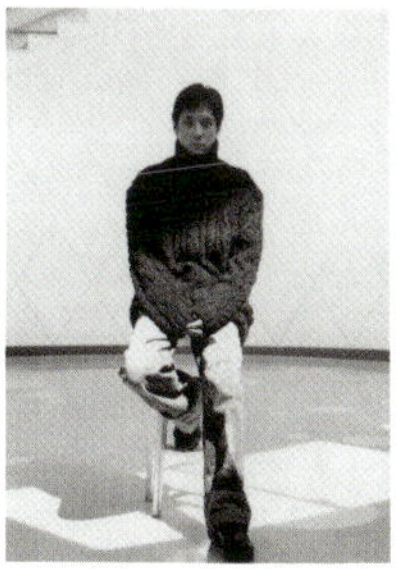

Tatsuya Nakamura MUSICIAN

Age 36 / 2001 / Yohji Yamamoto Pour Homme

中村達也●ミュージシャン。1965年富山県生れ。10代からパンクバンドのドラマーとして活躍。'90年に浅井健一、照井利幸とBlankey Jet Cityを結成。2000年の解散後はソロ活動を行なっている。自身のプロジェクトであるLOSALIOSでは、『世界地図は血の跡』('99)を発表するなど、さまざまなミュージシャンとアルバムを製作。2013年9月に行なわれた公演で活動休止することが発表された。'91年「6・1 THE MEN」に、浅井と照井とともにヨウジヤマモトのモデルとして出演。アナーキーなパンクロックの精神と、無類の"かっこよさ"は、山本耀司自身とも重なるところである。このポートレートは、'01年6月号の特集「山本耀司。無頼で、ピュアで。」より

Yusuke Iseya ACTOR, FILM DIRECTOR

Age 24 / 2001 / Y's for men, Yohji Yamamoto Pour Homme

伊勢谷友介●俳優、映画監督。1976年東京生れ。東京藝術大学美術学部デザイン科在学中より、モデルとして活動。是枝裕和監督の『ワンダフルライフ』('99)で俳優デビュー。近年では、ドラマ初出演で主役を務めた『白洲次郎』(2009)で、希代のダンディとしても知られる白洲次郎を、品格と奥行きのある演技で熱演、曽利文彦監督の映画『あしたのジョー』('11)の力石徹役も記憶に新しい。映画監督として『カクト』('02)に続き、『セイジ―陸の魚―』('12)を発表。'08年には、社会環境を視野に入れた未来の生活の新たなビジネスモデルを創造する、リバースプロジェクトを発足。'01年6月号掲載のこの写真は、大学院の卒業式を翌日に控えた学生最後の日に撮影されたもの

Takao Osawa ACTOR

Age 33 / 2001 / Y's for men, Yohji Yamamoto Pour Homme

大沢たかお●俳優。1968年東京生れ。'87年、モデルデビュー。'89年ヨウジヤマモト プルオムのパリ・コレクションに出演。'94年、俳優に転向。2004年、行定勲監督の映画『世界の中心で、愛をさけぶ』で主役を務める。'05年、磯村一路監督の『解夏』で、日本アカデミー賞優秀主演男優賞を受賞。'06年浅田次郎原作、篠原哲雄監督の『地下鉄(メトロ)に乗って』で、日本アカデミー賞優秀助演男優賞を受賞。ドラマ『JIN-仁-』('09、'11)では、現代から幕末にタイムスリップした脳外科医の主人公を、大沢自身の人柄がにじむような演技で熱演し数々の賞を獲得した。'14年、馬志翔監督の『KANO』が公開予定。写真は'01年6月号の特集「山本耀司。無頼で、ピュアで。」での一枚

Ebizo Ichikawa KABUKI ACTOR

Age 22 / 2000 / Yohji Yamamoto Pour Homme

市川海老蔵●歌舞伎役者。1977年東京生れ。父は十二代目市川團十郎。屋号は成田屋。'85年、8歳で『外郎売』の貴甘坊を勤め、七代目市川新之助を襲名。2004年、十一代目市川海老蔵を襲名。同年の襲名披露パリ公演に続き、'07年、「パリ・オペラ座 松竹大歌舞伎」では『源氏物語』の光君、『勧進帳』の武蔵坊弁慶を勤め、フランス芸術文化勲章シュヴァリエを受章。当代、他の追随を許さない美貌の"光源氏役者"である。'13年、歌舞伎座新開場のこけら落とし公演では『助六由縁江戸桜』の花川戸助六を演じた。同年、田中光敏監督の映画『利休にたずねよ』で千利休役で主演。写真は、2000年10月号の表紙から続く「市川新之助。ストレンジな気配」から

Yukihiro Takahashi MUSICIAN

Age 43 / 1995 / A.A.R

高橋幸宏●音楽家。1952年東京生れ。サディスティック・ミカ・バンドを経て、'78年に細野晴臣、坂本龍一とYMOを結成。'83年に解散するが、音楽シーンはもとよりアート、カルチャーとリンクしたYMOの圧倒的な影響は現在も続いている。ソロ活動と並行して、鈴木慶一とのTHE BEATNIKS、原田知世、高野寛らと結成したpupaなど、バンド活動でも活躍。2013年、23枚目のオリジナルアルバム『ライフ・アニュー』をリリース。ファッションデザイナーとしても'70年代初期のBricksをはじめ、YUKIHIRO TAKAHASHI Collectionなど、長いキャリアを持つ。山本耀司とは公私ともに親交が深く、山本のパリ・コレクションの音楽を多数担当。写真は'95年12月号「高橋幸宏」特集の中の一カット

Mitsuru Fukikoshi ACTOR

Age 28 / 1993 / Y's for men

吹越満●俳優。1965年青森県生れ。'84年、ワハハ本舗に参加。'99年の退団後、俳優として映画、ドラマで幅広く活躍。リアリティと非現実感が混在する演技に独自な持ち味をみせている。園子温監督のサスペンス映画『冷たい熱帯魚』(2011)に主演。『ヒミズ』『希望の国』(共に'12年)など、園監督の映画にも多数出演。最近のドラマ出演には宮藤官九郎脚本の『あまちゃん』('13)がある。一方で、'89年から継続するひとり舞台、「フキコシ・ソロ・アクト・ライブ」では、前衛的な笑いを、映像、身体表現、頭脳を駆使して構成・演出し、吹越の舞台人としての独自な世界観を表すステージを展開し続けている。このポートレートは、'93年8月号「そろそろやるよ。Y's for men」の中の一枚

Masatoshi Nagase ACTOR

Age 26 / 1993 / A.A.R

永瀬正敏●俳優。1966年宮崎県生れ。相米慎二監督『ションベン・ライダー』('83)でデビュー。ジム・ジャームッシュ監督『ミステリー・トレイン』('89)などに出演。メジャーからマイナーまで世の中のカテゴライズを超えて、一人の俳優の選択とは思えない多様な映画に出演。どの作品でも、役柄を深く咀嚼した存在感を放っている。ライフワークの写真活動では、2013年12月から'14年1月19日まで、故郷宮崎のみやざきアートセンターで「永瀬正敏写真展 Memories of M〜Mの記憶〜」と題した大規模な展覧会を開催した。『ミスター・ハイファッション』には'92年より6回登場したが、Tシャツもスーツもすべて自分の服のように着こなしている。写真は'93年4月号でA.A.Rを着たもの

Morio Agata SINGER

Age 49 / 1997 / Yohji Yamamoto Pour Homme, Y's for men

あがた森魚●歌手。1948年北海道生れ。'72年、「赤色エレジー」でデビュー。フォークやロックが混在する激動の時代、アンダーグラウンドな演劇や漫画の世界ともリフレクションする歌で、強烈な印象を残す。2012年、デビュー40周年を記念したアルバム『女と男のいる舗道』、'13年には41枚目のアルバム『すぴかたいず』をリリース。映画監督や作家、俳優としても活躍。近作では映画『マイ・バック・ページ』(山下敦弘監督、'11)などに出演。'10年に開催されたメンズのショー「YOHJI YAMAMOTO THE MEN 4.1 2010 TOKYO」にモデルとして登場。写真は、'97年6月号の「ヨウジヤマモトを着る男、あがた森魚」の中の一枚

このページで明記したリアルマンたちの年齢、年代、ブランド名は撮影当時のもの。A.A.Rは、ダーバン(現・レナウン)と山本耀司が1992-'93秋冬シーズンから2005-'06秋冬シーズンまで手がけたスーツ主体のメンズブランド。Y's for menは、'72年にスタートしたレディスブランド、Y'sのメンズラインとしてスタート。現在は、ヨウジヤマモトに統合

Tokyo, Wim Wenders and Yo

東京とヴィム・ヴェンダースと山本耀司。 photographs : Taishi Hirokawa

1989

ヴィム・ヴェンダースの眼がとらえた流れるような東京の景色と、
山本耀司とスタッフたちのコレクション制作現場が、
しきりに場面転換しながら一つの層を織り成す映像。
ヴィムとヨウジのモノローグが、ロンドのように繰り返す静かな音声。
ヴィムが監督した映画『都市とモードのビデオノート』で、
ヴィム・ヴェンダースと山本耀司は東京で邂逅する。
このテーマ4ページの前半は、映画が完成した1989年に本誌パリ支局が取材。
後半は9年後の'98年、ヴィムが来日した時に東京で取材、収録したものである。

text : Toshiko Taguchi

写真は、1989年に公開された映画
『都市とモードのビデオノート』のDVD

ヴィム・ヴェンダースが映画にした、東京の山本耀司、パリのYohji Yamamoto。

text : Ikuko Fujii

『ベルリン・天使の詩』や『パリ、テキサス』で世界的に知られているヴィム・ヴェンダース監督は、今やドイツ映画界だけでなく、世界の映画界の代表格といっていい存在。その彼が、山本耀司と一緒にフィルムをつくった。“Au pied de la montagne（山のふもと）”（仮題）という90分もの。「僕はチームの頂点にいるのではなくて、ふもとにいる」という山本耀司の言葉からつけられたタイトルだ。このフィルムは〝ヴィム・ヴェンダース・アベック・ヨウジ・ヤマモト〟になっている。ポンピドゥー・センターから提案があったとき、ヴェンダースは次のように答えている。「〝モードについて〟のフィルムならできません。何も知らないから。〝ヨウジヤマモトのモードについて〟もあまり知らないし、〝ヨウジヤマモト〟も同じ理由からできません。〝アベック・ヨウジヤマモト〟で〝アベック〟がつくならモードへの興味から試してみることができます。たぶんモードについて語れるでしょう」 山本耀司は「この〝アベック〟にはいろいろな意味があるのです。僕という洋服屋をつかまえて、ヴィムが何を見つけたかということとか、経費から何まで少し出すという意味とか。でも制作費は全部彼の会社が持っています。彼が書いて、彼が撮って。僕との会話場面も彼が質問しながら全部ぶっつけ本番です」二人がわかり合える言葉は英語。英語でしゃべり、難しい質問には日本語で答えている。ヴェンダースがヨウジを知ったのは今から3年半前、ヨウジのシャツとジャケットを買って着たときから。このシャツとジャケットはもうすり切れてしまったそうだ。1945年デュッセルドルフ生れのヴェンダースは、山本耀司より二つ年下。医学と哲学の勉学を中途でやめて、テレビと映画のアカデミーに入った。'67年から撮り続けているフィルムは'89年のこれで23作め。「僕が東京に興味を持ったのは24歳の時です。小津安二郎の映画を通して。'20年代からの彼のフィルムをすべて見ました。僕自身がそんなによく知っている世界の映画はほかにありません。だから東京へ行く前から東京をよく知っているような印象でした。'76年に初めて行ったのですが。行くたびにいつもうちに帰るような気がします」ヴェンダースにとって、山本耀司はモードの人というだけでなく、東京の一部でもあるようだ。このフィルムは、二つの違う世界の個性が、重なり合いながらそれぞれ表現されている。「僕は初めすごく恐ろしかった。自分という存在がスクリーンに拡大されて、分析されて見せられることに。しかもこういう偉大な作家の手になるのだから、どういうふうに解剖されるのか恐ろしかった」と山本耀司は語る。映画は今秋発表の予定だ。

hji Yamamoto

Wim Wenders

1945年ドイツ・デュッセルドルフ生れ。映画監督。大学で医学と哲学を学ぶが中退し映画を志す。'70年代に『都会のアリス』をはじめとするロードムービーで一躍注目される。『パリ、テキサス』('84)でカンヌ国際映画祭でパルムドールを受賞。'85年、小津安二郎にささげる『東京画』を制作。『ベルリン・天使の詩』('87)でカンヌ映画祭監督賞を受賞。近作に『Pina/ピナ・バウシュ 踊り続けるいのち』(2011)など

1998年、映画『エンド・オブ・バイオレンス』のプロモーションで来日したヴィム・ヴェンダース。彼はこの日、朝からホテルでマスコミの取材が続いていた。『ハイファッション』は当初、銀座のバーに移動して撮影。その後写真家、広川泰士は、東京・有楽町のガード下の居酒屋に二人を連れ出して撮影を継続。対談はここで収録された

都市の誘惑、またはあるベクトルの行方。

● 再会のためのイントロダクション

山本耀司(以下、山本)　ヴィムとは兄弟みたいな関係だね。撮影で東京に来ていたとしても無理に会おうなんてしないし、元気にやってるんだろうなって、安心していられるよ。

ヴィム・ヴェンダース(以下、ヴェンダース)　たまにファクスで会話する程度だね。もちろんヨウジのことはいつも気にしているけど、近況報告みたいなことってほとんどしないね。会えばビリヤードをするかな。

山本　そう。共通の知合いの話なんかしながらね。

ヴェンダース　いつもヨウジが勝つんだよね。

山本　ヴィムはいつも疲れているからね。

ヴェンダース　確かに東京に滞在している最中でも、僕が疲れてるときにプレイに誘われてる気がするけど、それが君の戦略なのかい?

● 都市というイメージ

クリエーターは、それぞれにその活動のベースとなる都市を持っている。山本耀司にとってはそれが東京であり、ヴィム・ヴェンダースにとっては、自身のプロダクション“Road Movies”のあるベルリンだろう。

ヴェンダース　都市は人間そのものだと思うよ。人間みたいに見かけも違うし、いろんなキャラクターがある。いい人間もいれば、悪い人間もいるようにね。今回の映画は、ロサンジェルスという街に対して僕が持っている、複雑な思いから生まれたんだ。暴力を縦軸に、三つのラブストーリーを交差させてね。暴力は愛や死と同じように人間の持っている本質の一部なのに、最近はなかなか映画のテーマとして成り立ちえないんだ。なぜかっていうと、人々は暴力の表面的なイメージばかりを与えられていて、そのことに不感症になってしまっているからなんだ。映画のタイトルは『エンド・オブ・バイオレンス』(暴力の終焉)であり、暴力が主題ではあるけれど、人間の世界から暴力がなくなることはないと思ってる。希望としてはなくなってほしいけど。

山本　僕は暴力そのものよりもその裏側に潜むというのか、ヴィムがこれまでに取り組んできた“愛”という普遍的なテーマについて、違うアプローチをしていたのがとてもおもしろかったよ。

ヴェンダース　ところでロサンジェルスという街について、ヨウジはどんな印象を持っている?

山本　僕にとっては“田舎”だね。東京のど真ん中、新宿の繁華街で生まれ育ったでしょう。それから見ると……。

ヴェンダース　さっき都市にはそれぞれのキャラクターがあるって言ったけど、ロサンジェルスには“わがまま娘”ってい印象があるな。

山本　東京については?

ヴェンダース　渋谷は騒々しい街って言ったらいいのかな。新宿や銀座にも、それぞれの印象があるけど、すべて“たぶん”としか言えないね。

「映画は都市のものである」とは、ヴェンダースの言葉である。都市的なものへの興味が作品を作る力であり、生活である。

ヴェンダース　僕は毎日、ロンドン、ワルシャワ、ベルリン……と、いろいろな都市の間を行ったり来たりするだろう。荷物をたくさん持つのがいやでね。気に入った服をずっと着てて、合間合間にクリーニングに出しながら旅行するんだ。このパンツは、ヨウジヤマモトのだよ。

山本　気づかってくれてるよね。

ヴェンダース　いや。このパンツはとにかく好きで、もう一本持ってるんだ。ヨウジの服はリラックスできるからね。ちなみに靴もヨウジヤマモト。

山本　僕は自分の靴じゃないのに。今日はバイク用のを履いている。

ヴェンダース　僕はとても大きいから、自分でも履けるような靴を見つけるとすごくうれしいんだよね。ヨウジの靴は履きやすいから愛用してるんだ。

● ベクトルの方向

ヴェンダース　このごろはどんな音楽を聴いている?　クラシックは聴く?

山本　最近は聴くようになったね。まあ、音楽がクリエーションの直接のきっかけになるとは必ずしも言えないけど、好きだからね。でも、例えばデザインしてるときに隣の家からなんとはなしに聞こえてくるような音には、意識してなくても影響を受けてるのかもしれないね。

ヴェンダース　ところで、ヨウジの歌をまだ聴いたことがないんだ。

山本　ちょっと恥ずかしいというか……勘弁してほしいな。

ヴェンダース　だって、聴かなければ、ここでけなすことができないじゃない(笑)。

今いちばん気になること、興味の対象はなんなのだろうか。山本耀司は「自分」と答え、ヴィム・ヴェンダースはその答えに呼応したのか、「僕は52年間も自分につきあってきたからね、飽きちゃったよ。でも、ヨウジにとって今一番の興味の対象が“自分”だっていうのは、すばらしいことだね。ずっと忙しい毎日を過ごしてきて、やっと自分のことを考える余裕ができたんだもの。僕としてもうれしいよ」と続けた。しかし、そんな監督も写真を撮る際に、今の気分でポーズをとってほしいというひと言を聞くやいなや、一瞬にして眠ってしまった(編集部注:雑誌掲載時の写真は、ヴィムの来日時に室内のソファで撮られたもの)。忙しいのはお互いさまなのだろう。

別れ際の二人は、再会したときと同じように大きく抱き合った後ほんとうにさり気なく、すっと離れた。デザイナーと映画監督。信頼し合っている者どうしの後ろ姿は、そっけなく「またね」と言っているような、そんな風情だった。

Yohji Yamamoto talk about

小津の後期の映画には、丸の内に勤めるサラリーマンがよく出てくる。写真は、50年代の丸の内。右に東京駅を望む、丸の内の通りを歩く帽子姿の男性。これが、ファッションモデルでもなんでもなく、平均的なサラリーマンスタイルだとすると、街の風情といい、男のたたずまいといい、日本の進歩は、何かを失っているという気になってくる。写真　毎日新聞社

Tokyo in the films of Ozu

自分を回復したいとき、僕は小津さんの映画を見ます。 2001

山本耀司 text : Yohji Yamamoto

僕が小津さんの映画に感じるのはまず、東京というもの、の変遷です。東京ってああこんな景色があったなあ、こんなしゃべり方してたなあ、こんなおばさんがいたなあ、という僕が子どものころ知っていた、いや、僕ですら体験しなかった東京ですね。あの東京を眺める気持ちよさにやみつきになりましたね。それはだいたいにおいて、理想化された東京なのですが。小津さんは、ロケーションデザインの点ではとても綿密に、魅力的な東京、小津さんの心象風景に合うような東京を追求されていた。だからヴィム(ヴェンダース)が日本を訪ねてきたときに、いくら探しても、「小津の東京は、もうここにはない」と。

小津さん的な場所としては、下町、山の手、両方が描かれていますよね。日本人のとてもつましい、小さな生活と、復興して発展していく東京、そのシンボリックな煙突とか、疾走する列車とかを二面性をもって描いている。小津さんは、きっと両方愛していたんだろうという感じがしますね、映画を見ていると。

ひと言でいうと、東京が、小津さんが願ったようになったら、よかったんだろうなと思いますね。現実は、小津さんが願っていたのとは全然違う東京になってしまった。戦後日本は、ルールのない発展をしてきましたから。景観条例とかの規制のない、どうでもいいところが東京の魅力である、と開き直ってきた。それはある意味、発展、発展でこなくてはならなかった、戦後の大きな宿命がそうさせたというふうにも思います。だから一概に今の若いもんがだめだとは、簡単には言えない。失われたものは失われたもの、なんですよ。

僕は、小津さんは、日本的なものをやったんじゃないと思いますよ。人間とは何か、が小津映画の主題なんだと思っています。日本の小さな家庭の中で人間とは何かを言うことは、すなわち世界中の人間について語ることになるという意味合いにおいて。この点では僕の仕事も同じです。日本的なものを無理やり見つけて、向うに紹介するという考えは最初からない。自分が今きれいだと思うものを作れば、それは、世界でもきれいだと思われるかもしれない。僕らが日本を発見する必要はないわけです。自然にやればいい、というのが、僕の考え方です。

洋服とか、呉服とか言いますが、僕は、人が着る〝服〟、だけにこだわっているので。いろんな手法は使いますけれど、西と東の橋渡しを僕がしているなんて、全く思ってません。

それにしても、文化が交ざる瞬間っていうのは、とてもチャーミングなんですね。明治から大正にかけて、和装と洋装が交ざりましたよね。あのころにはひかれます。小津作品の中でもいっぱい出てきますが、きものにソフト帽かぶったり、ステッキ持ったり、インバネスをはおったり、笠智衆さんが、仕事から帰って着替えるときに、やっぱり、冬はももひき、夏はステテコ、背広脱いで、きものに着替えるっていう、あのへんがすごくいいなあと思う。

つまり、完全に自分の文化を捨ててない。自国のものと、現代的な、機能的なものとが交ざる、その交ざり方にその国の文化が出ますね。

小津さんの最初のころの作品の男たちはみんな帽子をかぶっているでしょう。あのころがいいなあ。男たちがなぜ帽子をかぶらなくなったか? 僕は戦後の流行は、服も生活様式も全部アメリカから来たんだと思っています。で、アメリカ人って、ださいじゃん(笑)。帽子かぶらなくなったのも、アメリカナイズの一つなんでしょう。僕は、最近よく帽子をかぶるんです。ボルサリーノで作ってもらってます、別注で。

何回も繰り返して見たのは、『お早よう』と『お茶漬の味』『秋刀魚の味』。『東京物語』は、名作にちがいないけれど、俺にはつらい。

小津さんの映画で何が最も魅力かといったら、あれだけ淡々と、親子、兄弟、姉と妹、さまざまな関係を、それも明るく描いている中に、じわっと伝わってくる孤独ですね。孤独は、深刻に重く描かれると伝わってこない。淡々とやってるからこそ、ボクシングのボディブローのように、きいてくるんです。

上左は、和光の時計台が象徴的な銀座4丁目から数寄屋橋方面を望む。都電が見える('54年4月、写真 毎日新聞社)上右は、撮影現場の小津安二郎監督。小津のトレードマークの白いピケの帽子をかぶって。©松竹株式会社

HEM

1997

Handful Empty Mood
Yohji Yamamoto
with SCUM RIDERS

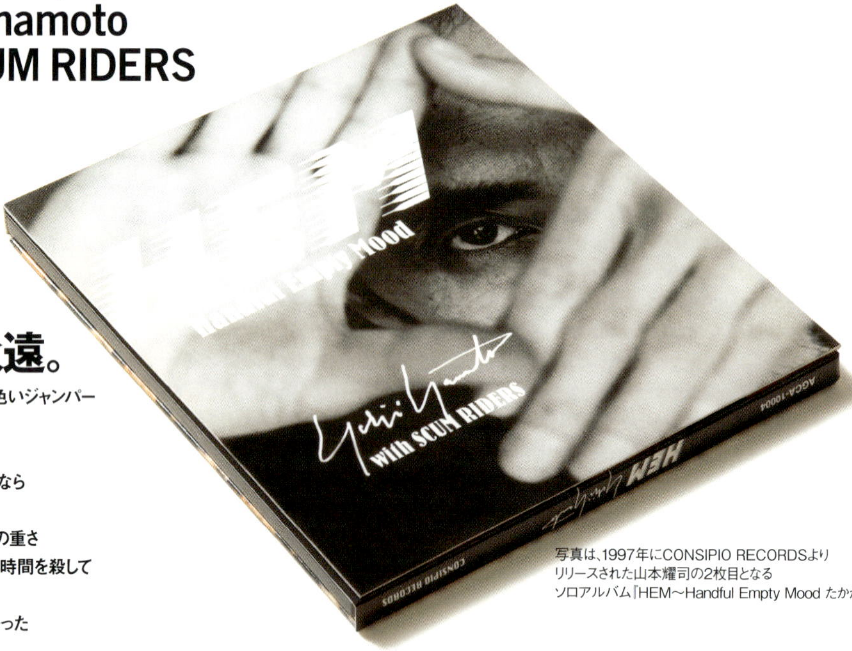

写真は、1997年にCONSIPIO RECORDSより
リリースされた山本耀司の2枚目となる
ソロアルバム『HEM〜Handful Empty Mood たかが永遠』

たかが永遠。

M1.　ツツジと犬と黄色いジャンパー
M2.　交差点の向こう
M3.　お凸《でこ》と少年
M4.　俺を探してくれるなら
M5.　濡れた闇
M6.　少し残った身体の重さ
M7.　知ってるかぎりの時間を殺して
M8.　ウラニウム万歳
M9.　やっぱり死んじゃった
M10. 君がいるから
M11. 豚がすべて

耀司さんの独特な詞の世界。
高橋幸宏

Yukihiro Takahashi / text : Sumihisa Okiyama

山本耀司さんとは顔見知りになってかれこれ20年。彼のパリ・コレクションの音楽を手がけるようになってから10年ほどがたった。昔からギターはかなり上手という話は聞いていたけど、まさかプロでやってみたいと言いだすとは思ってもみなかった。

5年半前のファーストアルバム『さぁ、行かなきゃ』の時は、彼は漠然とその時の自分の気持ちを歌って、今回も基本的にはさほど変わっていないけれど、はっきりとある種の歌い方のスタイルも確立できてきたと思う。'92年僕がプロデュースしたときは、音程とかも正しいピッチで歌ってほしいみたいなところがあったけれど、今度は、鈴木慶一はそういうのを無視して、自由に、もっと自分のスタイルでやればいいと。

このアルバムで僕は一曲だけボーカルとして参加したわけだけど、その曲はメロディがあってないようなもので、「正しいメロディはどうなっているのか?」と慶一にききながら歌いました。耀司さんはかなり崩して歌っていたので、僕は正しいほうにできるだけ忠実に歌って、それを耀司さんのに合わせてみようかっていう、すごく変わった試みでした。

ただ、いちばん大切なのは、山本耀司という一つのブランド、それを抜いても、もちろんそれがなければ難しいかもしれないけれど、この手の音楽を今やれる人はたぶんほかにはいないということ。これをどういうふうに、いろんな人たちにわかってもらえるか。僕はレコード会社側の立場でそれを考えていければと思っているわけです。

今度のアルバムは基本的にローファイ。ミックスもよくできていると思う。でも、やっぱり詞の世界。詩を朗読しているのに近い。かといってもちろんメロディがないわけではない。日本もロックを詞の世界を含めて聴くという連中がそろそろメーンになってもいいはずなのにと思う。一時期のヴェルヴェット・アンダーグラウンドとか、ボブ・ディランのように、その詞の世界がメロディックでなくても存在として確立している、そういうアーティストが日本にはいない。必ずどこかでポップじゃなくてはだめだったり。それも重要なことだけど、それだけではない、きちっとした山本耀司なりの音楽というものを確立していければと思う。詞を音楽として伝えるということは、外に向かう意識だと思うけど、耀司さんの詞の世界は、内側に向かっている部分と外に向かおうとする部分が中で微妙に交錯して独特な世界になっているという感じがする。

レコード会社の人間としてこのアルバムを〝売る〟ということを考えた場合、耀司さんはとにかく特異な存在です。だからこそやりやすい部分と難しい部分がある。例えば、日ごろ表に引っ張り出しにくい人だから、このアルバムのことで彼が「出るよ」って言うと、確かにメディアに乗りやすいっていう部分はあるかもしれない。でも、この音を電波でたくさんオンエアすることだけでは、そのよさは伝わらないのかもしれないと思う。耀司さんの生き方とか、雰囲気とか、それはデザイナー山本耀司=ミュージシャン山本耀司であるんだという、接点をどうやってつなげていくかが大切なわけで。もちろん耀司さんは「別にいいよ」って言うだろう、「僕はみんなにシゴかれてデビューした新人なんだから」って。結局、今の世の中って、どうしたら売れていくかっていう図式が決まっちゃっている。それに当てはまらないタイプの音楽をどうマスに乗せていくかが課題。すごいポップなものだったら、ジャンルを問わずある種のアプローチはできるけど、なんか心のゆがみみたいなところを現代の人たちにどう訴えかけられるかということかな。

言いたいことを言い終わったら、耀司さんには、バカみたいにポップな音楽をやってもらいたい。「どうしちゃったんだ、あのヒト」というような。でも、それにはまだ時間がかかるかもしれない。

©Yohji Yamamoto inc.

自分たちの姿に酔っていったレコーディング。

鈴木慶一 Keiichi Suzuki / text : Sumihisa Okiyama

山本耀司さんの『HEM～Handful Empty Mood たかが永遠』をプロデュースしたわけだけど、僕としても久々の男性のアルバムで、かなり満足度の高いものとなった。もちろんムーンライダーズも満足度は高いけれど、今回は、僕と耀司さんとギタリストの星川薫さんの3人でほとんどつくり上げたので、すべてにかかわったぞ、ということです。

レコーディングでは彼がリラックスする環境をつくりたくて、耀司さんの自宅の地下のスタジオで行なった。リビングルームで気軽な気分で録音したようなものです。僕と耀司さんの関係をなるべく濃いものに保つという意味でも、少人数の構成は大切だった。友達の家に遊びにいった感覚で関係ない雑談をしたり、ただ詞を見ながら座ったり、気持ちのおもむくままに、という空間がつくれた。僕はスタジオに入ったらまず、パール・ジャムの音楽をかけて、「さて、今日はどんな気分でいくか……」そうやって気持ちをつくり上げていったな。

今回のアルバムは詞がすごく重要だった。その詞を生かして、生々しくいこうという気持ちがあった。生々しく、かつテクノロジーを使った電子的なものもからめる。それが僕が今いちばん興味のある音だったりするわけだよね。それこそロス・ロボスじゃないけれど。

詞にたくさんいいところがある。「もうすぐ嫌いなツツジが咲く」という一行を目にしたときは「やるな!」と思った。ところどころ僕の感覚からして気になるところは「ここはちょっと言回しを変えたらどうですか」と言った。言葉に対して気になるところがあるっていうのは、これは僕だから。詞もつくる僕がプロデューサーだから、言葉に対して敏感に反応し、この言回しはかつてあったからあえて使わないというようなことが言えたんだと思うし、それを耀司さんが受け入れてくれたんだと思う。

で、スタジオにはギターがいっぱいそろっていて、自然にセッションが始まる。そのうち、こうしようとか、ああしようとかとやっていくわけ。これは僕が音楽を始めたころのやり方なんですよ。最近は額を寄せ合って「ああしようか……」ということがなくなっているから、そのへんが僕には新鮮で、心地よくレコーディングができた。その時のシーンに僕はやりながら酔うわけですよ。『レット・イット・ビー』みたいだなとか、ディランの『ザ・ベースメント・テープス』をつくっているときもこうだったんじゃないかとか、ザ・バンドの『ミュージック・フロム・ビッグ・ピンク』をつくっているときはこうだったんじゃないかとか……。

途中でアイディアもわいてくる。「エンディングで、あともう8行分足したほうがいいんじゃないか」とか。そうすると耀司さんが詞をつくりだす。彼が詞をつくっている間、僕たちはたばこを吸ったりしているんです。これもまたディランを思い出すんだけど、ディランが詞を書いている間、ほかのミュージシャンはカードゲームをやったりして、っていうような気持ちの高め方がうまくいったと思う。

そして詞ができる。まず詞があって、次に曲。その場でまず演奏できて、歌って。そういうところからスタートするっていうのが、音楽の本来あるべき姿だったとあらためて気がついたりもした。だから、このアルバムをプロデュースするにあたって、詞がスッと耳に入ることを意識した。歌い方とかアレンジとか。

レコーディングが終わっても、「それじゃ」って言ってすぐには帰れない。単に刺激的というだけじゃおさまりがつかないほどの何かがあったし、それだけ耀司さんの本質はかなり出ていると思う。

それにしても、デザイナーとしてパリに行けば高名なのに、音楽をつくるときには、一新人としてゼロ地点に自分を持っていけるというのは、なかなかできないことだと思う。

LIMI feu

Limi Yamamoto × Yohji Yamamoto

山本里美と山本耀司。
娘と父、二人の距離感。

2000

衝撃的ともいえるデビューを果たした山本里美。
“耀司の娘”という注視、重圧を軽々と乗り越え、
父、山本耀司とは違う彼女自身の独自性を見せつけた。
彼女の資質はもちろんだが、それだけではなく、その裏側にある、
父と娘、社長と社員、デザイナーとしての先輩と後輩という、
ウエットでありながらもクールでもある
二人の多様な関係がそのことを可能にしたのだ。

photographs : Shingo Wakagi / direction : Naoko Kikuchi

デザイナー山本里美×デザイナー山本耀司。

「運命で耀司の娘として生まれて、その会社に入って、物作りのつらさと楽しさを目の当りにして……。最近はノリだけで騒いじゃっているショーというのがありすぎる。そういうブランドに水をあけてやるって……」(里美)
「ハイティーンの女の子は、危険な動物のようだと思っていた」(耀司)

──耀司さんにとっての、会社の中の里美さんのイメージはどんなものですか？

耀司　僕にとっていちばん長い里美は〝ワイズ〞のパターンナーをやっていたときの里美ですから、自分の机の上で型紙をいじっているという印象が強いですね。あと、自分の席に座って後ろを向いて、お菓子を持って、友達としゃべっている時間は長いですよ(笑)。

里美　あのね、そのへんはちょっと弁解させてもらいたいんですけど、ちょうど社長が様子を見に来るときが、たまたま休憩をしているときなんですよ、毎回。あとはまじめですよ。社長がいないときにまじめ。

──最初ヨウジヤマモトという会社に入ったときってどうだったんですか。

里美　なんか、すごい静かで、初めはすごい緊張しましたね。最初にどんな服を出したかも忘れましたし。なんか顔が真っ赤になってたらしいですよ。

耀司　本人じゃないから分からないんだけど、父親の会社で働くというだけで相当大変だと思う。必ずしも大歓迎の人ばかりじゃないはずで、その中で始業時間から終業時間まで過ごす体力。最初はそればかりだったんじゃないかな。ほかの会社に勤めるよりも全然重いよね。最初に出したパターンはスカートじゃないかなあ？　ワンピースかな。ヒットしたっていうのは覚えてる。

里美　実はヒットいっぱいあるんだよ。でもね、最初はスカートだったかもしれない。スカートとワンピースが得意だったんですよ。というより好きだったんですよ。どのシーズンだったか忘れたんですけど、パンツスーツを作れって言われて、あ、とうとう来た!!と思った。それは第一の試練ですごく苦しかったんですよ。でも、「試練ね、師匠の言うことは聞こう」と思って、いろんな人にきいたりしてやっていくうちに、パンツを作るのが好きになっちゃった。それまでは自分でパンツをはくくせに、あまり作っていなかったんですよ。今じゃスカートが難しいくらい。これも師匠のおかげです。

──そんな試練も乗り越えて、今回コレクションデビューを果たしたわけですが、その時の気持ちっていうのはどうだったんですか。

里美　最近若い子たちが集まって何かをやるっていうことが多いじゃないですか。それは否定しないし、いいことだと思うんですよ。ただ、私の運命で耀司の娘として生まれて、その会社に入って、物作りのつらさとか楽しさとかをほんとうに目の当りに感じてきて。友達にクラブでショーをやるから来てと言われて、どんな楽しいことをやるんだろうと思ったら、全然何の感動もなくて、ただノリだけで騒いじゃっている。そういうのがありすぎて。同じ若い世代から見て全然楽しくない。親父のショーを見たほうが感動するし。なんでこんな物があふれていて、しかも自分の若いころよりもみんな洋服の着こなしがうまくなっているのに、こんなふうになっちゃうんだろうって。そういうブランドに水をあけてやるって。

耀司　ほー。いや、こんな話は今回初めて聞いた。

里美　あんまり話さないよね。二人でいるときはもっとつまんない話しかしないし。語り合ったりしないよね。

耀司　しないね。語り合わない。仕事の話でもこういう考え方の話はしたことがない。ほんとうに技術的な話で、ここはどうしたらいいとか、そういうのはたまにありましたけどね。考え方は今回伺うのが初めてです。

里美　へっ。

──里美さんがそんな意気込みで臨んだショーを耀司さんはどのようにごらんになっていたんですか。

耀司　僕にとっての彼女のショーというのは、リハーサルだったんですよ。リハーサルを初めて見て、これはいちばん言葉にしにくいんですけど、その時どうやって見ていたかというと、この人のいちばんいい部分がちゃんと出ているかなという視点で見てました。これは誰も分からない、おれだけにしか分からないこの人のいい部分。どんなデザイナーにもその人じゃなきゃ作れない、その人じゃなきゃ作らないというキーワードというかポイントがあって、彼女の場合はそれが言葉にしにくいものだと思うんです。それがモデルさんのプロポーションによって強く、濃厚になったり、逆に薄められたりしたらまずいなと思って、そればかり気にして見ていました。言ってみれば、この時は父親だとか、社長だとかそういうことではなく、物を作ることを少しは君より長くやってきたよっていう先輩デザイナー的な立場で見てましたね。制作途中は1回半ぐらい見たんですよ、ぼやけた言い方だけど。ちょっと見てって言われたときと、どうしても分からないから正式に見てくれと言われたのと。で、以前見たシルエットが作品となって、モデルさんに着てもらったときに、あ、この服のよさを分かっているのはおれだけだって、内心ほくそ笑むみたいな、クスクスみたいな、そんなある種の感動がありましたね。あとは人には言いませんけど。人に言うときは、「あんなもんだろ」って。

──里美さんは耀司さんのおっしゃっているポイントってどんなところだと思いますか。

里美　ポイント？　分かんないって言ったらなんですけど、自分がこうだったらいいなあと思うところが、彼にとってヒットポイントかどうかも分からないし。でも、私はほんとうに自分が着たい服とか、この人がこういう服を着たらもっとかっこいいじゃんって思う服を純粋に作っただけなんで。たぶん、耀司の娘が出るからには、アシメトリーな服とかが出るんではなかろうかと予測してたと思うんですよ。でも、私はそういうものを着ないし。始めたばかりのころに、1回アシメトリーな服を調子に乗って作ったことがあるんですけど、その時にすごい怒られたんですよ。すごい難しいんですよ、ほんとうに。私がもっともっと素直にできる服っていうものが自分の中にあって、それは言葉で説明しにくいんだけど、ほんとうにノリで作っちゃう服っていうのがある。私はやっぱりそういう服が好きだから、そういうものを出していこうと思って。私は耀司の娘ですけど、もう25歳ですから、私は山本里美っていう一人の人間だよっていうのがうまく伝わったらいいなあと思って。最初に作りはじめたころは、自分の父親がどう思うんだろうとか、周りの人たちがどう思うんだろうって思ったんですけど、だんだん忙しくなるにつれて、どうでも思えってなってきた。だから最初のころはプレッシャーもありましたけど、あとのほうは全然。社長も避けてくれたし。

耀司　意識的に。生理的にって感じかな。生理的に行かないほうがいいやって。危険な動物には近寄らないって感じで(笑)。

里美　そんなのお互いさまじゃん。

耀司　彼女の働いている場所の近くにプレスがあるんですけど、プレスに行くときもそこを通らないようにして。

──ショーの時のお互いの様子はどうだったんですか。

里美　父のところに昔からのお友達が来ていて、二人でワイワイやってました。私は「これどうしたらいい」ってパターンナーの人たちにきかれてそれに対応したり、モデルさんたちを飽きさせないようにぐるぐる回っていて、あー疲れたなと思っ

てスタッフ控え室のドアを開けると、二人で盛り上がっているんですよ。そこだけ別世界。でも、すごい気が楽でした。

耀司　あの気性ならまとめるだろうって思ってて。僕がフラフラ、ウロウロすると、気をつかうことが増えるから。ほんとうはリハーサルだけ見て帰っちゃえばよかったんだけど、とりあえずお客さんの反応も見たいなと思って。本番はお客さんの反応うかがい。そのために待っていただけ。

里美　私の場合は、いろんな人にずぶといねえって言われるくらい緊張感がなかったというか。ないといったらうそになるんですけど、「あんた自分のこと分かってる?」ってもう一人の自分がいるくらい冷静でした。で、その後、自分のショーのビデオを見て初めてドキドキしました。

——ところで、耀司さんはご自分の初めてのショーのこと覚えていらっしゃいますか。

耀司　覚えてますよ。それと比べると、彼女にはある種の強さを感じましたね。「やれるとこまでやった、あとはもういい」っていう強さ。僕はね、最後の最後まで迷う人だった。今もそうですけど。

里美　パリ・コレの出発間際まで、〝ヨウジヤマモト〟のお手伝いが振られるんですけど、いつもまだあるのかっていうくらいあるんです。今回、自分もそうかなって思ってたんですけど、あきらめがいいっていうか。自分でももうこれ以上はできないって。体数を増やそうかなとも思ったんですけど、最後のほうはもう削りたいっていう気分だったんですよ。これはもう性格ですね。

耀司　うん。僕はね、どっちかっていうと、自分の仕事の全体像というか、やるべきことの何かを自分の中で整理し切れなかった時期があって、出せるだけ出したことがありましたね。それは、「おれはこういうこともできるんだ、こういうことも分かっているんだ」っていう出し方をするときと、「これじゃ伝わんないな、こうやれば伝わるかな、こうやんないとダメだな」っていうある意味迷った出し方の時と。やっと彼女みたいになれて、伝わんないものなら伝わんなくていいやって。ここ5、6年ですかね。そうなってみて、よく考えると、もうおれじゃなくてコレクションが物を選んでいるって感じ。コレクション自体が性格、方向性を持っていて、それに合わない服は捨てるって。そう、20年やって、やっと彼女みたいになれた。

里美　(笑)性格だよ。

耀司　性格です。

——でも、似ている部分もあるんじゃないですか。

里美　似てるなと思うところもありますけど。お互いにいやだ、似たくないって。自分でも、なんか雰囲気とか似てるなと思うし、ちょっとしたしゃべり方も似ているって人に言われるし。私昔もっとやせてて険しい顔をしてたんですよ。その時は、いろんな人から似てるって言われましたね。

——里美さんのプロフィールに、初めて行ったパリ・コレクションに衝撃を受けたとあるんですが、それはいつごろのことなんですか。

耀司　冬休みとか、春休みとか、また学生で一人東京にほっとけないと。それで連れていったりしたんですよ。その時は、まさかデザイナーをやるなんて思わなかった。でも、その時はけっこういい反応でしたよ。内心、「へえ」なんて思ったんですよ。例えば、川久保さんのショーを見にいったりしたときに、大人でも難しいぞみたいなテーマだったんですが、本人は分かっていたりして。

里美　いつだったっけ。

耀司　おれが覚えているのは、君が〝コム デ ギャルソン〟のショーを見に行ったとき。

里美　ああ。もうどういう服が出ていたかとか、どんな髪型だったかとか、全部覚えてます。

耀司　10年ぐらい前じゃないか。

里美　ウソー。私、まだ25歳だよ。8年前ぐらいだよ。

耀司　そうか。

里美　その時は、自分の父親の職業がそうだから少しは気にかけていて、ちらほら雑誌とかでは見ていたんですけど。特別にファッションをやろうとか勉強しようとか、そういうのはなくて。でも、そのショーを見たときに思ったのは、この服を作っている人はすごく強い人なんだと思ったことと、もう一つは親父の服よりこっちのが好き(笑)。でも、それ直接言ってたよね。

耀司　いい反応でしょう(笑)。

——それでは、耀司さんのショーで最も印象に残っているショーは?

里美　ニューヨーク・コレクション。'96-'97秋冬のニューヨーク・コレクションから大好きになった。大好きっていうか、「やばくない、あんた」っていう感じ。

耀司　(笑)どういう意味?

里美　なんて言うのかな。ありきたりな言葉で言うと、ほんとうに天才だなと思ったんですけど。なんか天才っていうよりも、自分の中では「あんたもうその仕事やっているとやばいよ」っていう感じ。360度どこから見てもかっこいいじゃんって。若い自分が素直にそう思えて感動して泣くようなことを、おっさんがやり遂げたっていうことが、ほんとうにすごいなと思った。

耀司　(笑)

里美　例えば、同じ年代の人たちで感動することは多いかもしれないですけど、まだ10代っていう思春期まっただ中で、すべてに衝突というか、全身とげだらけの女の子が、素直に感動して泣けるショーって。泣けたっていう行動自体がめったにないと思うんですよ。というか一生に一度あるかないか。で、それがたまたま身近な人がやった。なんか否定してやりたくて、ショーが終わった後でガツンと言ってやろうと思ったんですけど、言えなかったですね。感動してワーワー泣いていた。

耀司　時差の関係だよ。

里美　そうか、ちょっとおかしかったんだよね。

耀司　調子が悪かった。

里美　あ、そういえば調子が悪かった。その時、風邪ひいてたもん。

——耀司さんはその時のこと覚えてます?

耀司　覚えてますよ。何勘違いしているんだろうって。

里美　あー、むかつく。

耀司　おれ、もっとすごいショーやれるのにって。ニューヨーク・コレクションはね、本人はもう思い出したくないんですよ。パリ・コレクションが終わってニューヨーク・コレクションまでずっと1か月ぐらい、旅芸人のようにホテル暮しをしてて。その1か月の間ずっとショーの緊張感の中にいたんだよ。重くてしようがない、思い出すと。

里美　でも、あれがいちばん印象的だった。あの時はほとんど楽屋にいたような気がする。

耀司　ああ、そうだね。

里美　みんなも感動してたけど、何もしていない私が泣いていた。

耀司　そうそう、さっきから言葉を探していたんだけど、自分で言ったからそうだと思ったんだけど、ハイティーンの女の子は、男の子もそうだけど、危険な動物のようだなと思っていた。とげだらけって言ったでしょう。確かにそうで、どんな現象も、事情も素直に受け取らないっていう、とりあえず逆らうぞっていう、そんなふうにギラギラしているじゃないですか。そういう時期から比べると、大人になったなあ。

里美　(笑)なんかね、昔から知っている会社の人たちに、すごい……。

耀司　言われる?

里美　うん。

山本耀司、娘を語る。

彼女とは、あまり語り合ったりはしませんが、音楽の話とかはしますよ。彼女はハードロックが好きなんだけど、年齢によって好きなグループが少しずつ変わってきて、ふーんと思いながら、気持ちではつきあっていたから。だから、それに影響されたかどうかは分からないですけれども、彼女がいなかったら知らなかっただろうものは知っています。ガンズ・アンド・ローゼズとか。(自分の)ライブに娘が来ていてもそれはなんともないですね。例えば家でしゃれで作曲なんかしていて、いい曲ができると、ちょっと下りてきて聴けなんて、そういうバカな父親を見せるのにけっこう慣れてるから。

本人は丸くなった、大人になったと言うけれど、根本は変わっていないはずで、とんがっているところがいっぱいある。たぶん、大人の常識とか一般的な価値観に合わせようとしているんだと思うけど。これは彼女の才能だと僕は思うんですけれど、とりあえず、事にあたって素直。どんなこと、どんな事態にも素直に直面している。言い換えると偏見がない。これは、物を作る人に必要な条件じゃないかと思うんですけど、瞬間瞬間の事態、起きていることに対して、頭じゃなくて、体全体で反応している。だから勉強が早いんだと思う。つまり、頭とか先入観とかで対応しないで、「わっ、これ何?　おもしろい」って、こういう対応のしかた、これは才能かな。

うちには物を作る社員が150人ぐらいいますけど、うちからブランドを出すとしたら、娘とか関係なく、たぶん3本か5本の指には彼女を挙げただろうと思いますね。服を作る才能とか、物を作る才能っていうのは、非常に分かりにくい才能で、何を見るかというと、彼女の周りには人が集まってくるんです。敵も多いですけどね。人が集まる才能。僕の場合、人はいっぱい集まるんですけど、集まった中にどれだけ敵がいるのか分からないんです。でも、彼女ははっきりしているんだよね。

山本里美、父を語る。

小さいころからそうなんですけど、父親のことは半分大好きで、半分大嫌いなんですよ。それは家庭環境とかでこうなったと思うんですけど、父親のことをすごく尊敬している半面、すごく反発しています。それは死ぬまでそうだと思いますよ。でもそれは誰でもそうなんじゃないでしょうかね。

お互いに距離はとっているんです。お互いの世界に入らないように。でも、父親だなあと思った瞬間っていうのがあって、私、すごく風邪をひきやすくて、風邪をひいたときに毛布をかけてくれたんです。その時に、ああこの人、父親だなあと思って。その日一日だけ素直になりましたね。それまではいつも友達って思っていたんです。お互いのプライバシーには干渉しないで、うまくやっていこうねって感じだったんですけど。一番の思い出というとなんだけど、これを言ったら耀司のイメージが崩れちゃうんじゃないかっていうことがたくさんありすぎて。でも、毛布をかけてくれたことがうれしかったですね。これは耀司じゃなくて、父として。

山本耀司の娘でよかったことといえば、若くて感受性の強いときに、パリ・コレに連れていってくれたことかな。でもやっぱりそれと同じくらいいやなこともある。

私が〝ワイズ〟に入ったとき、父親が言ってたことでいちばん思い出すのは、「日本だけだ」って。「親の会社に入るのを恥ずかしいと思うのは。海外ではよくあることだ」って。自分には兄がいるんですけど、兄のほうが先に会社に入っていて、それはすごいなあと思ったんですよ。そこだけは尊敬してやろうと思ったんです。自分の父親の会社に入って、しかも男じゃないですか。で、周りからは、この人がもしかしたら後継者かもしれないって好奇の目で見られるわけじゃないですか。私には絶対できないと思っていたんですけど。でもなんかあんなふうに気軽に、明るい雰囲気で言ってきたんで、そんなもんかって感じで。それでも、私、大丈夫かな、やっていけるかなっていう不安があったんですけど。実際、体力がなかなか続きませんでした、仕事に慣れるまでは。でも、入って半年ぐらいして、何がなんでもやってやろうと思ったんです。継続は力なりじゃないですけど、どんなにつらいことやいやなことがあっても、絶対3年は下で勉強してやると思ったんですよ。たぶん、これは私の性格なんですけど、何かいやなことがあるとむかついて、じゃあ結果見せてやるよって感じになってしまうんです。

今回のデビューが決まったとき、私、「早くないですか?」って言いました。自分より全然うまいパターンナーの人も何人もいるし、自分が好きなパターンナーさんも何人もいるのにって。社長の娘だから、そうなったんだって絶対に言いますよね。それに対して、自分が凛としていられるか、社長がそれに対してなんて言うのかとか、いろんなことを考えて。でも、「いいんじゃない」って感じのことを言っていて。内心どうだか分からないですけど。

私、ほんとうに話す苦手なんですよ。自分の心の中で思ったことを口に出すというのが難しくて、いつも自分で複雑に考え込んでしまうタイプなんです。それを私のしぐさとか表情とか、ちょっとした一言をうまくくみ取って理解してくれようとしてくれる父親が大好きですね。あとはノリがいいところ。デザイナーとしての耀司はすべて尊敬してます。なんか雲の上っていう感じ。

耀司以外で尊敬するデザイナーは川久保玲さん。何回かお会いして、お話ししたりとか書いたものを読んだりしているんですけど、やっぱり普通の人じゃないですよね。芯が強いっていうか。私、けっこういきがっているんですけど、川久保さんの前ではおとなしいですよ。パリ・コレで最初見たとき、川久保さんという人を知らなかったんですよ。あの時はほんとうに電撃が走った、頭からつま先まで。終わった後に、この服を作っている人はどういう人って。そして父親にぜひ会わせてほしいって。それで1年後か2年後に会ったときにはしゃべれなかったですね。震えちゃって。

私が社長にほんとうに絶対かなわないと思うのはパターン。これはすごい。ワイズのパターンナー時代にそう思いました。教え方がうまいのかな。たぶん、人それぞれ教え方が違うと思うんですけど、私みたいに、大ざっぱで気分だけで作っちゃう人には「パターンをずっと机の上だけでやっていないで、一回床の上に置いて見ろ」って言うんですよ。そして「なんか変なところない?」って。で、「あっここらへんが小さいかな」って言うと、「そこなんだよ」って。また、社長はパッと見ただけで、「今ここはこんなふうに作っただろ」って分かるんですよ。その時は「こわっ」と思って。なんていったって、師匠ですからね。

私が唯一優れている(笑)のは、スパッとしているところ。ほんとうに思うんですけど、ダラダラしているんですよ、うちのお父さんは。コレクションのお手伝いとかに入っても、「まだあるの? 仕事が」っていう感じ。自分がいざデザイナーとしてショーをやるときには、コーディネートとかあきらめ早かったですね。あとは、私は着られるじゃないですか。でも耀司は自分で着られない。やっぱりそこの差はありますよね。私は女の子だから、この服着てみたいとか思って、すぐに手にとって着られる。で、着てみて、あーこうやって見えるのかとかってできるじゃないですか。やっぱりそこらへんで作る服も分かれてくると思うんですよ。でも男の人が作る服の中では、うちの親父が作る服がいちばんかっこいいと、ほんとうに思います。それは私が娘じゃなくてもそう思ったと思います。だって、いないですよ。若い子が、買えないけど、ショーを見たいって来るじゃないですか。それはすごいことですね。

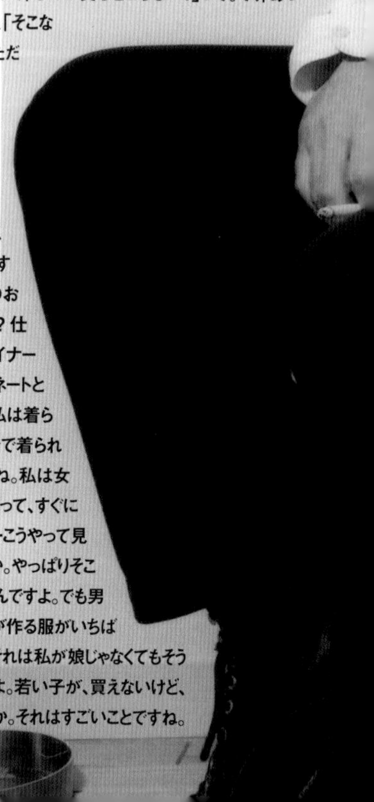

Limi Yamamoto

山本里美●1974年生れ。父、耀司の'96-'97秋冬ニューヨーク・コレクションに衝撃を受け、デザイナーを志す。文化服装学院で学んだ後、ヨウジヤマモトに入社。2年間、ワイズのパターンナーを務め、'99年、ワイズ ビス リミを立ち上げる。2002年にブランド名をリミ フゥに変更し、'06年、自身の会社を設立

Yohji Yamamoto, Student Days...

山本耀司、装苑賞の時代。

1936年創刊の雑誌『装苑』は、20周年を記念して'56年に装苑賞を制定した。文化服装学院デザイン科の学生、
山本耀司は、'68年の3月号から翌年2月号までに13点という異例の点数が候補に選出され、下の作品で第25回装苑賞に輝いた。
イラストは第一次選考に提出した山本耀司の描いたデザイン画である。
テキスト右は装苑賞決定時に掲載された編集部の評。左右ページ写真下は候補作に推薦した審査員のコメント。

1969
25th SO-EN PRIZE

山本耀司さんは東京生れの25歳。慶應義塾大学法学部を卒業後、文化服装学院に入学。師範科を経てデザイン科に進み、服飾デザイナーを目ざす、ちょっと珍しい変わり種。前回(第24回)は次点で日立賞を受賞するなど、その実力は高く評価されていました。今回、念願の装苑賞受賞を果たして、その努力が実を結んだわけです。

受賞した作品は、グレーのチンチラと白のダブルジョーゼットを組み合わせたコートドレス。布地で区切った毛皮の現代的な扱いが好評でした。審査員のひとり、中村乃武夫さんに「デザイン界の大型新人」と激賞された山本さんは、ほおを上気させて長年の望みがかなってうれしい、これからもデザイン感覚をみがいていきたいと、その感想を語っていました。

April, 1969 issue of SO-EN

グレーのチンチラウサギを使ったこのコートドレスは、
誰にでも着こなせるというものではないが、
サイケ調氾濫のあとで、シックで変わっていてよいと思った。
デザイン画ではもう少し濃い色をしているが、
ことしの毛皮の使い方の斬新さがあってよい。
材質の取合せもいいし、ポケットにも楽しいふんいきがあふれている。
ぜいたくな人にきてほしいドレスである。 選評 野口益栄 January, 1969 issue of SO-EN

 photographs : Yoshihide Nakamura

芥川賞を受賞した作家が後年、「僕は、本当は受賞作でなく、前に候補になった別の作品で賞をもらえたらよかったと今も時々思うんです」と、文芸誌の対談で語っていた。創作した本人と評価する人との、主観と客観、絶対性と相対性の違いは、余儀なくあることなのだろう。だが一つの作品を生み出した人の、自分の作品への思いは計り知れなく、何かをつかんだ手応えも、わずかな綻びと後悔も、おそらく生涯忘れることはないだろう。山本耀司も、’68年の候補作のほうが心に残っていると、45年を経てぽつりと話してくれた。当時はクレージュとカルダンが革命的な新しいスタイルで世界を席巻し、学生たちの装苑賞候補作にも多大な影響が見える。そんな中で、この山本の作品には、時流を超えた清冽さがある。コートのフォルムも切替え線も、その後のヨウジヤマモトにつながる、未来を象徴する作品だと言えよう。

text : Toshiko Taguchi

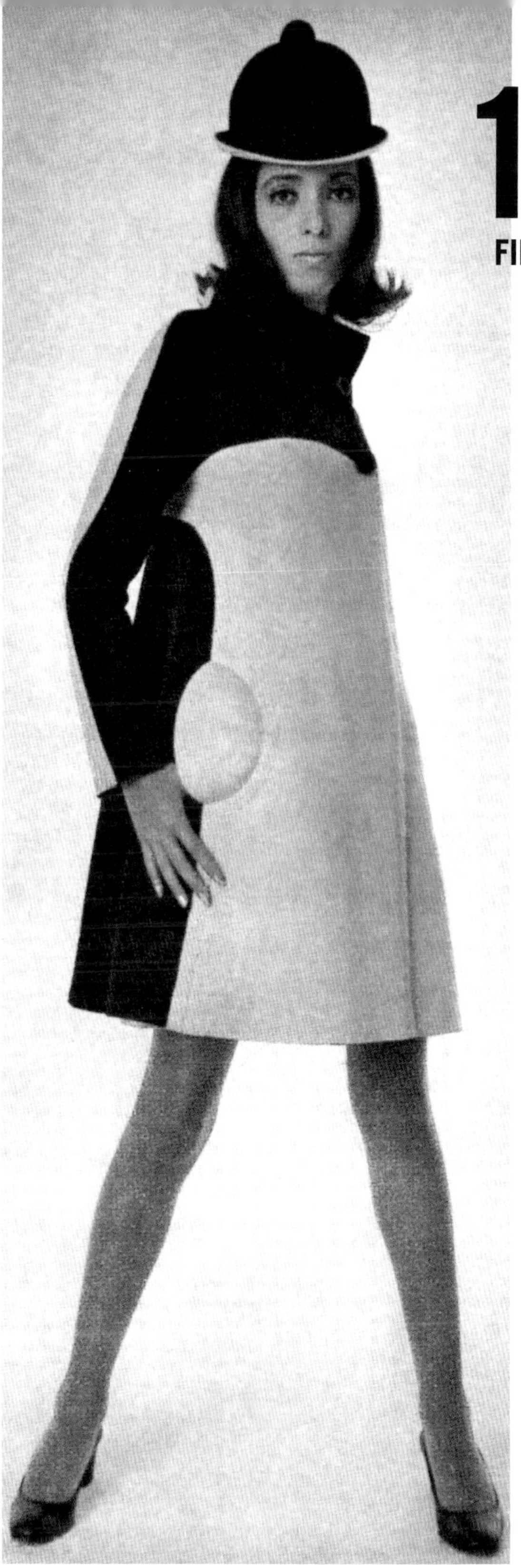

1968

FINALIST, SO-EN PRIZE

たいへん歯切れのいいデザインなので感心しました。
白と黒の分量もいいし、特に実際に着く動いたときの線の
美しさが計算されている点など、実力のほどがうかがえます。
裁断、縫製ともにこれといった欠点はなし。
生地が薄手のツーフェースの場合、どうしても縫い代が表にひびくので、
1、2か所気になるところがあるけれど、
おまけして90点あげたいと思います。 選評 笹原紀代 November, 1968 issue of SO-EN

Yohji Yamamoto, Student Days...

デザイナー出発! 山本耀司さんの場合。

1969年2月27日、降りしきる雪の日に、文化服装学院デザイン科の卒業ショーは開かれた。降り積もる雪と同じ白い舞台、その舞台の下で、制作委員長の山本さんはじっとショーの進行を見つめていた。山本耀司、25歳。東京都新宿区出身。

家庭科と絵が得意だった小学校時代

小学校5年の家庭科の時間、返し針をして作ったパンツが、展覧会で金賞をとった。これがデザイナー山本耀司のスタートラインだったのかもしれない。

小学校6年、公立の小学校から暁星へ転校させられた。そこでは何もかもが違っていた。最初の絵の時間、パレットが絵の具でよごれているといって、先生にひどくしかられた。その時、パレットというものは、いつもきれいにしておかなきゃいけないんだなと、初めて思った。その後、同じ絵の時間、外へ写生に行った。それから急に、先生がやさしくなった。

「僕は絵がうまいんだなあ」とその時感じた。

高校1年、耀司さんはある日急に、「僕、スタイル画がやりたい」と言った。お母さんはセツ・モードセミナー(長沢節さんのイラスト研究所)の土曜教室に耀司さんを通わせた。「耀司はあのころからこの道が好きだったのでしょうね」——彼はその時、どんな気持ちだったか思い出せないという。そして高校の3年間、受験勉強に明け暮れた。そのころの暁星は大学入試の成績が思わしくなかったので、相当しぼられたのだそうだ。

暁星に学んだ7年間のうちに、自分は友だちと同じになりたくない、という意識が知らず知らず育っていったらしい。それほどに、まわりは皆金持ちで、彼の家は貧しかった。

行く行くは事業をやりたいと思っていたから、大学の選択については、じっくり考えた。一橋にはいりたかった。慶應も好きだった。小さい時から"慶應"という字の感じが好きでたまらなかった。紙に飛行機をかいて鉛筆で飛行機の落としっこをするとき、大学の名や野球チームの名をつける。彼は必ず"慶應"と書いた。藝大3次と慶應の2次試験の日が重なったとき、彼はやっぱり慶應を選んだ。将来、事業をしたいという気持ちがそうさせたのだ。

大学4年の夏、前に買ってもらった古いオースチンを売り、アルバイトをし、お母さんに援助をしてもらって、友だちとふたりでヨーロッパ旅行に出かけた。帰ってきたときはもう、皆は就職先が決まっていた。サラリーマンなんかになりたくない、店をやろう、その時そう思った。それで、文化服装学院の師範科を経て、デザイン科に進んだ。行く行くは店を継ごうと思っていたし、店を経営するのに、洋裁の技術を知らなければどうしようもないと思ったから。お母さんが卒業生であったこともあって幼稚園のころから、文化服装学院にはなじみが深かった。

師範科1年はとてもつらかった。針の持ち方ひとつから、学んだ。デザイン科に進んでからは楽しいことばかりで、もうあと何日かで卒業だと思うと寂しい気がする……。

装苑賞と遠藤賞をダブル受賞

卒業を前にした2月3日、第25回の装苑賞公開審査会で山本さんは、「装苑賞」と「遠藤賞」をダブルで受賞し、大きくデザイナーの道に一歩を踏み出した。

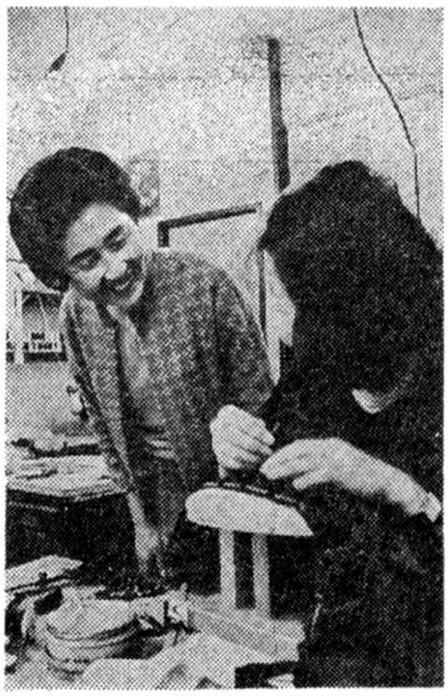

写真は、装苑賞受賞直後の1969年3月、文化服装学院卒業間近のころに撮影され、同年5月号の『装苑』に掲載された。母親の山本富美さんの新宿・歌舞伎町のアトリエで、注文服の制作をする山本耀司。右ページ中と左ページ右が母親の山本富美さん

1969

受賞の喜びを、「ただもう、うれしい。おふくろや縫うのを手伝ってくれたお店の人に早く知らせたい」と言葉少なに語っていた彼は、賞金で、直接手伝ってくれた人には京都旅行を、そうでない人にもおこづかいをプレゼントした。

すでに、文化服装学院デザイン科の助手として、就職も決まっているが、いずれは、F.I.T.(ニューヨーク州立ファッション工科大学)の河島先生について勉強したい。生産管理を学び、将来は既製服会社の生産管理コンサルタントとして、できれば会社を経営したいと、夢は大きい。会社を持つのは今すぐには無理でも、「この店を土台にして何かを始めるのじゃないかと思います」とお母さんは語る。確かにそういう意味では山本さんは恵まれている。装苑賞受賞作品以外のドレスも、お母さんのお店ですぐに売れてしまい、「この次はいつですか」と催促されるほど。もう「装苑賞」には応募できないから、「もう終わりました、と言うんですよ」とお母さんはうれしそうに目を細める。受賞についてお母さんは、「長い間の努力が実ったんですね。でも少し早すぎたような気がします。それに、二つも一度にいただいちゃ、ほかの人に悪いみたい。でも、審査会の日はやっぱり心配で、耀司には内緒で、こっそり見にいったんですよ」とおっしゃる。

思えば、終戦直後、ご主人のフィリピンでの戦死が認定されて以来、母ひとりの手で息子をここまで教育するのは、並大抵の苦労ではなかったことだろう。当時4歳の耀司さんを水戸の親類に1年間預け、その1年間に文化服装学院の裁断科、高等裁断科でせいいっぱい勉強したという。「その後は、よそさまのものを縫ったりして、当面したことの一つ一つがよい勉強になりました。それにしても、ここまで成長するとは思っていませんでした」——やはり自分と同じ道を進んでくれることがうれしいのだろう。そういう意味でも、たいへん親孝行な息子だ。「主人が戦地におもむく前に、耀司の教育費をたくさん残していってくれたのですが、戦前と戦後では貨幣価値がまるで違ったんですよ。みんなお葬式の費用になってしまいましたの」母親の底力というものはたいへんなものだ。お母さんの愛情を一身に受けて、いまや山本耀司さんはりっぱなデザイナーになろうとしている。

女の人をかわいくしたい

デザイナー、山本耀司は語る。——服にはいろいろなパターンがあって、着てはいけない服というのはない。ただ、美に定型はなくても、シックな服、エレガントな服、かわいい服などのパターンの中で、それぞれやってはいけないということはある。それを正していくのがデザイナーの仕事だと思う。ただ自分のデザインはいつもかわいいと言われるから、女の人をかわいらしくしたいんじゃないかと思う。女の人をほめるときも、あの人きれいだね、と言うより、かわいいね、と言うでしょう、と。彼の描くデザイン画には、女の子のそんなかわいらしさがあふれている。螢光燈の光の下で、真っ白い紙とマジックインキを前にするとき、何ともいいようのないいい気持ちになるそうだ。アイディアがあってペンをとるときより、なにげなくかいているときのほうがよいものができる。まちがってかいた線を直していると、不意にいい服になっていくんですよ、と言ったとき、彼の目が光った。

クレージュのデザインの楽しさ、カルダンの多彩さがたまらなく好きだという山本耀司さん、環境と天分に恵まれた新人デザイナー、山本耀司さんは、未来への無限の可能性を秘めている。

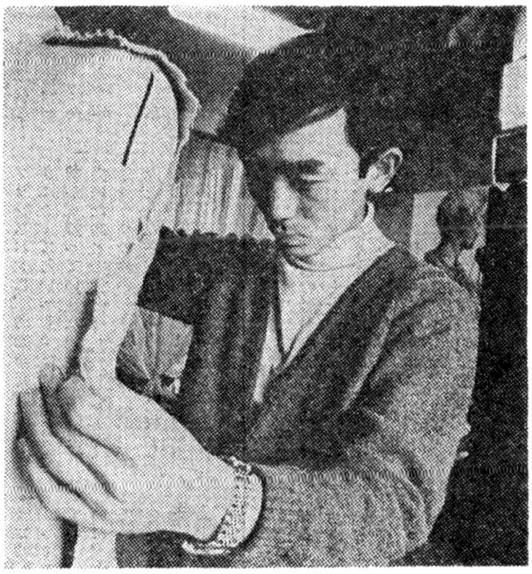

PRESENTANT COMME PREMICES
SORTIE
DE SECOU

ARCHIVES
YOHJI YAMAMOTO
PARIS WOMEN'S COLLECTION
1981-'82 AUTUMN / WINTER – 2014 SPRING / SUMMER

ヨウジヤマモト。
パリ・レディスコレクションのアーカイブ。

1981年4月、山本耀司はパリ・レアルに開設した
ブティックを会場に、初のレディスコレクションを発表した。
以来、ヨーロッパの価値観が基準だった
服の伝統や美意識を覆し、変革を続けてきた。
とりわけ、山本耀司の最も大きな功績は、
それまで"自分らしさ"を託せる服がなかった女性たちに、
自分本来のスタイルを発見させたことだろう。
このアーカイブには、2014春夏までの
パリ・コレクション全66シーズン分を収録。

photographs : Shimu Maki, Shinji Mitsuno, Makiko Kishi, Shin Shin, Koichiro Matsui, Masatoshi Uen
 text : Toshiko Taguchi

1998-'99 AW

1981-'82 AW

1981-'82 AW

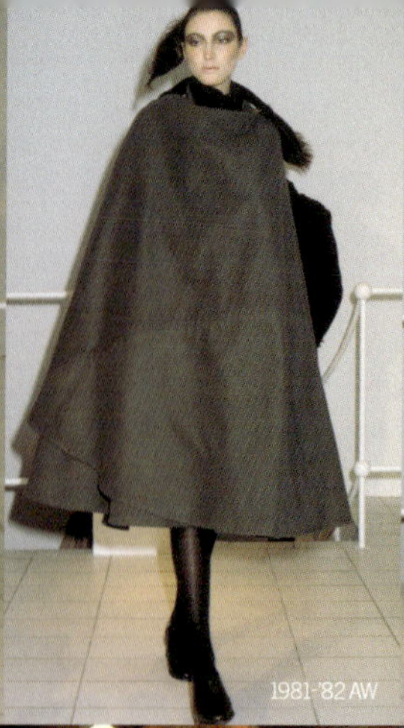
1981-'82 AW

1981-'82 AW

1981-'82 AW

1982-'83 AW

1982-'83 AW

1982-'83 AW

1983 SS

1983 SS

1983-'84 AW

1983-'84 AW

1983-'84 AW

'84 AW

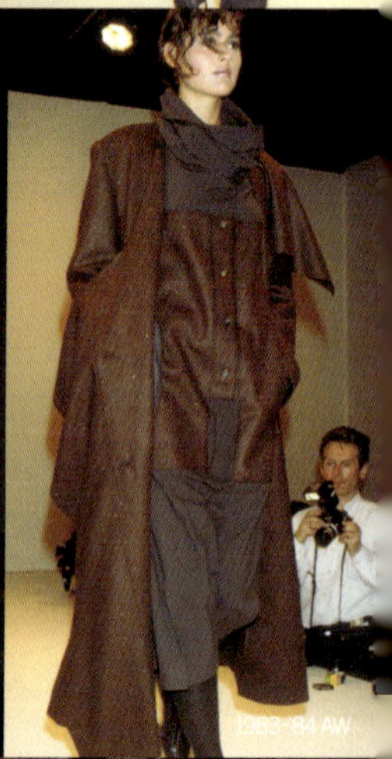
1983-'84 AW

1984-'85 AW

1984-'85 AW

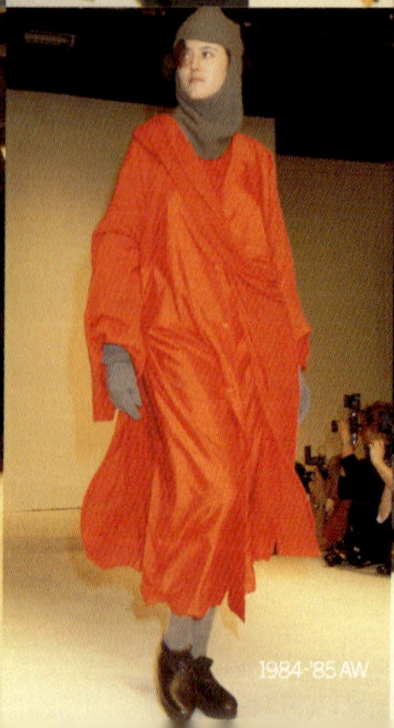
1984-'85 AW

1984-'85 AW

1984-'85 AW

1982 SS

1982 SS

1982 SS

1982-'83 AW

1983 SS
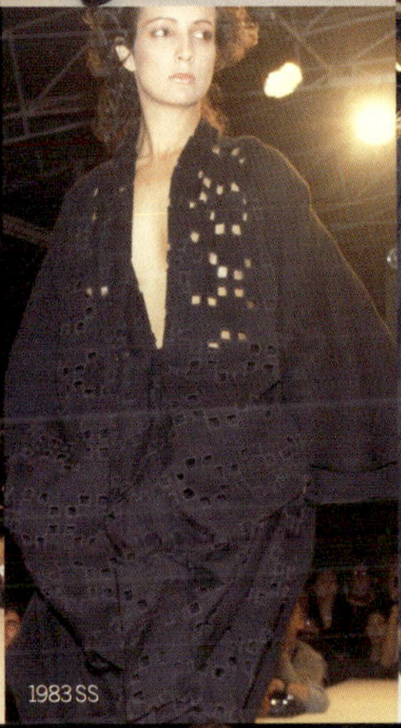
1983 SS

1983 SS

1983 SS

1983-'84 AW

1984 SS

1984 SS

1984 SS

1984 SS

1984 SS

1985 SS

1985
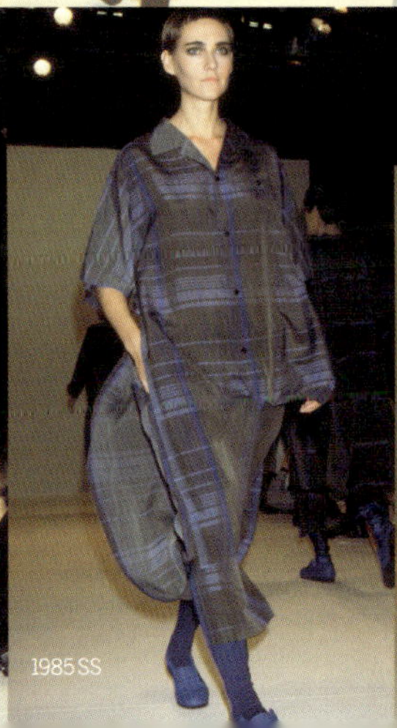
1985 SS

1985 SS

1985 SS

1985-'86 AW

1985-'86 AW

1985-'86 AW

1985-'86 AW

1985-'86 AW

1987 SS

1987 SS

1987 SS

1987-'88 AW

1988 SS

1988 SS

1988-'89 AW

1988-'89 AW

1988-'89 AW

1989 SS

1989-'90 AW

1989-'90 AW

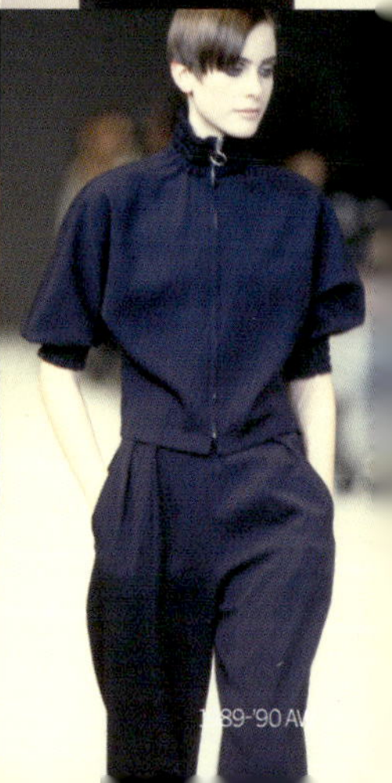
1989-'90 AW

1986 SS

1986 SS

1986-'87

1986

1987-'88 AW

1987-'88 AW

1988 SS

1988 SS

1988 SS

1988-'89 AW

1989 SS

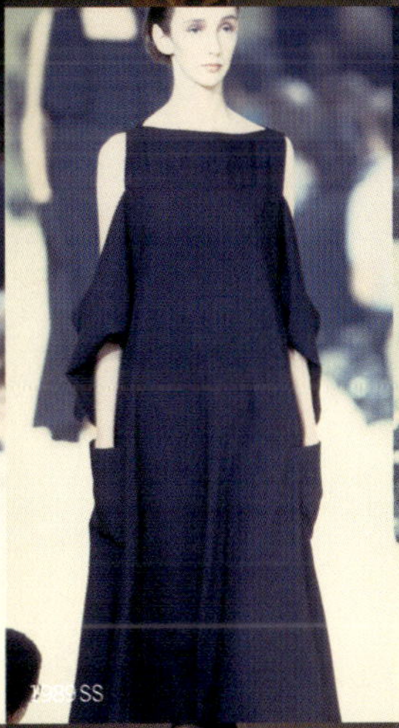

1989 SS

1990 SS

1990 SS

1990 SS

1990-'91 AW

1990-'91 AW

1990-'91 AW

1990-'91 AW
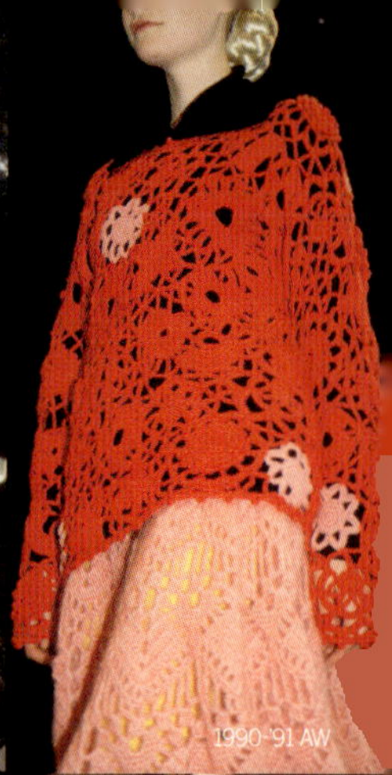
1990-'91 AW

1991 SS

1991 SS

1991-'92 AW

1991-'92 AW

1992 SS

1992 SS

1992 SS

1992-'93 AW

1992-'93 AW

1993 SS

1993 SS

1990-'91 AW

1991 SS

1991 SS

1991-'92 AW

1991-'92 AW

1991-'92 AW

1992 SS

1992 SS

AW

1992-'93 AW

1993 SS

1993-'94 AW

1993-'94 AW

1993-'94 AW

1993-'94 AW

1993-'94 AW

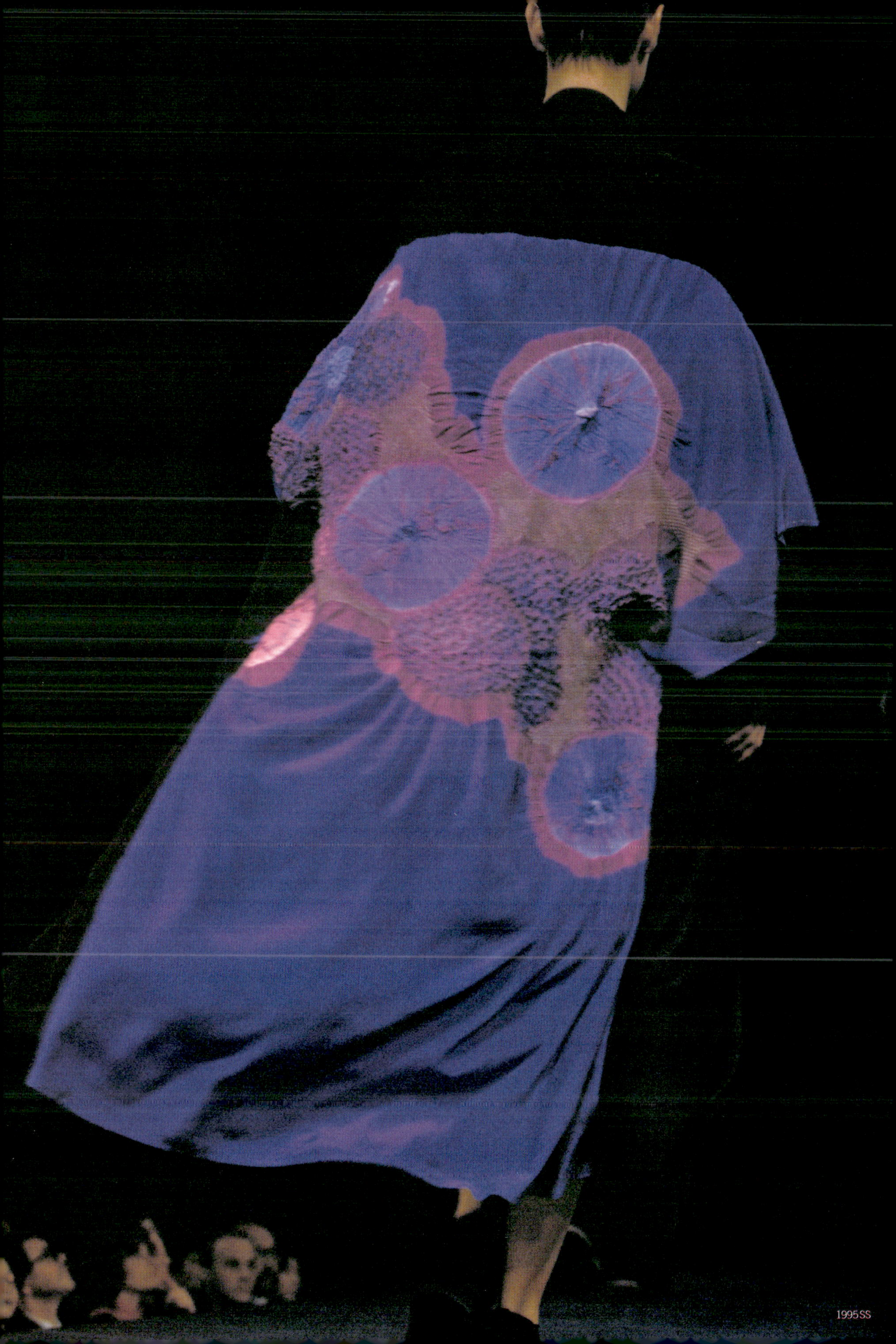

1995SS

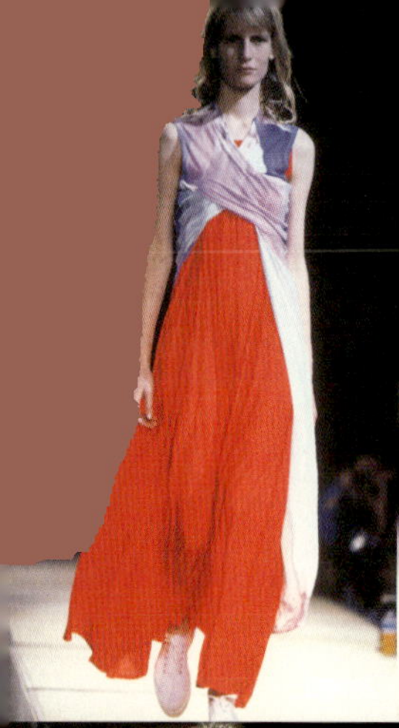

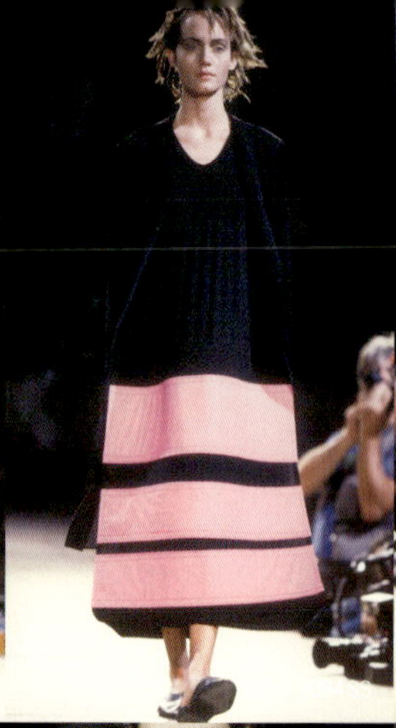

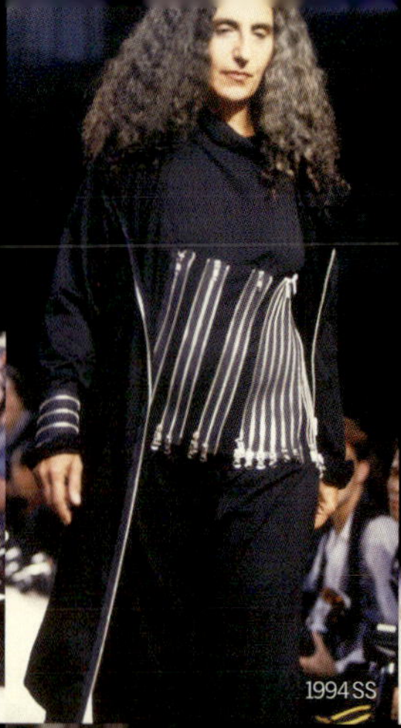

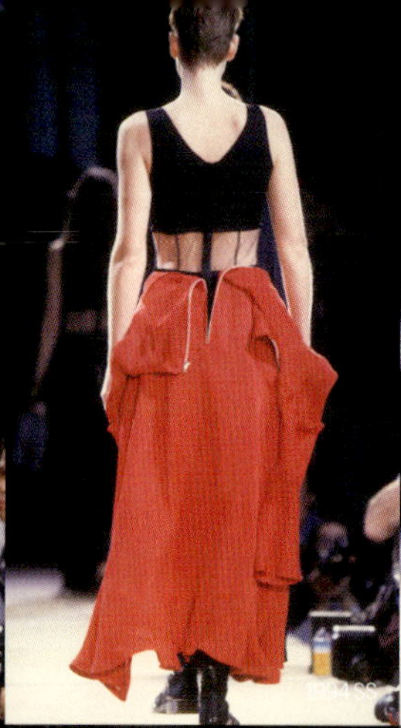

1994 SS

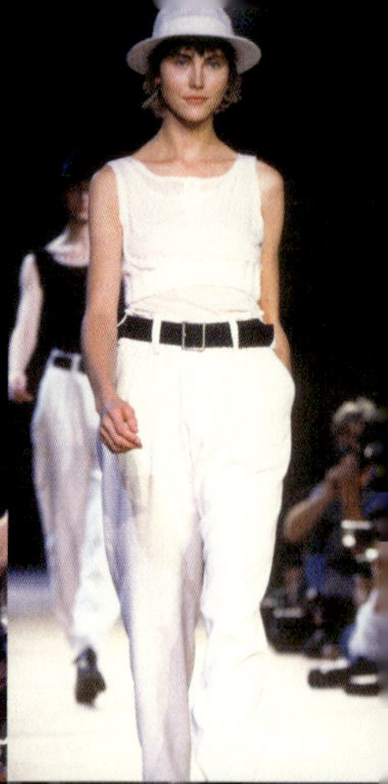

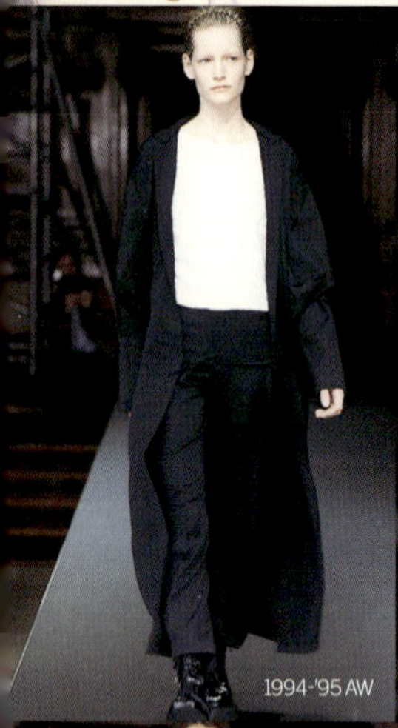

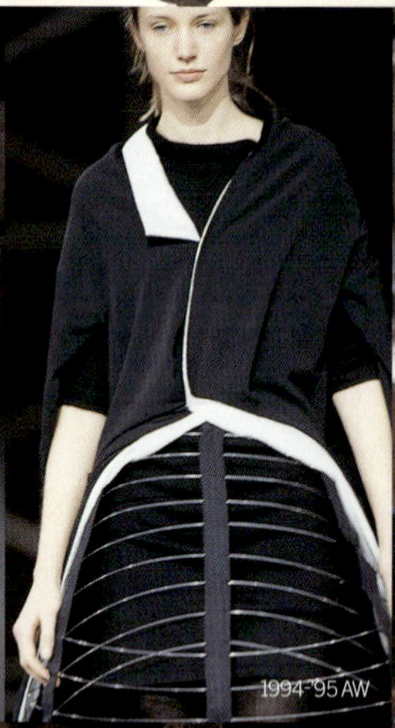

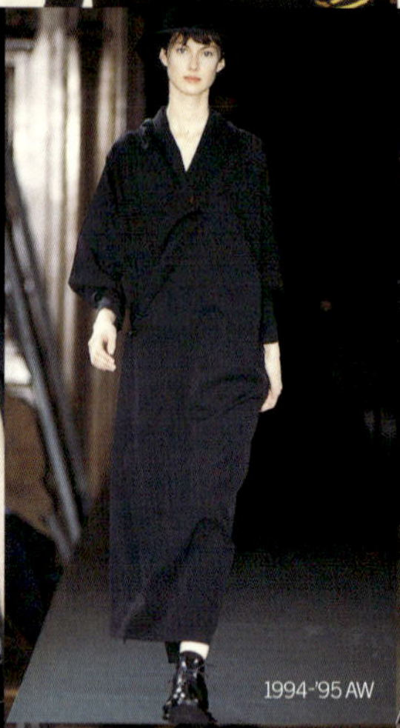

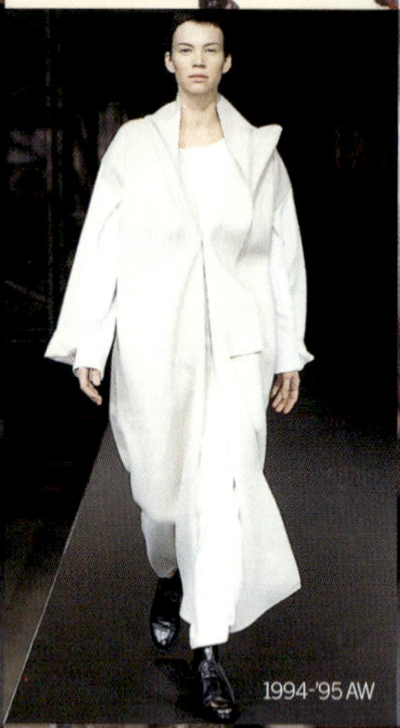

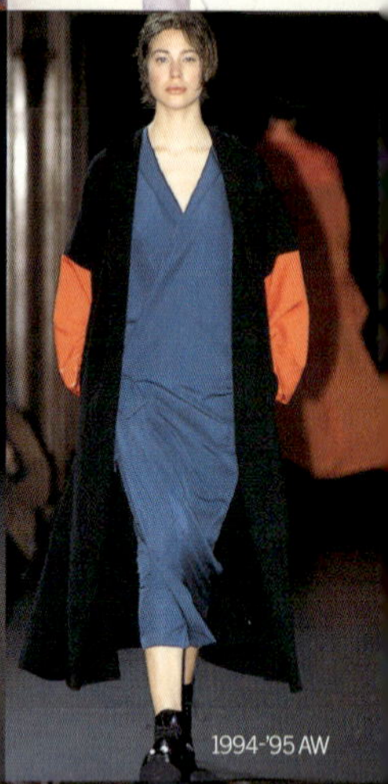

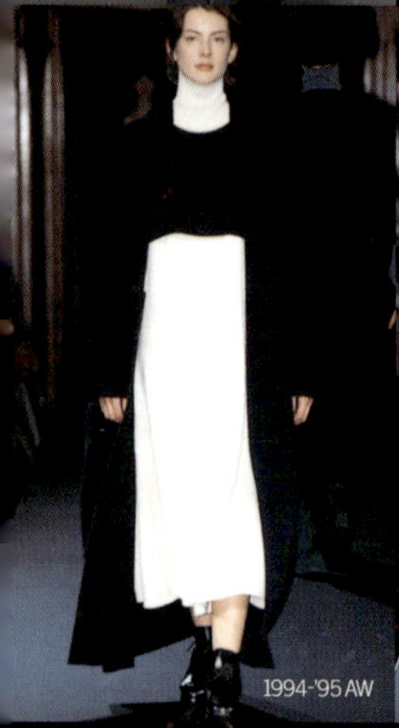

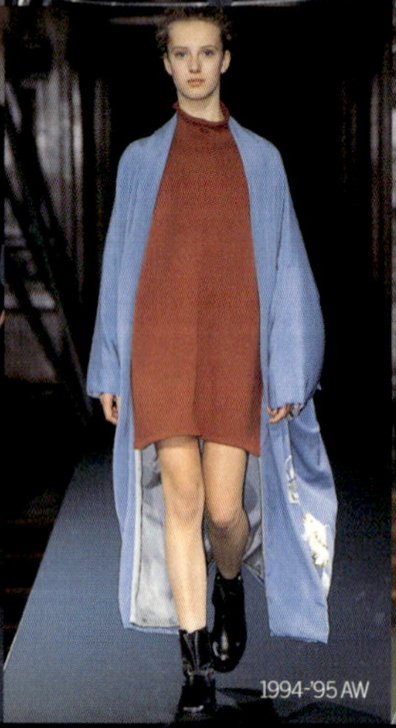

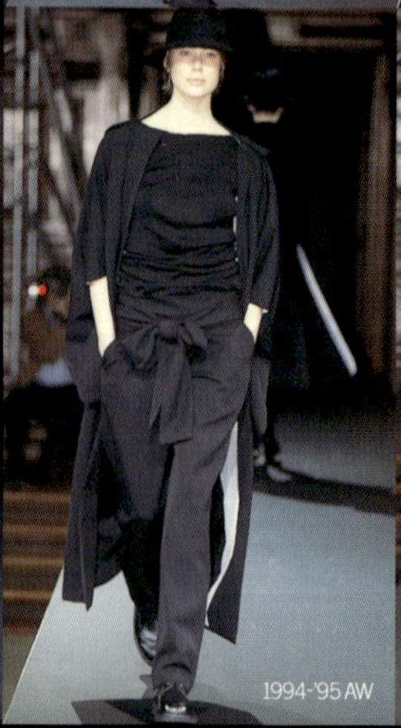

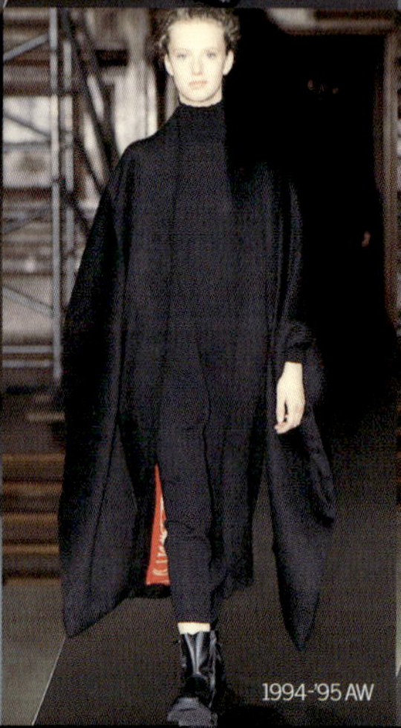

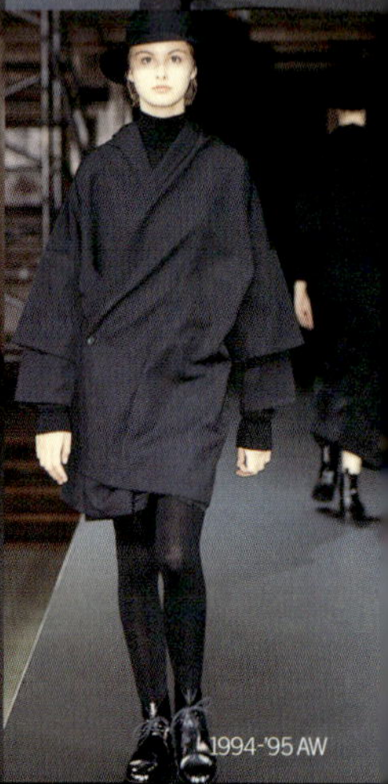

1994-'95 AW

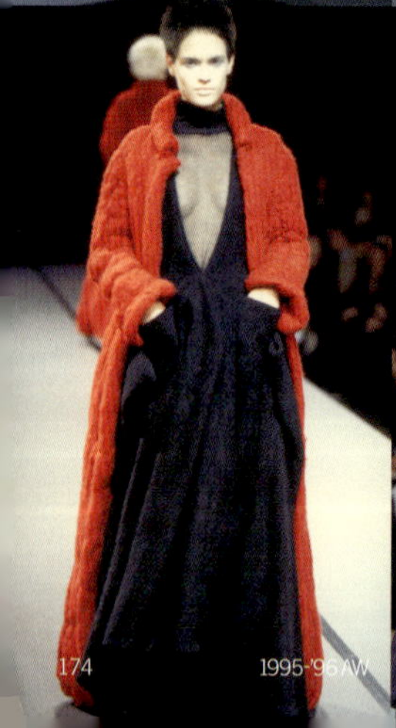

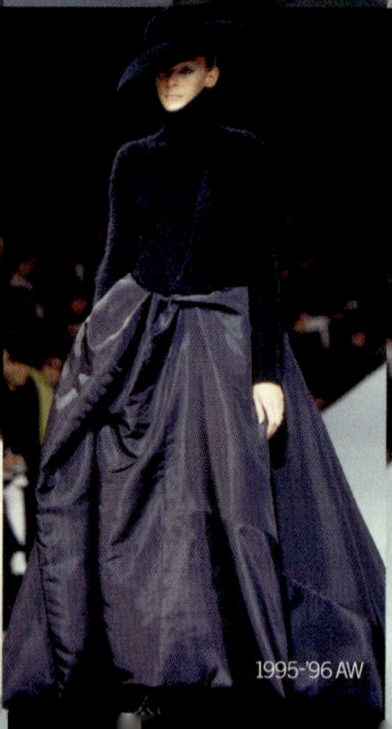

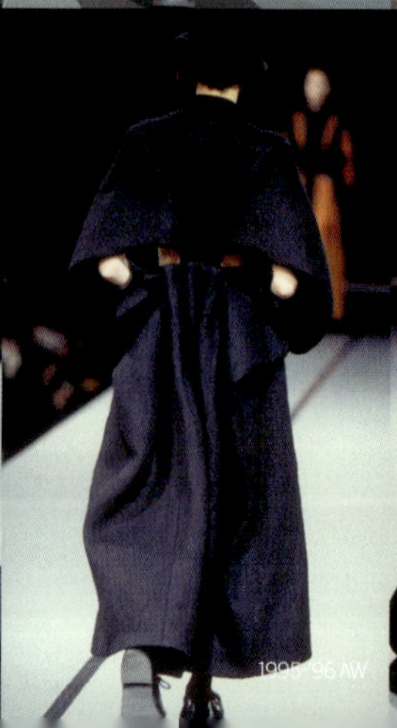

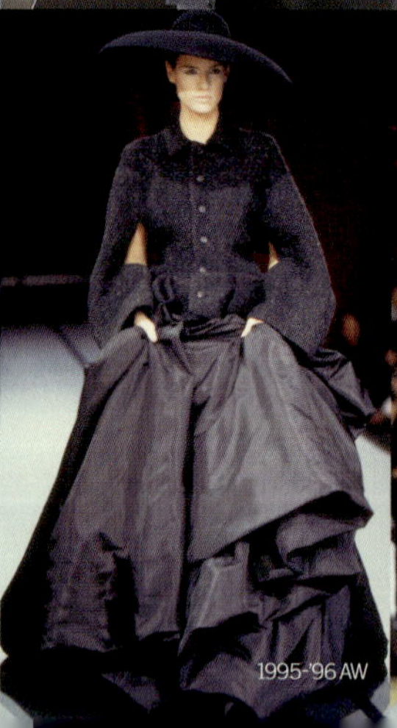

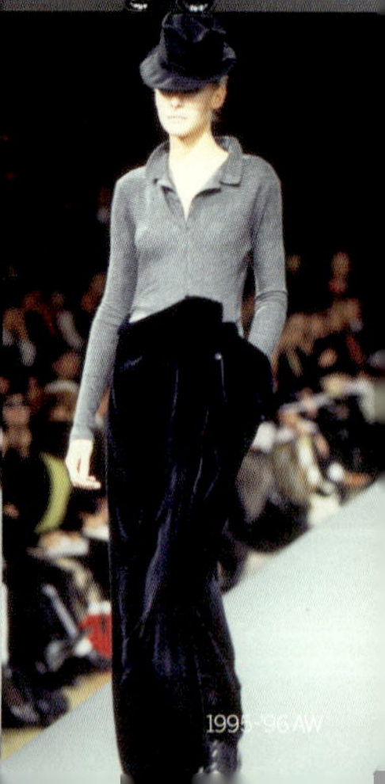

1995-'96 AW

1994 SS

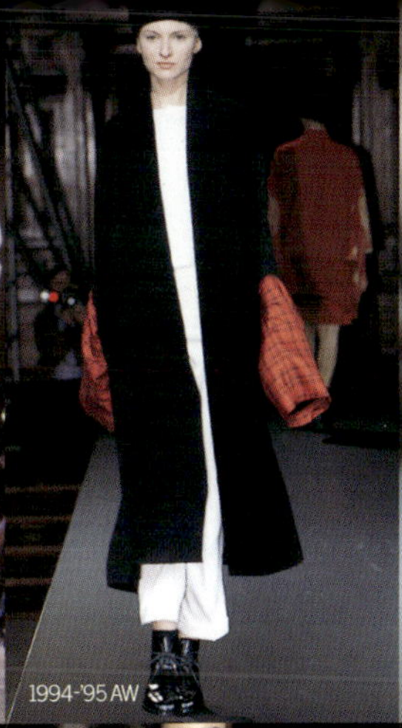

1994-'95 AW

1994-'95 AW

1994-'95 AW

1994-'95 AW

1994-'95 AW

1994-'95 AW

1994-'95 AW

1994-'95 AW

1994-'95 AW

1995 SS

1995 SS

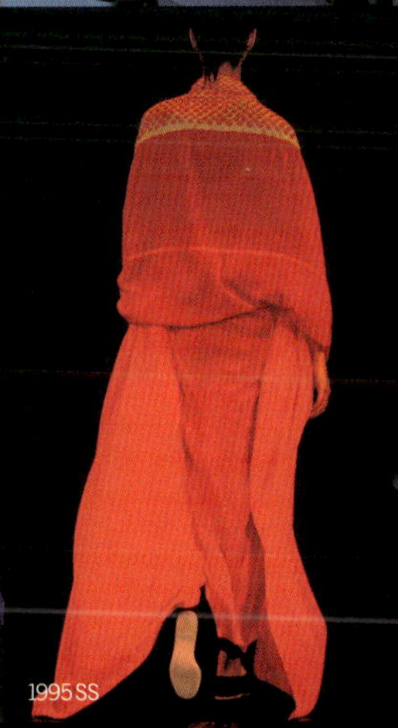

1995 SS

1995-'96 AW

1996 SS

1996 SS

1996 SS

1996 SS

1996 SS

1996-'97

1996-'97

1997 SS

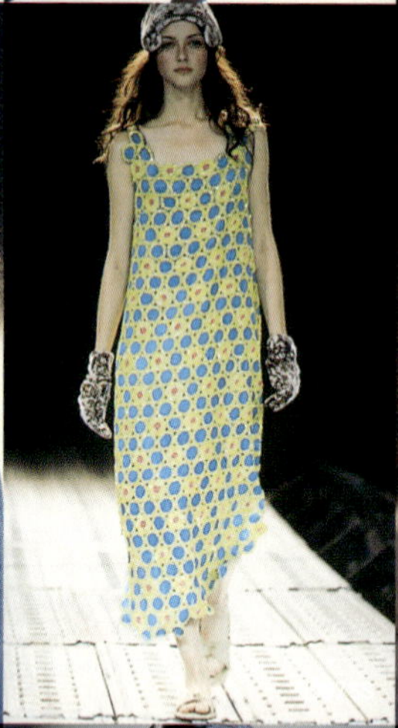

19

1997-'98 AW

1997-'98 AW

1997-'98 AW

1997-'98 AW

1997-'98 AW

1998 SS

1998 SS

1996-'97AW

'97AW
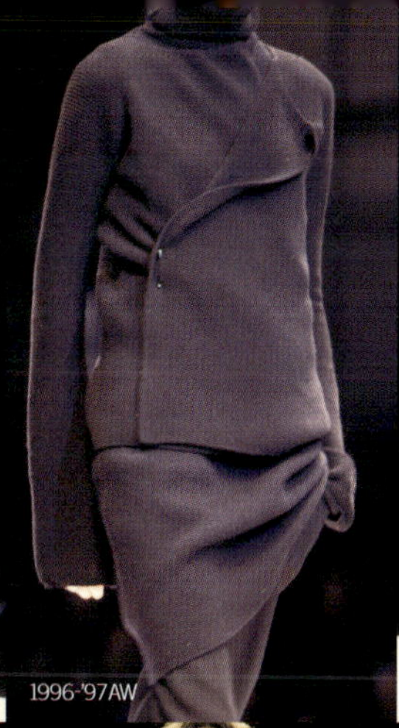
1996-'97AW

1996-'97AW

1997 SS

1997 SS

1997-'98 AW

1997-'98 AW

1997-'98 AW

1997-'98 AW

1997-'98 AW

998-'99 AW

'99 AW

1998-'99 AW

1997-'98 AW

1998SS

1999 SS

1999 SS

1999 SS

1999 SS

19

AW

2000 SS

2000 SS

2000 SS

2000 SS

2000-01 AW

2001 SS

2001 SS

2001 SS

2001 SS

2001 SS

1999 SS

1999-2000 AW

2000SS

2000SS

2000-'01 AW

2001-'02 AW

2002 SS

2002 SS

2002 SS

2002 SS

2002 SS

2002-'03 AW

2002-'03 AW

2002-'03 AW

2002-'03 AW

2003 SS

2003 SS

2003 SS

2003 SS

2003 SS

200

2004 SS

2002 SS
2002 SS
2003 SS
2003 SS
2003 SS
2003 SS
2003 SS
2003-'04 AW
2003-'04 AW
2004-'05 AW
2004-'05 AW
2004-'05 AW
2004-'05 AW

2005 SS

2005 SS

2005 SS

2005 SS

2005-'06 AW

2005-'06 AW

2005-'06 AW

2006 SS

2006 SS

2006-'07 AW

2006-'07 AW

2006-'07

07-'08 AW

7-'08 AW

2007-'08 AW

08 AW

2008 SS

SS
2005 SS
2005-'06 AW
2005-'06 AW
2005-'06 AW
2006 SS
2006 SS
2007 SS
2007 SS
2007 SS
2007 SS
7-'08 AW
2008 SS
2008 SS
2008-'09 AW
2008-'09 AW
AW

2009 SS
2010 SS
2010 SS
2010-'11 AW
2010-'11 AW
2011-'12 AW
2011-'12 AW
2012 SS
2013 SS
2013-'14 AW

2009-'10 AW
2009-'10 AW
2009-'10 AW
2010-'11 AW
2011 SS
2011 SS
2011 SS
2011-'12 AW
2012-'13 AW
2012-'13 AW
2013-'14 AW
2014 SS
2014 SS

YOHJI
YAMAMOTO
PRODUCT CONTROL
100% QUALITY and
ABSOLUTE UNIFOMITY
INSURED
49
FRESHNESS
UNSURPASSED
NO.
10031943
BY YOHJI YAMAMOTO INC

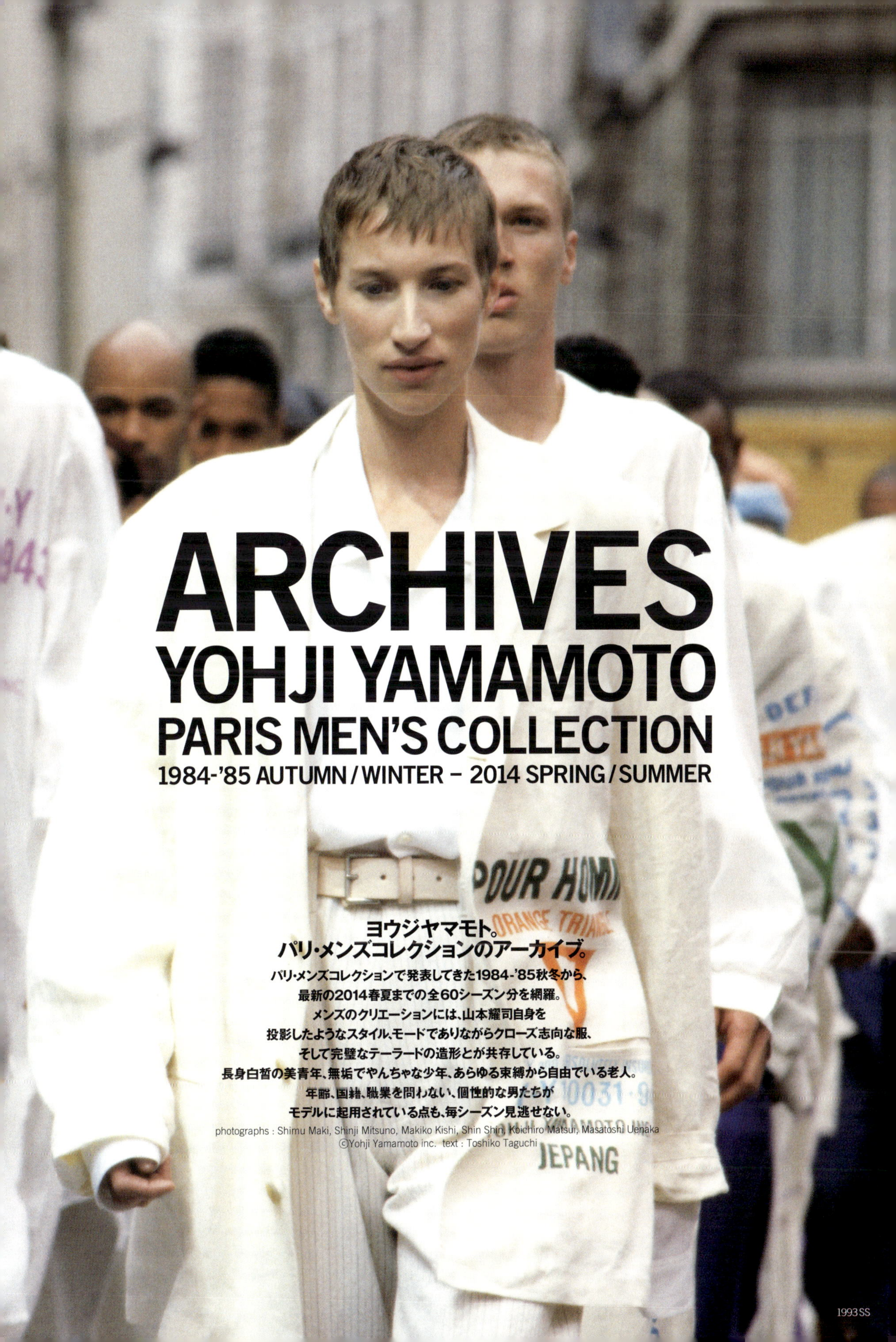

ARCHIVES
YOHJI YAMAMOTO
PARIS MEN'S COLLECTION
1984-'85 AUTUMN / WINTER – 2014 SPRING / SUMMER

ヨウジヤマモト。
パリ・メンズコレクションのアーカイブ。

パリ・メンズコレクションで発表してきた1984-'85秋冬から、
最新の2014春夏までの全60シーズン分を網羅。
メンズのクリエーションには、山本耀司自身を
投影したようなスタイル、モードでありながらクローズ志向な服、
そして完璧なテーラードの造形とが共存している。
長身白皙の美青年、無垢でやんちゃな少年、あらゆる束縛から自由でいる老人。
年齢、国籍、職業を問わない、個性的な男たちが
モデルに起用されている点も、毎シーズン見逃せない。

photographs : Shimu Maki, Shinji Mitsuno, Makiko Kishi, Shin Shin, Koichiro Matsui, Masatoshi Uenaka
 text : Toshiko Taguchi

1993SS

1984-'85 AW

1984-'85 AW

1984-'85 AW

1984-'85 AW

1984-'85 AW

1985-'86 AW

1985-'86 AW

1985-'86 AW

1985-'86 AW

1986 SS

1986-'87 AW

1986-'87 AW

1986-'87 AW

1986-'87 AW

1987 SS

1987-'88 AW

1987-'88 AW

1987-'88 AW

1988 SS

1988 SS

1984-’85 AW

1985 SS

1985 SS

1985 SS

1985 SS

1986 SS

1986 SS

1986 SS

1986 SS

1986-’87 AW

1987 SS

1987 SS

1987 SS

1987-’88 AW

1987-’88 AW

1988 SS

1988-’89 AW

1988-’89 AW

1988-’89 AW

1988-’89 AW

1987 SS

1987 SS

1989 SS

1989 SS

1989 SS

1989 SS

1989-'90 AW

1990 SS

1990 SS

1990-'91 AW

1990-'91 AW

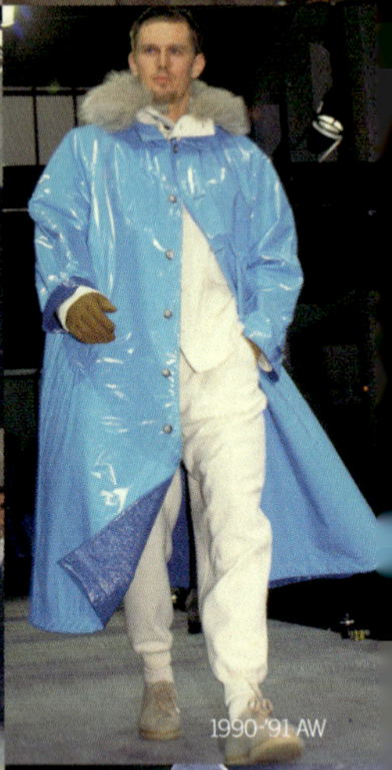
1990-'91 AW

1991-'92 AW

1991-'92 AW

1992 SS

1992 SS

992

1993 SS

1993 SS

1993 SS

1993 SS

1993 SS

1989-'90 AW

1989-'90 AW

1989-'90 A

1990 SS

1990 SS

1991 SS

1991 SS

1991 SS

1991-'92 AW

1991-'92 AW

1992-'93 AW

1992-'93 AW

1992-'93 AW

1992-'93 AW

1993 SS

1993-'94 AW

1993-'94 AW

1994-'95 AW

1994 SS

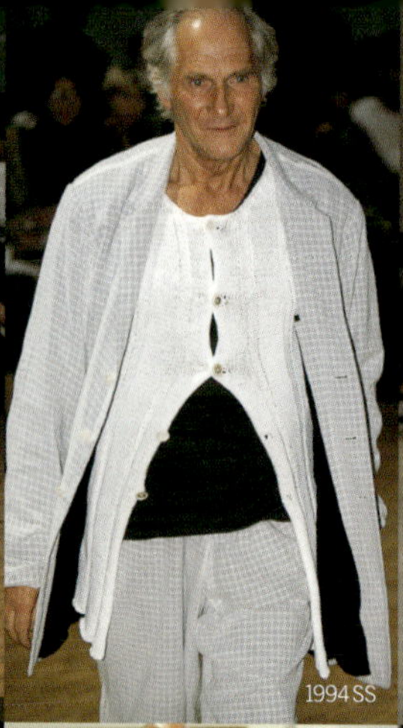

1994 SS

1994 SS

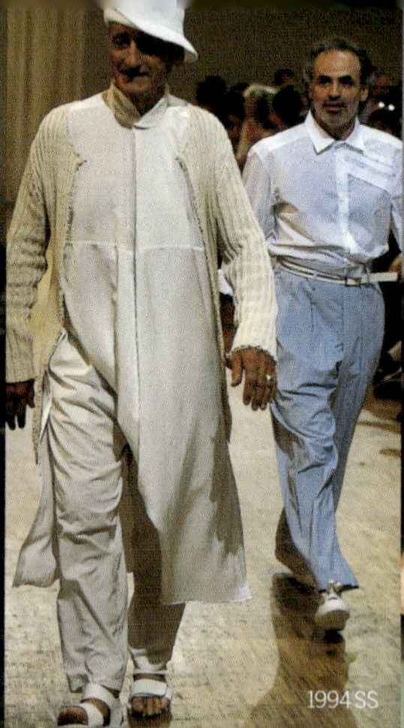

1994 SS

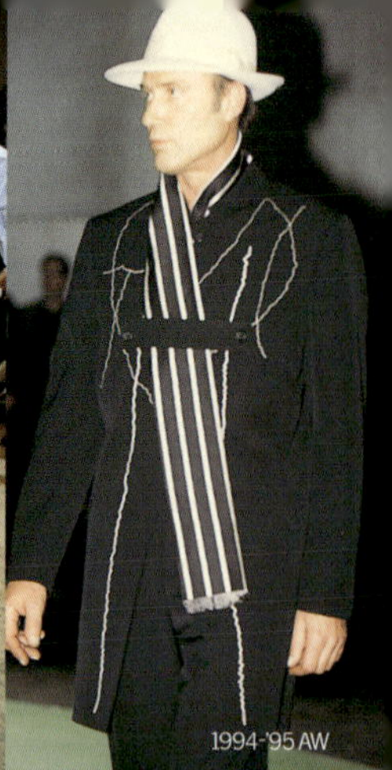

1994-'95 AW

1995 SS

1995 SS

1995 SS

1995 SS

199[illegible]

1996 SS

1996 SS

1996 SS

1996-'97 AW

1996-'97 AW

1997 SS

1997 SS

1997 SS

1997 SS

1997-'98 AW

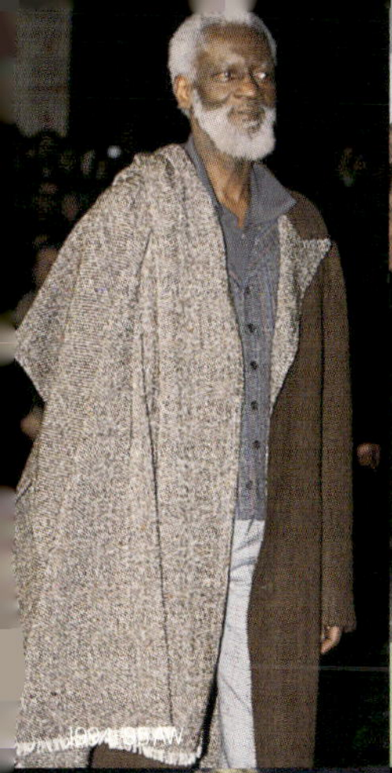
1994-'95 AW

1994-'95 AW

1994-'95 AW

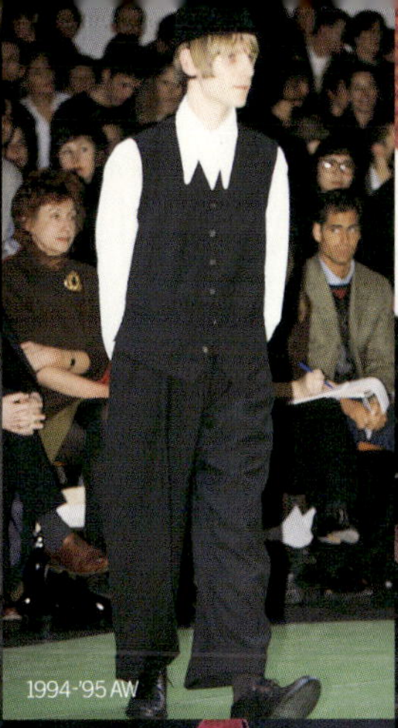
1994-'95 AW

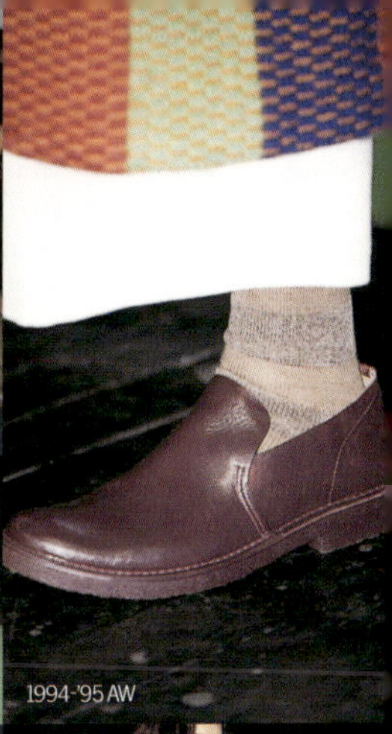
1994-'95 AW

1995-'96 AW

1995-'96 AW

1995-'96 AW

1995-'96 AW

1996 SS

1996-'97 AW

1996-'97 AW

1996-'97 AW

1996-'97 AW

1997 SS

1997-'98 AW

1997-'98 AW

1997-'98 AW

1997-'98 AW

1997-'98 AW

1998SS

1998 SS

1998 SS

1998 SS

1998 SS

1998 SS

1998-'99 AW

1998-'99 AW

1998-'99 AW

1998-'99 AW

1998-'99 AW

1999-2000 AW

1999-2000 AW
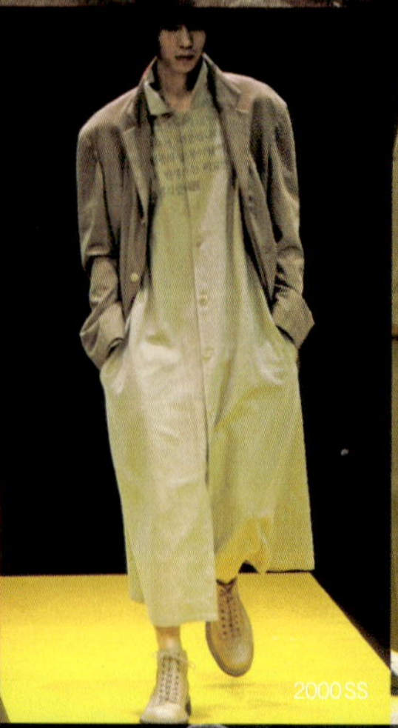
2000 SS

2000 SS

2000 SS

2001 SS

2001 SS

2001 SS

2001 SS

2001-'02 AW

1998 SS

1998 SS

1998 SS

1998-'99 AW

1998-'99 AW

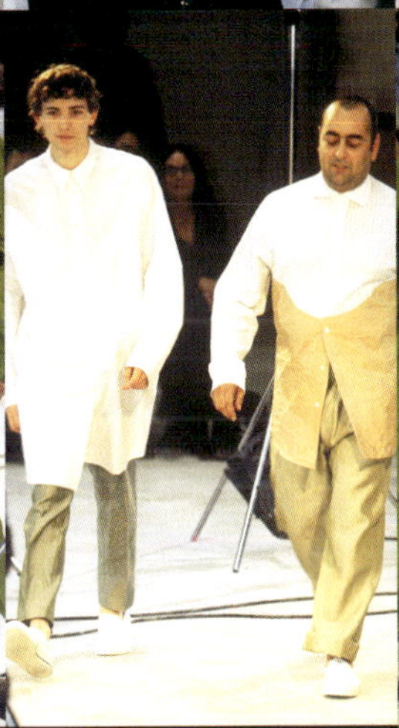

1999 SS

1999-2000 AW

1999-2000 AW

2000 SS

2000-'01

2000-'01 AW

2001-'02 AW

2001-'02 AW

2001-'02 AW

2001-'02 AW

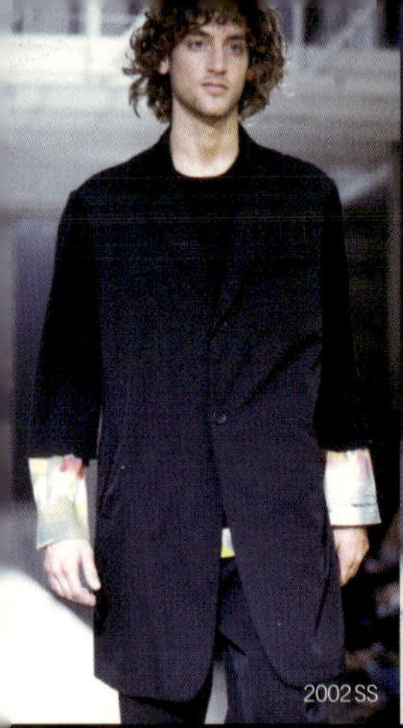
2002 SS

2002 SS

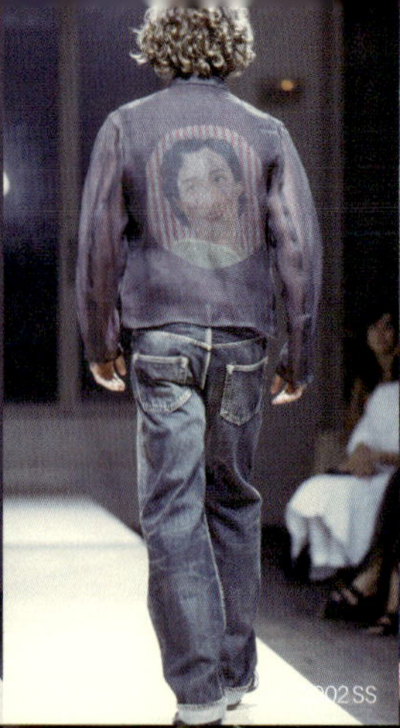
2002 SS

2002 SS

2003 SS

2003 SS

2004 SS

2004 SS

2004 SS

2004 SS

2004 SS

2005 SS

2005 SS

2005 SS

2005 SS

2005-'06 AW

2002-'03 AW
2002-'03 AW
2002-'03 AW
2002-'03 AW
2002-'03 AW
2003-'04 AW
2004-'05 AW
2005-'06 AW
2005-'06 AW
2005-'06 AW
2005-'06 AW
2005-'06 AW

2006SS
2006SS
2006SS
2006SS
2006-'07AW
2006-'07AW
2007SS
2007SS
2007SS
2007-'08AW
2008SS
2008SS
2008-'09AW
2008-'09AW
2009SS

2006SS
2006-'07AW
2006-'07AW
2006-'07AW
2007SS
2007-'08AW
2007-'08AW
2008SS
2008SS
2008-'09AW
2008-'09AW
2008-'09AW
2009SS
CUT
2009SS

2009-'10 AW
2009-'10 AW
2009-'10 AW
2009-'10 AW
2010 SS
2011 SS
2011 SS
2011 SS
2011 SS
2011 SS
2012 SS
2012 SS
2012 SS
2012 SS
2013-'14 AW
2013-'14 AW
2013-'14 AW
2013-'14 AW
2013-'14 AW

2010SS
2010SS
2010-'11 AW
2010-'11 AW
2010-'11 AW
2011-'12 AW
2011-'12 AW
2011-'12 AW
2011-'12 AW
2011-'12 AW
AW
2013SS
2013SS
2013SS
2014SS
2014SS

Critic, Homage & Interview to

山本耀司へ。クリティック、オマージュ、インタビューetc.。

1981年にパリ・コレクションでデビューして以来、世界中の雑誌や新聞がヨウジヤマモトの記事を掲載してきた。
当初は即日のコレクション評が中心。だが回を重ねるごとに、記事は山本のクリエーションへの“個人論”が増え、
書き手も記者や編集者に加えて、哲学者、キュレーター、美術家といった異分野の職業の人々が参入。
それは山本耀司の作る服が、一過性のトレンドではないものとして、見る人に感銘を与え、深い共感を呼んだことの証だろう。
ここでは、'80年代から雑誌に掲載してきた、30人を超える各界の執筆者による“ヨウジ論”の中から、6人の執筆者の声を集めた。

text : Toshiko Taguchi

美しさの勝利。パリ・コレクションで起こった風。

From Tokyo　1994

今井啓子 text : Keiko Imai

どんなに多くのコレクションを見ても、その美しさで深いため息をつかせるのは、本当に一握りのデザイナーたちに限られている。今シーズンの中では、山本耀司のコレクションが最も印象の深いものであった。

コレクションと同時に矢野顕子の歌が入って、彼女の音域の広さと音質の奇抜さ、底抜けのオプティミズムが、デザイナーそのものをシンボライズしているかのようにダブって感じられたのは、私一人だけではなかろう。

パリの会場は、ソルボンヌの講堂であった。その広さと内部のクラシックなデコレーションもぴったりしていた。特に心に残ったのが、一連のきものの後の、“Die Forelle”(シューベルトの歌曲「ます」)の音色にのって現われた紺のテーラードのシーンである。それは自然に肩から細長く下方に続くのびやかなフルシルエットのテーラリングの数々であった。そのバリエーションで構成されたフェミニンで清潔なイメージの女性たちの一群が動く。彼女たちのそのしなやかな細身のボディのナチュラルで優美な動きが、一歩ごとにまるで波の上を歩くかのように見ている人々の心に波紋を描かせた。ソフト帽が大学のコメンスメント(卒業式)の女子大生を彷彿させ、そして空気をはらんだジャポニスムの彩りを裾にあしらったコートが、カレッジガウンのように感じられた。それらが次々と出てきた時は、いつもは何か不気味に感じられるカメラマンの席から、思いがけずに美しい多重唱が自然にわいてきて、会場全体を包み込み、いる人すべての心にしみ込んで、すがすがしい雰囲気に結実した。こんなことは、長いキャリアの中でも最初の経験であった。

コレクション評を読んでいると、今シーズンは、“モードのジャポニスム”が目立ったとある。そうなのかもしれない。どこの国のクリエーターでもパリで発表できる中で、他の国の特色よりも、日本風が多かったと言って言えないこともないのだろう。しかし、フランス以外の国々のナショナリティを持つデザイナーたちが、どこかに自分の根元を、つまりデザインの源を自国に持つのは当然のことである。その上でいったいどんなデザイン表現をしたか、その技術の具合はいかなるものか、という段階に進むほうが筋が通っているように思える。そんな視点で山本耀司を見てみると、ラインが明確になってくる。

彼との出会いは'70年代のころ。インタビューに答えてくれた時のひと言が、私に彼の活動のすべてを了解させた。それは、「僕は村の仕立屋です」という表現だった。

「村には村の成立ちがあって、村の人々の役目がそれぞれある。生き生きと動き続ける村人のために、お互い共存して働き続けるはずです——。そんなコミュニティのための手の入った思いの入った服が作りたい——」といったことだった。そしてその彼は今やパリの舞台に集まる人々が思わず息をのむほどの“仕立屋”の冴えを見せてくれている。

どうしてそんなにすばらしいのだろうか。それはまず、彼がすでにインターナショナルな感覚派として、西洋服のテーラリングの服作りの歴史をマスターしてしまって、より自由にそのテクニックを駆使して見せることができているからだろう。

西洋服の基本は、まず“ボディ意識”に始まり、“ボディ”に終わっていると言っても言い過ぎではない。西洋と日本という軸を対にとってみると、山本耀司のポジショニングはその中央にあると言ってもいいだろう。日本側に基点を置くモードのジャポニスム論争からは、本当はかなり遠いのではないかとさえ思ってしまう。

確かに、彼が用意した“重ねニット”には、薔薇色、藍鉄、藍色鳩羽《はとば》、古代紫、茜色、代赭《たいしゃ》色、璃寛茶《りかんちゃ》、薄瓶覗《うすかめのぞき》——浅葱《あさぎ》色、栗梅茶、山藍摺《やまあいずり》——青摺、白緑、濃紫褐色、杏色など日本の伝統色が用いられている。この学習態度は色名だけ並べてもすばらしい。日本人として、この宝の山を自分のものとしたわけだから。

思い出してみると前回のコレクションもよかった。ウィーン風の官能的な音楽は今でもまざまざと思い出すことができるし、'91-'92秋冬の木でくくったピノキオ風のおかしなおかしなコレクションも楽しい思い出として残っている。しかし今回のコレクションは、インターナショナルな立場でのボディテーラリングに色彩を加えたことで、これほどの深さが与えられる、やはり出色なのではなかろうか。毎回、山本耀司のコレクションを見続けてきた目にとっても、こんなすばらしい出来事は正直言って久しぶりのことかもしれない。

Keiko Imai

1960年文化出版局入社、『ハイファッション』の編集部を経て、髙島屋のファッションコーディネーターに。その後、ニューヨーク大学大学院で学び、'85年から資生堂で商品開発に従事。企業文化部ファッションディレクター、ザ・ギンザの取締役を務めた。'99年、ユニバーサルファッション協会を立ち上げ、2001年、湘南くらしのUD商品研究室(SUDI)を設立。'03年、毎日ファッション大賞鯨岡阿美子賞を受賞。著書に『ファッションのチカラ』(ちくまプリマー新書)など

Yohji Yamamoto

写真は、ヨウジヤマモト1994-'95秋冬の、パリに続いて東京で開催されたコレクション。
きものを主題にしながら、和と洋の境界線を軽々と超えた作品群は新しく、感動的に美しい
photograph : Bruno Dayan / August 1994 **high fashion** 213

僕が、今、どうしてきものを作るのか。山本耀司にきく。 From Paris 1994

深井晃子 interview : Akiko Fukai

深井 今回のパリ・コレクション、すごくすてきでしたね。なぜ今きものを、あのようにすばらしく変身させようと思ったのかを、今日はどうしてもお伺いしたかったのです。
山本 きものはずっと自分がタブーにしてきたものではあるんです。要するに日本のデザイナーが日本のきものをお土産のように持っていって、何か仕事をするのは恥ずかしいなという思いが最初からありましたから、自分は絶対やらないと思っていました。でももう12、13年パリ・コレクションを続けていてモード・ジャポネの代表選手みたいにいわれているけれど、何がおもしろがられて、何が嫌われているかというのも、実のところ本人にはよくわからない。世の中に発表すると、作ったときの自分の気持ちと違うふうに受け取られるのが通例ですよね。

そういう中で、実は素材がきっかけだったんです。洋服の地、つまり広幅の生地で何を縫っても、何を触っても、もうやってみたことだらけで、素材を見ていてもあくびが出ちゃう。今回、きもの地がおもしろそうだなと思ってみると、今まで僕らの価値観になかった作り方をしていることに気づきました。きもの地は生地として完成されていますから、カットしちゃいけない。一つの完成品がそこにあって、その直線の幅のものをただつなげて、体をラップする。つまり着つけるわけですね。ですから僕らの仕事としてはあまり立ち入るすきがないと思っていたので、僕はきものというのは嫌いだったんです。でも単に素材そのものとして見はじめたらば、やはりすごく力強いというのか、生命力がすごい。そんなところから、きもの地を使ってみたいと思ったわけです。
深井 なるほど。幅広ではない、きもの地の幅にひかれたのですね。
山本 いちばんおもしろかったのは、きもの地の幅が37センチという限定された世界。37センチという幅が持っている独特の面積、それの繰返しのおもしろさです。2回繰り返すとこうなる、3回繰り返すとこうなる。中心から繰り返す場合、ちょっとずらして繰り返す場合、というふうに……。洋服地では、こんなこと考えませんからね。
深井 よく建築の人が言っていますけれども、何もない、ただ広い土地で、なんでもやりなさいと言われると、かえって逆に難しいと……。
山本 条件がいっぱいあったほうが……。
深井 すてきなものができる場合がある。

男と女の服をうまくフュージョンさせる

山本 もちろんその前提には、長いこと持っていた夢みたいなものがありました。僕はきものをやろうと思ったときに、スタッフには今回は坂本龍馬でいくと言ったんです。それは、はかまをはいてブーツを履くとか、わかりやすくいうと、イスラム系の人たちが、伝統衣装と西洋のジャケットなんかを交ぜて、現実に生かしている、とっても斬新な着方。あの直接的な交ぜ方はすごくかわいいし、ああいうことを日本のきものにおいても何かできないかな、と。坂本龍馬に代表されるように、明治維新のころの日本人は、みんなきものと洋服を交ぜて着ているでしょう。そんなしゃれ方に近いことをやろうかな、と考えました。
深井 よくわかります。だから、今度のショーを見ていても、決して女の人のきものじゃない感じがしました。男のきものと女の服をとてもうまくフュージョンさせている。それをテーマになさっているかどうかわかりませんが。
山本 やっぱりきもの地を見ていて、すごく派手やかな友禅以外は、どうしても男が着そうなもののほうが好きになってしまって。
深井 ちょっとじじむさいのが逆にいい。きれいですよね。柄があるのかないのか、わからない男のきもの。今回展覧会（編集部注：「モードのジャポニスム展」）に出すヨウジヤマモトの服は、'83年の穴のあいた服、もう一つは、'93-'94秋冬のもの。真ん中にきれいなドレープがすーっと通っている服です。きもののような感じのドレープが、ものすごくうまくできているというのが私の見方なんです。たぶんサージだと思います。サージという生地は、もともと女の服の生地ではなかったから、男の人と女の人の服を交ぜ合わせる素材だと思う。

きものはラッピングだから一人一人ニュアンスが変わる

深井 きものの特徴として、そのほか何に注目します？
山本 今回きものに正式に取り組んでみて、初めてわかったのが、きものの着方というのは、つまりラッピングだから、一人一人全部着方が違うこと。テーラードと全然違う。でき上がった、完成されたフォルムの中に体を入れるのではなくて、自分の体に一枚ずつ順番にのっけていくので、毎日違ったものになる。要するにコンディションが流動的で、クリエーティブである。すごく流体だということが今回わかって、おもしろかった。
深井 でも、今の日本人はきものをゆるやかな衣服とは考えていないようですね。
山本 きものの専門の会社で聞いた話ですが、昔の人はきものを腰ひも一本で着て、それで例えば台所でも仕事をしてしまう。しかし戦後、だんだん盛装に着替えられて、今のきものの着つけ教室みたいになってしまった。まるでプラモデルを作るように、約束事で組み立てていく。それが伝統のきものだというふうに一般的に思われていますが、あれは醜態だと思う。日常にちゃんと着こなしてきたおばあちゃんの話を聞いたりして、うーんと思った。
深井 だから、着方が個人個人ですごくニュアンスが出せる。上手な人はとても上手に着られるけれども……。
山本 下手はどうしても下手ですね。
深井 そこにも、今みんながきものを着なくなった理由が、ちょっとぐらいあるかしら。
山本 それはだいぶあると思います。ただ、僕はきものが従来行なわれていた形で残るべきだとは全然思わない。それはきものが現代生活の道具として洋服に負けたといいますか、負けるべきものだったと思いますね。例えば今回のショーで僕も使ってみましたが友禅のように、一反描いてもらうのに、ものすごい手間がかかる。普通の人が一生働いても買えない値段になってしまうものは滅んでしまうでしょう。それを現代の手法で作ることが可能なもので、なおかつ現代の目がそれを美しいと思うものを作れないかと。
深井 私も例えば、18世紀のヨーロッパの衣装をいろいろと集めて、展覧会として見せながら気づいたのですが、きものが洋服にどんどん負けている理由というのは、変わっていないからだと思うんです。18世紀くらいのままずっと、勝手に伝統だと決めつけて、変えようとしていないから、生き残っていけないのかなと。

なんと言われようと、今までにない僕たちの服を作るんだと思っていた

山本 僕らが東京でプレタポルテを始めた'80年代の初め、洋服とか、きものとか、なんといわれようと僕たちの服を作るんだと思っていた。今までにない、新しい服を作るんだという言い方を意識的にしていましたけど、その意識の中には、西洋の歴史の延長線上にない、何か昔からあった根源的な流れの中、極東で独特に育ったおれたちが感じている何かを現代服として形にしたいと考えていました。
深井 そう、まさに日本のデザイナーたちが送り出しているものというのはきものじゃない。でも洋服というのともまたちょっと違う。今回、京都で開催するジャポニスム展の最終のパートを、現代の日本人デザイナーが発信している新しい服として組立てたんです。100年前のジャポニスムを超越した新しい流れをというか、境界線を越えてというふうなテーマにしましたが、実はそこがいちばんしたかったところなんです。
山本 こういう風俗文化に類するものは、例えば19世紀末から20世紀初頭のアール・ヌーボーの時代に、きものの影響を西洋の人たちが存分に取り入れて、新しい

写真は、1994-'95秋冬パリ・コレクションより。
上は、ワークブーツを合わせたコーディネートが新鮮。
下は、裏地に友禅を使ったキモノコート

芸術様式を作ったように、輸入する側のほうがいいものを作ってしまうということがある。僕が今回参考にしたのもアール・ヌーボーでした。きものを手がけるにあたって、ここだけは行き着かねばならないと思ったのがアール・ヌーボーのレベルでした。間違ってもお土産に到着するのだけは嫌だと思っていました。このままほうっておけば、賢三さん以来やってきた新しい服としての僕らの仕事を、西洋の人が彼らのものとして、日本人より上手に取り入れるんじゃないかというおそれはあります。日本人が西洋のものをとにかく取り入れようと汲々としている間に。日本の生活文化も含めてその辺をあんまり人にまかせておけないという気にはなった。

深井　頼もしい。

山本　そんなに僕らをモード・ジャポネと言いたいのか。じゃ、やってみようか、もうできるかもしれない。今までは僕、できないと思っていたんです。やったらひどい目にあう。でも今回は、やってひどい目にあおうが何しようが、もういいやと、そういう心境なんですよ。だって、日本人デザイナー、モード・ジャポネと言われ続ける人が、あえてまたきものを題材に取り上げて、ひどいショーをやったならば、もっと恥ずかしい。割り切れなさが残っているうちは、できなかったですね。でももうかまわない。

日本と西欧の完成という感覚の違い

深井　だけど、決して恥ずかしくないどころか、すばらしいショーだったから、よかったじゃありませんか。

山本　なんだか、やっていて最後までわからなかったけれど、リハーサルで少しわかったね。リハーサルで、あれ、何か風が吹いているなと初めて見つけた点もあってその方向でショーをやりました。

深井　どういう風が吹き込みましたか。

山本　ややこしいやつ。

深井　私がいちばんすてきだなと思ったのは、裾がものすごくフィットした部分と、それから風にそよいでいる部分とのコントラストと、バランスでした。それから、後ろにドレープが寄るようにきもの地を横地に張っているものがありましたね。普通は縦に使ってあのドレープを出すわけでしょう?

山本　難しかったです。アトリエでスタッフに、きもの地は縦に使うけれど、横で作ってみようというテーマを言ったときに、あれを作れた子は一人だけだった。やっぱりたて糸というものを前提として作ろうとしているシルエットがありますでしょう、おちというんですか。それに逆らってよこ糸で作るには、たて糸の力がこう張っていますから、流れにくいし、絡んじゃう。

深井　きれいな形に作って、それがまた動くと揺れるのがいいですよね。たもとや裾も揺れる。私が日本人だからかもしれませんが、かちっとした服の中に入るのは嫌なんですね。ニュアンスが少しも感じられないような気がして、それでふらふらするような服が好きなんです。日本のデザイナーの人はそういう服を作るのが上手ですね。

山本　西欧とは完成という感覚が違うのでしょうね。何かどこかで崩れていたり、間があったり、それを揺らぎだとか、間だとかというふうにしゃれていうんでしょうけど、西欧の人とはそういう感覚の違いって、議論にならないですね。

深井　話が行き違っちゃう。

山本　そうです。それを何か精神論みたいにいわれても困るし。ところが、そのへんの文化の違いについてわかっている人はみんなわかっている。説明しなくてもね。

深井　展覧会というのは、古いものを見るだけでは意味がないと思いませんか。過去を現代に、そして未来につなげていくためのものです。見る人によってそんなヒントになればと思っています。耀司さんの最新のコレクションからの作品を今回出品できて、とてもビビッドな内容になりそうです。どうもありがとうございました。（3月9日 パリにて）

Akiko Fukai
京都服飾文化研究財団（KCI）チーフキュレーター。世界有数のKCI衣装コレクションを構築し、成果を「モードのジャポニスム」「身体の夢」などの展覧会にまとめ、内外で高い評価を得た。『20世紀モードの軌跡』（文化出版局）、『ファッションの世紀』（平凡社）など著書多数。ロンドン、ミュンヘン、東京都現代美術館「Future Beauty 日本ファッションの未来性」展に続き、2014年京都国立近代美術館で「Future Beauty 日本ファッション：不連続の連続」展を開催

1999 S/S ©Yohji Yamamoto inc.

私がヨウジの服を好きな理由。

From Milan 1999

フランカ・ソッツァーニ Franca Sozzani / text : Miyuki Yajima

ヨウジヤマモトのコレクションは、'81年から現在まで継続して見ています。パリでは、そのころは、まだ展示会をしていなかったと思います。セバストポール通りにある建物の最上階の一室で販売が行なわれていました。あるブティックの経営者に勧められて、そこへ見に行ったのです。その時には、レインコートなどを買いました。

初めてヨウジの服に袖を通したときの印象は、今でもよく覚えています。〝変わった感じ〟がしましたね。服の構造が他と全く異なるので、服に手を通したときの感じが、それまでの経験とは違っていました。あの時の不思議な驚きは今もなお記憶に残っています。

翌'82年に、当時編集長をしていた、やはりコンデナスト社の『Lei』で、日本人デザイナーの特集を組みました。覚えていますか。〝日の丸〟が表紙になっていた号です。

服の伝統であろうとなかろうと、天才デザイナーは、どの国からも生まれえます。ヨウジの服づくりの発想は、日本の方法ではないでしょう。キモノシリーズもありますが、大方は西洋のオートクチュールのほうにより近い存在だと思います。ただ、西洋のデザイナーと違うのは、カットです。テキスタイルのリサーチも違っています。

ヨウジは、川久保玲やイッセイミヤケとともに服を作る手法をすっかり変えてしまったのです。ショーのあり方、カット、ルック、テキスタイル、すべての要素において。これまでの西洋の服装史の流れの中で、最も重要な革命を引き起こしたといえましょう。

中でもヨウジの服は、たいへんアイロニーに富んでいます。心の底から楽しんで服を作っていることがうかがわれます。そこが、私がヨウジを好きな理由なのです。その楽しみのセンスに富むことを、私たちはアイロニーに富むといいます。

彼はあらゆるタイプの服を作ることができるでしょう。オートクチュールの一点としての服も作りうるでしょう。ところが、彼はそこに大いなるアイロニーを込めるのです。と、とたんにモダン極まりない服になる。人は〝アイロニー〟にあまり重点を置かないかもしれませんが、〝アイロニー〟こそは、あらゆるものをモダンにする鍵なのです。

ヨウジが、アイロニーなしで、真っ向からまじめにコレクションに取り組んでしまったら、彼のショーは即座に舞台衣装になってしまうでしょう。〝アイロニー〟の力は避けることができません。〝アイロニカルである〟というのは、インテリジェンスのあらわれです。

今回のコレクション('99春夏)もすばらしかった。まるで夢を見ているようでした。全く予想もつかないような内容でしたね。

過去に今回のヨウジのような服の見せ方をしたデザイナーは、一人としていませんでした。アート、テアトロ、音楽、詩、情熱、歴史、技術等、すべてがありました。

人はよく、「美しいけれど着られない」と言ったりします。でも、今回のヨウジの非凡さは、一枚ずつ脱いでいく服のすべてが、それぞれ着られるものなのです。売れる商品であり、同時に夢の世界のように型破りでエキセントリックなんです。実に贅沢極まりないコレクションでした。

服はほうっておくとたまる一方なので、時折処分するのです。でも、ヨウジの服は、コム デ ギャルソンやアライア、ゴルチエ、そしてサンローランの服とともに、一点も捨てることなく、全部保管しています。だから、ヨウジの服はたくさん持っているのです。写真を撮るのですか。それでは、最も鮮やかな色、黒のヨウジを着ましょう。(談)

ファッションを変えた人。

From Milan 2002

カルラ・ソッツァーニ

Carla Sozzani / text : Miyuki Yajima

「ヨウジと一緒に本を作っているのよ」と、カルラ・ソッツァーニが教えてくれたのは、1年くらい前のことだった。20年来の友人だという。

2年前に山本耀司氏本人から本作りの依頼があったとのこと。彼も参加しての共同作業なので、企画は順調に進んでいるそうだ。「ヨウジはとても明朗でかげりがないし、ともかくすてきな人ですもの。一緒に仕事をするのが楽しくないはずがないでしょ。この仕事には満足しているわ」コンセプトもアートディレクションもビジュアル素材の選択もグラフィックも、ヨウジの意見を入れながら、カルラの手で進められている。

この本を通じて人々に伝えたかったのは、ヨウジヤマモトの女性像だ、とカルラは言う。「本に取り組んでみて、まさに私が想像していたとおりの女性であったことを確認したわ。背中の見せ方や首から肩にかけてのシルエットを見ればわかるとおり、ヨウジの女性像は、ロマンティックで開放的で官能的でしょ。常に女性に尊厳を払う男性なのだと思うわ。ヨウジのその部分に、特に私はひかれるのよ」

「初めてヨウジの服を手に入れたのは'82年のことだったのを覚えているわ。黒のギャバジンの、オーバーサイズの一種のダストコートだったわ。彼はギャバジンを扱うのが、実に上手だわね。今もまだ持っているわ。ヨウジの服は、コム デ ギャルソンの服とともに、私の服の着方をすっかり変えてしまったの。服装に対する見方だけではなくて、女性らしさの表現の内容を変えられてしまったのよ。それまでは、ハイヒールを履くのはほぼ義務だったし、狂気じみた一連の層になった構造を突き抜けないことには女性でありえなかったのよ。ヨウジは他の方法でも女性でありうる、しかもとても女性らしい女性でありうることを説明してくれたのだと思うわ。体にしっかりと密着した西洋の服のあり方が、当然のことながらヨーロッパではあたりまえだった。服は一種のよろいとみなされていたのよ。それに対して誰一人としても疑いも持たずにいたところに、全く予測もしないような提案をされて一挙に驚いた、といった状態だったと思う」

西洋だけではない。女性の服はつまるところ、男のためのものだった。西洋においては女性の服は、伝統的に女性の身体のフォルムを通じて女の性を誇示する存在だった。今もなおその延長にある。日本のきものは、逆に身体の形を隠すように作用する。ヨウジの服は、そういう伝統の延長にある服として生まれてきた、とみなしてよかろう。日本の女性の体形の特徴をおおう服のデザインとして生まれたと。

そのアシメトリーなフォルムやデコントラクテなフォルムなど西洋の伝統上にある美意識とは全く異なったこれら二つのコレクションは、'80年代にパリ経由で西洋に渡るやいなや西洋人に大きな衝撃を与えた。身体のフォルムで着る服ではなかったからである。外からの可視的なフォルムではなく、不可視的な内面のフォルムがヨウジの服に向かわせる、ヨウジの服を選ばせるのであること。それが、カルラをも含めて西洋人にとって新しかったのだろう。それでいて「ヨウジの服は着る者の官能性を最大に引き出すわね」と、『イタリア・ヴォーグ』のフランカ・ソッツァーニに言わしめるほどに、芳しい服なのである。身体のフォルムに依存せずに「官能を女性から引き出しうる」という服のあり方の新しさだったのだと思う。「そうね。だから、ヨウジの提案するコレクションが日本をテーマにしていてもいなくても、私たちに与える感動は同じ。それ自体は関係がないのよ」

カルラの経営する店「ディエチ コルソ コモ」でヨウジヤマモトの服を購入するのは、いつも同じタイプの人々だという。

「年齢とは無関係に、成熟していて、どうあるかについて深い意識を持っていて、何が自分には似合うのか、何が自分をきれいに見せるのかを知っていて、何が新しいのかがわかる、そういう女性だと思う。ヨウジヤマモトはひと言で言えば、ファッションを変えた人、でしょう」

Yohji Yamamoto 1988-'89 A/W Catalog
photograph : Nick Knight / cooperation : Yohji Yamamoto inc.

Yohji Yamamoto 1997 S/S Catalog
photograph : Paolo Roversi / cooperation : Yohji Yamamoto inc.

Franca Sozzani

イタリア・マントヴァ生れ。大学を卒業後、『ヴォーグ・バンビーニ』の編集を手がけ、のちにコンデナスト社発行の『Lei』の編集長に就任。1988年からイタリア版『ヴォーグ』の編集長。独自の編集哲学のもと、スティーブン・マイゼルなどの写真家を起用したビジュアル、先鋭的なレイアウトで、世界を代表するファッション誌を構築する。2011年、国連のキャンペーン「Fashion 4 Development initiative」の親善大使に就任。'12年、フランス芸術文化勲章のシュヴァリエを受章

Carla Sozzani

イタリア・マントヴァに生まれ、ミラノで教育を受ける。幼少時より父親に連れられ教会建築などを見て回るなど美意識が磨かれた。雑誌の編集歴が長く、イタリア版『エル』の編集長を務めたのち退任。1990年、イタリア初のセレクトショップ、ディエチ コルソ コモをミラノにオープン。このテキスト掲載後の2002年、比類なく美しくハイレベルな限定版の書籍、『Talking to Myself』を山本耀司と共同編集、Carla Sozzani Editore srlとヨウジヤマモトより共同刊行した

批評としてのモード――山本耀司という様式。

成実弘至 text : Hiroshi Narumi

'94年「キモノ」コレクション

私が初めてヨウジヤマモトのコレクションを見たのは、'94年冬のことである。会場は東京・品川の倉庫だった。

そこで私が目にしたのは、それまで山本耀司と結びつけて語られてきたいかなるイメージとも異なる風景であった。矢野顕子の歌う唱歌をBGMにキャットウォークに登場したのは、日本の着物の帯や袖、鮮やかな和柄をモチーフにしたドレスだったのだ。

確かに当時のモードは、トレンドがアジアへと向かっていた時期である。パリ・コレクションにも明らかなジャポニスム志向が見られた。しかし、山本は既存の文化や伝統を破壊する前衛デザイナーのはずではなかったか。しかも、これまで安易な流行やエキゾティックな「日本」の表象から一貫して遠い場所に身を置いてきたはずではなかったか。そんな考えが頭を横切り、私は戸惑いや疑念さえも感じていた。

しかしショーの進行とともに、この当惑はすぐに消え去った。私が目撃したものは、心地よい等身大の日常性に開き直ろうとするファッションの状況を、トレンドであるキモノをあえて選択することで鋭く批判しようとする知性であり、しかもそこから絶対的な美学をつかみだそうという絶望的な試みに賭ける意志にほかならなかった。私の知るかぎり、これほど鋭く、孤独に社会を批評していたのは、ファッションにかぎらずあらゆる文化を見渡してもほんの数人の作家しかいなかった。そのとき私はモード史上における事件の生成に立ち会っているという圧倒的な衝撃に、言葉も出ないくらい打ちのめされたのである。

ここで「キモノ」コレクションをことさらに特権化したいわけではない。おそらくヨウジのコレクションは毎回そのような事件性をはらんでいるのだろうし、その一つにたまたま遭遇したということだろう。

ヨウジヤマモトのコレクションの変遷をたどると、山本が時代と格闘しながら、一つのユニークな様式をつくり出してきたことが見てとれる。そのスタイルに込められている山本の思想とはどのようなものなのだろうか。

社会批評としてのモード

山本耀司にとってモードとは、自分の生きた時代と社会への批評にほかならない。したがって彼が社会とどう対峙してきたかが、デザイン思想を知るにはとても重要なこととなる。その展開を見るために、とりあえず三つの時期に分けて、考えていくことにしたい。

第一期は、山本がデザイナーとして活動を始めた'70年代から、パリに進出して前衛派として評価を受ける'80年代半ばまでの時期である。この時期のテーマは、西洋モードの身体造形や規則を壊すことであり、「働く女たち」へとエールを送ることだった。

'43年東京に生まれた山本は、慶應大学法学部を経て、文化服装学院でデザインを学んだ後、ファッションビジネスへと向かう。彼に最も大きな影響を与えた女性は、新宿で洋裁店をきりもりし、女手一つで彼を育てた母親であった。深夜、ふとかいま見た針を手に働く母の姿が、山本の理想とする、背筋を伸ばして社会と向き合う女性像の原型なのである。だから彼は、女性を苦しめてきた男性社会を心から憎むし、安定とひきかえに自由を放棄する女性もまた嫌う。

女性を装飾の対象とみなすモードの美学と、女性を家庭へと閉じこめる社会のシステムは、もとをたどれば19世紀西洋ブルジョワ社会にゆきつく。西洋モードの造形をいかに崩し、その価値観を脱臼させるか、山本の批評はまずそこへ向かった。同時にそれは欧米文化の優越を盲信する日本人に対する挑戦でもある。アシメトリー、直線裁ち、ビッグサイズ、ローカルな素材といった意匠は、西洋に対するアンチテーゼである以上に、欧米と無自覚に一体化しようとする日本ファッションの現状に対する批判なのだ。欧米のジャーナリストから「モード・ジャポネ」などと呼ばれたとき、その内心は忸怩たるものがあったろう。

今から見ると、この時期の山本のシルエットはいかにも饒舌である。布に縫い込まれた意味性が声高に主張しているような印象さえ受ける。しかしそれは、あえて多様な意味を重ねることによって、既成の構築的なモードを攪乱せんとする、戦略的な饒舌さであることはいうまでもない。

モダニズムを超えて

第二期は、パリを舞台に世界中に支持者を広げていった'80年代後半から'90年前半まで。この時期、山本はモダニズムに対する内在的な批判へと軸足を移していく。

'82年以降のパリ・コレでの成功は、新たなステージを拓いた。すなわち国境を越えた理解者と共感者の広がりであり、それは日本国内でのワイズの評価を確立することにつながる。しかしその一方、'80年代DCブームは山本ら前衛派デザイナーをものみ込み、そのデザインが生み出された文脈や意図が忘却されたまま、大量に模倣・複製されていく。バブルに狂騒する日本の中に布をまとわせるべき女性を見失った山本は、女性の身体の美しさよりグローバルな視点から再構築することに向かっていったのだ。

ポストモダン文化は、すべての意匠を記号として流用するという「なんでもあり」状況のことである。それは既成の権威、伝統、歴史からの解放という自由をもたらしたが、価値の相対化が自堕落なトレンドへの迎合につながっていく事態となる。山本もその一部であった前衛も一つの記号として消費され、反抗は予定調和な物語として馴致された。

しかし山本はこうした風潮に反発する。彼が試みたのは、女性のシルエットの絶対的なバランスを求めて、近代モードを再考することであった。彼は近代服の原型をテーラードスーツに見定める。テーラードスーツは、活動性や機能性を保ちつつ身体を明確に構築するという意味で、モダニズムの原点そのものだからだ。それを選択することは、ポストモダン相対主義の風潮の中で、反時代的な実践といっていいだろう。こうして山本は、西洋的身体のシンボルであるテーラードを再構築することで、新しいスタイルの美学をつくり出そうとしていく。

しかし山本は単に西洋の伝統を踏襲しようとしたのではない。むしろこれまで試行錯誤してきたさまざまなデザインの実験をモダニズムに逆挿して、西洋と東洋の境界を曖昧にするようなハイブリッドな身体美学を確立しようとしたのである。それはモダニズムの内部へと深くわけ入って、構造を組みかえることで、モードの限界を内破することにほかならない。その一つの到達点こそが、前述した「キモノ」コレクションであった。

ここで問題なのは「日本―西洋」「和服―洋服」といった対立図式などではない。坂口安吾を愛読する山本にとって、折衷主義は生活者の思想とでもいうべきものだ。より重要なことは、山本が西洋モードのモダニズムを咀嚼したうえで、着物という意匠を自分のスタイルへと引き入れたことであろう。山本はジャポニスムの桎梏からついに逃れたのである。

労働者たちのオートクチュール

'95年以降から今も進行中の現在までを第三期としておこう。この時期にいたって、山本のモードは一つの様式美へと結実しつつあるように思われる。

とりわけ近年のコレクションは、以前にもまして寡黙だ。しかし一見とてもシンプルなドレスもよく見ると、その構造やシルエットや折り目や衿やボタンに意味が充溢しているのがわかる。'96年からの数年間は、巷にあふれるリアルクローズやストリートカジュアルへのアンチテーゼとして、'50年代のオートクチュール全盛期を再編集するという高踏的なパロディを試みたりもしている。ときにあまりに洗練された修辞学は、現実にいるはずのない女性に向かっていると思えなくもない。

山本はこれまで追求してきたスタイルをかつてないくらいに研ぎ澄ます。理想の女性像を強く追い求めても、現実世界にはその欲求を満たす対象は見いだせなかった。どうやらストリートの女たちとは共闘できないようだ。山本はその絶望を、理想の身体を構築するような様式美をつくり出す、という試みの中で昇華しようとしているのではないだろうか。

これまで山本耀司が求めてきたスタイルとは何なのだろうか。一言でいうと、「労働者のオートクチュール」ということになると思う。

山本はファッションという言葉を嫌う。かつてヴィム・ヴェンダースによるドキュメンタリー『都市とモードのビデオノート』の中で、山本は「自分が作りたいのは生活者と一体になるような服だ」といった内容の発言をしている。このとき映画の中で山本が見ているのがアウグスト・ザンダーの写真集であり、とりわけ20世紀初頭のドイツの農民や職人たちの肖像写真なのである。彼らがまとっている衣服はおそらく古着だろうが、日常の労働の中で強引に身体と同一化させたような確かな生活感を漂わせている。山本にとっての美しいスタイルとは、着る人の人生の一部となった衣服なのだ。

しかしここには困難がある。そんなスタイルはデザイナーがつくり上げるというより、着る人が生活するうちにでき上がってくるものだ。だから山本は、衣服に「時間の経過」をデザインしようとする。しかも労働者たちの衣服だから、それなりの運動量を包まねばならならず、さまざまな体型をカバーするためには布と身体の間の「動きの空間」をデザインすることも必要になる。

山本はこの「時間と空間」をデザインするという困難に正面から対峙する。必然的にサイズは大きめになり、形はアシメトリーとなる。また激しい使用にも耐えるように、ギャバジンのように頑強で表情に富む素材が望ましい。フォーマルな場合にも着ていけるように、色は黒や紺。動いている姿がエレガントに見えるバランス。このような必要を満たしていくことで、山本はそのスタイルをつくり上げていったのだ。

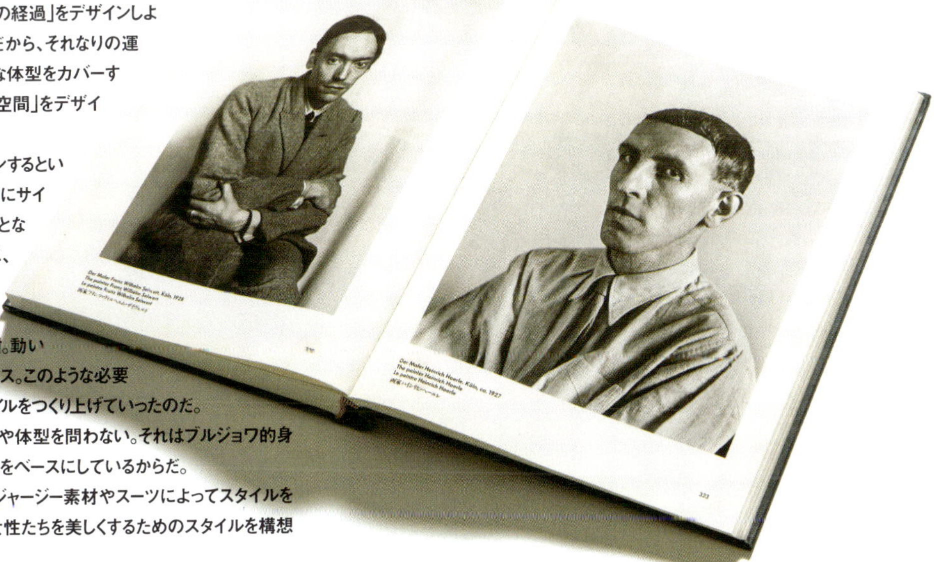

アウグスト・ザンダー『20世紀の人間たち』(リブロポート)
右ページの人物が、映画の中で
山本耀司が好きだと言ったシャツ姿の画家ハインリヒ・ヘールレ

だからこのスタイルは階級や人種や体型を問わない。それはブルジョワ的身体の押しつけではなく、労働する身体をベースにしているからだ。

シャネルが働く女性たちのためにジャージー素材やスーツによってスタイルをつくり出したように、山本もまた働く女性たちを美しくするためのスタイルを構想してきたのだ。

最近の山本はそれをさらに先鋭化させているという印象を受ける。そのコレクションには安易な解釈を許さない高度なレトリックが駆使され、見る者の知性と感性に揺さぶりをかける、きわめて洗練された表現へと高められている。

しかし、さきにも述べたように衣服は、作る人だけで完結するのではない。山本の様式が本当の意味で古典となるのかどうかは、それがどう着られていくかによるのではないだろうか。いったい誰が、どのようにヨウジヤマモトを身にまとうのか。モード史における山本耀司の最終的な着地点は、これらの問いにどんな決着がつくのかによって、おそらく決まるにちがいない。

Hiroshi Narumi
京都造形芸術大学准教授。出版社での編集者を経て、現職。社会学、文化研究の視点からモードやサブカルチャーを見直す作業を続けている。著書に『20世紀ファッションの文化史』(河出書房新社)、編著書に『コスプレする社会』(せりか書房)、共著に『Japan Fashion Now』(Yale University Press)などがある。2011年に、東京オペラシティ アートギャラリーで開催された「感じる服 考える服：東京ファッションの現在形」展にキュレーターとして参加

ヨウジヤマモトのボリューム。
ヴァレリー・スティール Valerie Steel / text : Teruyo Mori

ヨウジヤマモトのファッションショーを初めて見たのは'80年代半ばのパリでした。まだ覚えてますが、1984年にニューヨークのシャリバリというブティックで彼の白いシャツを買ったのです。シャツの裾が床にも届きそうなくらい、ものすごくビッグなものでした。とにかく一目で気に入って毎日のように着て歩いたんですが、当時のニューヨークでは、そのシャツのカッコよさがわかる人は一部のファッションに精通した人だけでした。でもそのシャツがきっかけとなって、私は時間が許すかぎり、毎シーズン彼のパリのショーを見にいっていますし、お金の許すかぎり、彼の服を買い続け、着続けています。ほんとうなんですよ!

彼の作品のクリエーティブなところは誰もが認めるところで、私も異議はありません。では、どこがクリエーティブか? まず、服のボリュームの出し方。パリで初めてコレクションを見たときに、こんなにうまく、それぞれの服の特徴を生かしてボリュームを出せるデザイナーは見たことがありませんでした。それは天性のものとしか言えない、うまさが表われていて感動しました。それまで私は西洋の服飾史の視点でしか服を見ていなかったからです。彼の服のボリュームを見たとき、服は着る人の体にフィットしていなければならないという、それまでの西洋的な服飾観が覆させられたのです。たぶん彼の服のフィット感とか布のボリュームという意味が東洋的、日本的と言われるところだと思います。そういったものは日本のきものに見られるような、垂れさせたり、ドレープを寄せたりするテクニックがもとになっているのかもしれません。でも果たして顕著に日本的か、と言われるとそうではない。決してマダム・バタフライ的じゃありませんから。また安土桃山的でもない。彼の服はシンプルで素朴、でも茶道のように、とても洗練されている。テクニックは西洋的でないけれど、服として、とても美しく見せている。そこが彼の服がアーティスティックで知的と言われているゆえんだと思います。

彼の服は同世代のデザイナー、レイ・カワクボの服とよく比較されます。二人ともそれまでの西洋の服に多大な影響を与えたという意味では共通点があります。それぞれの服が大きめのボリュームで共に黒や紺を多用するところに類似点はあります。でもカワクボの服はディストラクション(destruction=破壊)とアシメトリーに傾倒していて、テキスタイルを重要視している。私から見るとヨウジは服飾史へのこだわりがあるように思えてなりません。彼のウェディングドレスのコレクションを見たとき、まさにドレスの歴史というのが頭に浮かびました。い

Valerie Steel
イェール大学で文化史の博士号を取得後、ニューヨーク州立ファッション工科大学(FIT)ミュージアムのチーフキュレーターのかたわら、FIT大学院でファッション文化史の教鞭をとる。アメリカのファッション史、ファッション評論の第一人者として定評がある。2010年には、同ミュージアムで日本の1980年代から現代のファッションに、歴史的な視点もこめて迫った「ジャパン・ファッション・ナウ」展を企画、開催。ファッション・ウィーク東京にも来日している。著書に『Fashion Designers A-Z』(TASCHEN)など

ずれにしてもヨウジもカワクボも普通に着る服を日常から一歩も二歩もアバンギャルドの方向に推し進めているといえます。アバンギャルドといっても日常生活で着にくかったり、仕事で着られなかったりするのではないところが、ヨウジの服の感心するところです。私は10年このかた着続けているジャンプスーツがあります。内にも外にもボタンがいっぱいついていて、朝、着るのがちょっと大変なのですが、とても着心地がいい。そしてとてもカッコよく見える。着る人をカッコよく見せるというのは、服の命ですからね。彼の服は見た目はちょっとヘンテコリンで奇妙な印象ですが、実はすごく着やすいんです！　そういう意味で、彼の服はアメリカのファッションに大きな影響を与えています。アメリカのマーケットでメジャーになるという意味ではありませんが、彼の服はマスマーケットとアバンギャルドの溝を埋める効果、橋渡しの役目をしていると思います。

ヨウジの服作りで、もう一つ、感心したことがあります。それはスポーツウェアへの取組み方です。アバンギャルドといわれているデザイナーにとって、スポーツウェアはあまりおもしろくない。マニファクチュアの言いなりだから、革新的なことができない、と試しもせずに、口先だけで否定する人が多いのです。ところが、ヨウジはアディダスとのコラボレーションなどで、実際にスポーツウェアが、どれだけおもしろくなるかに挑戦しているのです。そして、自分の解答を見つけている。それができるのは、彼が服作りに対して、オリジナルな考え方をもっているからにほかなりません。

過去のデザイナーでヨウジのようなデザイナーがいるかと言われたら、見当たりませんが、シャネルやヴィオネも少し違うような気がします。むしろ、私はアルマーニが20世紀のファッション史の中で、ヨウジと同じようなインパクトを与えたデザイナーだと思ってます。アルマーニのデコンストラクティブなジャケット。ヨウジの注意深く計算されたボリュームと構造の、一見普通に見えるけれど普通ではないジャケット。人々に服の見方を変えさせたという点で、この二人のデザイナーはとてもよく似ています。

最後にこれまでのヨウジのコレクションで私がいちばん好きだったのは、イヌイットをテーマにした赤いスエードのドレス。贅沢感にあふれていて、しかも、とてもセンシュアルでした。あの服が高すぎて買えなかったのが今でも残念でなりません。（談）

Yohji Yamamoto 1983-'84 A/W Catalog
photograph : Eddy Kohli
cooperation : Yohji Yamamoto inc.

Yohji Yamamoto 1985-'86 A/W Catalog photograph : Paolo Roversi / cooperation : Yohji Yamamoto inc.

ヨウジヤマモトの構築と美。

エリザベート・パイエ text : Elisabeth Paillie

体の線にそった縦長シルエットのジャケット、脚のラインを強調するレギンス風のパンタロン、ヒールの低い靴。これが私の'80年代初めごろのスタイルだった。そんな中、ヨウジヤマモトとコム デ ギャルソンがパリで初めてのショーをした。本当に衝撃的な出来事だった。遊牧民族のようなシルエットにナチュラルなウール素材、象徴的な黒という色、ぺったんこのブーツや重量感のある足もとという、ヨウジヤマモトのスタイルが定着した。美しさ、そしてエレガンスにもう一つの解釈があることを知る。恥じらいという名のそれは、それまで理解されていた、鋭く、主張してやまないグラムールというものの概念を覆した。「クチュール」の大陸に大胆にも乗り込み、モードの都に対して、色彩も女性的なフォルムもない服を公然とたたきつけたのである……そして業界を唖然とさせた。

美しく重厚な造りの聖ユスターシュ教会からほど近い、当時、すさまじい速さで開発が進んでいたレ・アル界隈のシーニュ（白黒）通りにあった小さくて薄暗いブティックで、私は体の線を隠すほどにボリューム感ある幅広スカートとパンタロンの中間のような服、ダークグレーのウール地で作ったサルエルパンツのようなものと、ヨウジが日本のタクシー運転手の手袋からインスピレーションを得たという手の部分に深く切込みの入った繊細でセクシーな羊革の手袋を買い込んだ。

そして、私はヒール靴もやめ、新たな私のファッションのページをめくったのである。ほかの大多数の女性同様、ヨウジは私に女性の魅力のスタイルの新しい手法を教えてくれたのだ。

ヨウジの服が醸し出す魅力とは、神秘、静けさ、そして露出するのではなく想起させること。キモノが思い浮かんだ。キモノは声を荒げる服ではない。ささやく服である。圧倒的存在感を持ちながら、優美さ、神秘性、内に秘められた官能に裏打ちされている。歌麿の浮世絵を見ればわかる。2004年パリのグラン・パレで催された「Ukiyo-e　美術または〝浮く世界〟」のすばらしい展覧会で見た数多くの浮世絵を思い出す。もしくは、溝口健二、黒澤明の映画。ヨウジヤマモトの服、そう、彼の服はそれほどまでに心をかきたてるものがあった。そのくらい繊細で、至ってつつましやか。目のくらむようなカッティング技術、クチュールの真髄にひねりを加えグラフィカルでしなやかなフォルムを作り出す。ユニフォームや普段着のワードローブ、ウェディングドレスをもこうして再解釈していくヨウジ。

目に浮かぶのは、構築的なラインのダンディシルエット。緋色のチュールをふんだんに使った劇的な彫刻のようなフロックコート。ピエール・カルダンの円形ジオメトリーへのオマージュ。クモの巣のような繊細で優美なショールが添えられたドレスは友人である振付師、ピナ・バウシュの世界からインスピレーションを得ている。一見、みすぼらしくもエレガントに、編みほどかれたニットドレス。それから彼自身の文化へのオマージュとして、絞り染や友禅の職人技術を取り入れ、炎の色のような橙がかった赤の印象的なドレス。ざっくりと黒や白のフェルト素材を切り込んで見せるボリューム、明瞭で品のある構造、遊び心のある感動的な優美さを兼ね備えたポエティックなウェディングドレスは見ていた女性が皆、鳥肌を立てたほど。巧みなカッティングで袋から生まれ変わったドレス、マダム・グレの伝説的なプリーツを鮮やかに描き直したドレスから、2008春夏コレクションのロックなブルゾンにクリノリンでシルエットを作った〝マスキュリン/フェミニン〟の感動的なフュージョンに至るまで、すべてを思い出す。

服が着る人に引き寄せられるこの不思議な錬金術作用がいつも気にかかっていた。というよりも、双方がお互いに磁石で引き寄せられているかのよう。運命的な出会いのように。かねてからそう書き記されていたかのように。まるで、互いに〝約束〟していたかのように。フランス語でそれを"les maries"（レ・マリエ＝新郎新婦／夫婦）という。ヨウジヤマモトの服と私は、まるで親しい友人のように共に人生を歩んできた。決して裏切ることのない心から信頼する友人。なんでも話し、すべてを受け入れてくれる本当の友人。服は、結構よく人を見ているし、

Yohji Yamamoto 1997 S/S Catalog photograph : Paolo Roversi / cooperation : Yohji Yamamoto inc.

From Paris 2008

よくわかっているものなのだ。我々の感情や、幸せ、フラストレーション。成功、そして失敗も。昔の写真や映画を見ればわかるように、服は我々の人生の節目を彩る。私は長年、執筆するときはいつもヨウジのウールの大きなカーディガンをはおっている。まばらな編み目にアシメトリックなボタン、片サイドにだけボリュームを持たせた形のものだ。大事に直しながら着ている。このカーディガンが私の日常から消えてしまうことなど想像できない。もちろん、色は黒。マットと光沢のある素材のミックスだ。着心地がよく、自分と一体化する。ヨウジヤマモトの服は一生ものなのだ。パリのモード・テキスタイル博物館の学芸員であり、2006年に開催された「Juste des vêtements（Just clothes）」のキュレーターでもあるオリヴィエ・サイヤールは日本人デザイナー、ヨウジの服で美術館に寄贈されたものは一つもないという指摘をした。「これはつまり、自分のためにとっておきたい服だという証拠です。使い捨てティッシュが氾濫するような消費社会において、時間という観念をなくす方法をヨウジは見つけているということを確信しました」と賞賛を持ってコメントした。ヨウジヤマモトを追ったフィルム『都市とモードのビデオノート』の監督ヴィム・ヴェンダースは、そこに「職人」を見いだし、時間の制約を超えたモードを見たという。買ったばかりのまっさらな服に手を通しながら、すでに何年も着ていたような感覚におそわれたと打ち明けている。

黒。それはヨウジヤマモトの刻印だ。初期のころからずっと変わらない。ヨウジの反逆の時代。黒は彼の第二の皮膚だという。それは私にとっても同じこと。私のワードローブの中でヨウジヤマモトと名前が入った無彩色の服はすべて、存在を消しながらも主張する、そしてグラフィカルなライン。

いつか東京のブティックで買った、胸をほっそりと包み、腰をふっくらとさせたジェーン・カンピオン監督の『ピアノ・レッスン』を思わせる19世紀のロマンティックなシルエットの「袋」のドレスや、裾をすっきりとカットしたフェルトのコート、今冬の裾が前方に張り出しアシメトリーなボタンのかかった黒羅紗地のフロックコートなど、以前からずっと知っていたような、これまでもずっと着ていたような気がしている。そして、彼の作る服は、自らをより強くする力を持っているのだ。表層を超えて、内面を語らせる。自分自身を語らせるのだ。贈り物と一緒である。男性であるにもかかわらず、それほどまでに女性というものを知り尽くしている。このことを目の当りにするといつも、心が揺り動かされてしまう。彼の母の存在が、何かそこに貢献しているように思える。

黒は'80年代終りのフランダース地方のデザイナーたちが美しい波を興すための大きなインスピレーション源となった。デビュー当初から私が好きで着ているアン ドゥムルメステール。詩的なロックテイストのデザイナーで知られるアンは巨匠のたどった道を歩んできている。ヨウジヤマモトは、まさしく光の大聖堂となるアントワープの旗艦店オープニングのソワレで私にはっきりこう言った。「アン ドゥムルメステールと私は、ほとんど同じことをしています。違いですか？　彼女が女性であるというだけのことです」。確かに既に共通のエスプリがそこにはある。二人のフロックコートを代る代る着てみると、体で納得できる。

ヨウジヤマモトの服を思い浮かべると、アシメトリーは人間の自然にあふれ出す笑みのように思える。「人間味のない完璧さ」の持つ堅さへの反対宣言、褪せたマチエールはたどった人生そのもの、危なげに心を打つ。彼の黒という色は、謙遜であると同時に断言でもある。アンビバレント（両面性、両義的）なことは人間的なことである。そして彼の構築されたボリュームは動きによって変化する彫刻であり、都市の中でグラフィカルかつ美学的な線を生み出す。私は彼の「時を装いたい」と一心に追求する精神が好きだ。常に揺れ動く時を装うとはなんて美しく、なんて的確な表現だろう……。

刻印のように残るのは、このポエティックな力。尊敬の念、優美さを併せ持ち、服を通して女性の中に入り込んでいく。服に陶酔するとはまさにこのことである。

Elisabeth Paillie
パリ在住のモードジャーナリスト。広告会社に勤務後、デザインの企画会社を経て、ジャーナリストに。毎日新しいことに出会うこと、尊敬している人や好きな人を大勢の人たちに紹介すること、時代と一緒に歩き、走り、進化することをジャーナリズムととらえ、取材活動に取り組んでいる。山本耀司について、「彼は偉大な巨匠だ。彼のエレガンスは力強さと沈黙でできている。女性を愛するクリエーターである」と発言している

Messages to Yohji Yamamoto

「彼はファッションにおける美の新次元を開拓した」
カール・ラガーフェルド デザイナー

"He gave a new dimension to beauty in fashion."
Karl Lagerfeld

「ヨウジは詩人だ。言葉の代りに布をつかう。
作品は、はさみの文法。
彼の目的はその服を着る男と女に仕えること、
そして彼らを心底気持ちよくさせること。
彼の献身は深く、その憐憫は無条件だ」
ヴィム・ヴェンダース 映画監督

"Yohji is a poet. He doesn't use words, but cloth.
His create is grammar with scissors.
His aim is to serve the women and men who wear his clothes
and to make them feel better about themselves.
His commitment is radical and his compassion is unconditional."
Wim Wenders

「ヨウジに会うたびいつも、僕は何かを教わっている。
なにしろ彼は、詩をテレパシーで送る、ファッションのビート詩人だからね。
ただし僕はまだその詩を理解できていない……。
いつの日かその読みを教えてもらいたいのだが……。」
テリー・ジョーンズ『i-D』編集長

"He is someone that I learn from each time
we have a chance to meet - he is the beat poet of fashion,
transmitting telepathically the poems
I have yet to comprehend...when I might one day learn to read..."
Terry Jones

「ヨウジは名人だ。
彼が形づくる女性はまるで、とらえようのない流動体のよう。
彼は、儀式ばったやり方で、みごとに布を裁つ。
彼は、プロポーションとロジックに抵抗する服を作るのだ。
その技術の完璧な美しさに驚嘆せずにはいられない。
このようなスタイルを持てるデザイナーはほかにはいない。
一貫していて、持続性があって。
ヨウジは私の名人だ。
私は、彼とファッション以外の領域で会いたかったとは思わない。
私は、それにしてもパリでなんと多くのデザイナーに失望させられたことか!
私は、ヨウジの服を着たときの、あの感覚にいつも魅了させられてしまう。
オリジナルで、ヨウジが私のために作ってくれたようにさえ感じてしまう」
シャーロット・ランプリング 女優

"Yohji is a master.
He shapes women as if they were a fluid abstraction.
He fashions a sense of ceremony into the exquisite cut of his fabrics.
He makes clothes that defy proportion and logic.
It is difficult for me not to be amazed by the sheer beauty of his craftsmanship.
I have found no other designer who is capable of such style.
Consistently and enduringly.
Yohji is my master.
I have not wished to look elsewhere.
I have disappointed many designers in Paris!
I have always been fascinated by how I feel when I wear something created by Yohji.
I feel original. I feel he has made it for me."
Charlotte Rampling

©Donata Wenders, Berlin

「純粋さをこの目で見たことのある者はいないが、
ヨウジの生き方とその作品を熟視してみれば、
そこにいつも極めて繊細なものがある。
純粋さというのは不可視の志なのだ。
そして、それは表現という形で現われうるのだ」
ピーター・ブルック 劇作家、演出家

"No one has ever seen purity,
but if one contemplates Yohji's way of being and his creation,
something very fine is always present.
Purity is the invisible aim
and purity becomes the outward expression."
Peter Brook

「私の大切な親しい友人であるヨウジとの出会いは、
毎回私の人生の中で最も輝かしく充実した瞬間の一つです。
私がすばらしい芸術家として敬慕する彼は、
私の行く手でいつも新たな息吹と力を与えてくれるのです」
ピナ・バウシュ 舞踊家

"Zu den Sternstunden in meinem
Leben zählen die Begegnungen mit Yohji Yamamoto,
meinem innigen Freund. Ich verehre ihn als grossartigen Künstler,
der mich auf meinem Weg stets inspiriert und stärkt."
Pina Bausch

世界中の友人から山本耀司へ。「私にとって、ヨウジヤマモトとは誰か」 2002

「15年このかたというもの、私はヨウジヤマモトに忠実だ。
エレガンスについての、ある種の考え方のために、
ベーシックをごくわずかねじ曲げて生まれる、
このちょっとした違いのために、
黒という色のニュアンスのある現われ方のために、
色を消すことで、個性が見えることのために」
ジャン・ヌーヴェル 建築家

"Depuis une bonne quinzaine d'années
je suis fidèle à Yohji Yamamoto.
Pour une certaine idée de l'élégance des références.
Pour ces petites différences qui font
dévier imperceptiblement les basics.
Pour que le noir s'exprime en nuances.
Pour qu'au delà de la couleur, le caractère domine."
Jean Nouvel

「ファッション界の錚々たる人々が、ヨウジの作品を絶賛しているのです。
ファンの中には'80年代初頭のパリで、
強烈なインパクトとともに世界のファッションを、文字どおり"一撃"した、
初期のヨウジを直接体験した人もいるでしょう。
彼らはいまだにその衝撃を語り継いでいます。
僕はそれを体験することができなかった……でもそれは大したことじゃない。
だってヨウジのファッションがどれほどすごいものか、
彼が僕にとってどれほど大きい人かを語ることは、僕にもできるのだから。
愛を込めて」
オリヴィエ・ティスケンス デザイナー

"So many great figures of the fashion world are
passionate about Yohji Yamamoto's work.
A part of this attachement has a direct relation
with the beginnings of Yohji Yamamoto
in Paris when in the early eighties
his work literally hits the international fashion
with great impact - the who's who that did not miss his beginning still talk about it.
I missed this beginning... but no matter.
I can tell how great Yohji's fashion is and what a great figure Yohji is for me.
Affection."
Olivier Theyskens

「彼の仕事には常に大きな賞賛と敬意を寄せています。
一貫性、才能、そしてラディカルな姿勢を持つ彼は、
あらゆるファッションデザイナーにとっての手本なのです」
ミウッチャ・プラダ デザイナー

"I greatly admire and respect his work.
He has been an example of consistency,
competence and radical attitude for all fashion designers."
Miuccia Prada

「3年前にモデルとしてヨウジのメンズコレクションに出ましたが、
すばらしい思い出です。
これまでの20年同様、これからの20年も、
このすてきな男性が多岐にわたって成功なさることを心より望んでおります」
ヴィヴィアン・ウエストウッド デザイナー

"I modeled for one of Yohji's menswear shows about three years ago, it was wonderful.
I would like to wish this lovely man every success for another twenty years."
Vivienne Westwood

「私たちにとってヨウジの仕事というのは、
まず、プロポーションについて、
それから最もとんがっているところ、
そして後ろ姿について考えるというものだった。
ヨウジのカタログの仕事は大好きだった。
シーズンごとに新しい世界を創造するため、
ヨウジが私たちに与えてくれた
絶大なる信頼、敬意そして自由は、
その後のどのクライアントからも決して得られないものだった」
イネス・ヴァン・ラムスウィールド&ヴィノード・マタディン 写真家

"Yohji's work for us is all about proportions
and about taking an idea to its extremest point and back.
We loved working on his catalogues.
The amount of trust, respect and freedom given to us
to create a new universe each season
has never been paralleled by other clients since."
Inez van Lamsweerde & Vinoodh Matadin

「ヨウジヤマモト、それは普遍的な魂だ。
信頼と創造性を世界に分け与える唯一のスピリット。
彼はデザイナーとして、また一人の人間として、双方の霊感を備えている。
アートとデザインの完璧な接合によって、彼は永続的に存在し続ける」
ダナ・キャラン デザイナー

"Yohji Yamamoto, a universal soul.
A unique spirit, sharing with the world confidence and creativity.
He is an inspiration both as a designer and a person.
He has held longevity through his commitment to art and his design integrity."
Donna Karan

Yohji Yamamoto Long Interview

2013 photographs : Yutaka Yamamoto

山本耀司。2013年を語る。 小島伸子 text : Nobuko Kojima

パリ・荒野

40年以上ファッションデザイナーを仕事としている男がいる。父は戦死。母が営む洋裁店は、東京・新宿の歌舞伎町——その混沌とした環境に育った少年は、さまざまな価値観の中で成長し、やがて服作りを学び、胸に抱えてきた怒りと反抗を創造に変えて、世界の絶賛を浴びる。山本耀司。彼の盟友、ヴィム・ヴェンダースの映画『パリ、テキサス』(1984)で、主人公は家族の絆を取り戻すため、テキサス州にあるパリスという街に向かう。耀司が目指したパリはどこにあったのか。そして今、彼はどんな風景を見ているのか。

デザイナーという旅

品川のウオーターフロント。ヨウジヤマモト本社があるビルの一室。インタビューの時間。山本耀司が現われる。一緒に来た大きな犬が、まるで自分の客を迎えるように愛想よく挨拶を受けると、席に着いた主人の足もとで丸くなる。1歳の秋田犬〝凜〟。白地に濃いグレーの毛皮をまとったおしゃれな女の子だ。彼の最後の恋人だという。

十数年ぶりに会った山本耀司は、その飄々とした風貌、穏やかな雰囲気は少しも変わっていない。が、長年風に吹かれ、陽にさらされてきたかのように、余分なものがさらに抜け落ちた気配がする。漁業や農業を生業とする人や職人の中に、時折見かける澄んだ目の、一徹な顔。これを職業と決めて揺るがず一筋に向き合い、日々努力を重ね、意志を貫くことで自由に生きてきた——彼もそんな一人だ。「30代後半からコレクションづくりに没頭してきて、よく『今までの作品で何が好きか』と聞かれます。いつも答えは決まっている。『次を見てくれ』と」

大学を卒業するまで、デザイナーへの選択肢はなかった。けんかで鍛えられた子ども時代。小学6年で編入したカトリック系の男子校で漫画と絵を描くことに熱中した暁星中学・高校時代。ほとんど遊んで過ごした慶應義塾大学法学部時代。4年生の夏、友人と3か月のヨーロッパ旅行に出かけ、初めてパリに出会う。ありのままの自分を受け入れてくれそうな、成熟した街の懐の深さに心を惹かれた。

母を安心させるために進んだコースだったのに、就職したくない。まだ何者にもなりたくない気分。会社の後継者や、地位を約束されている友人たちには、大きく水をあけられていた。卒業後、母の洋裁店を手伝いながら文化服装学院に入学。在学中に新人の登竜門とされていたデザインコンクール、装苑賞、遠藤賞に応募、ダブル受賞したことで道が見えてきた。その賞金や航空券をもとに1年間パリに留学。帰国から2年後の1972年、既製服会社、ワイズを設立。「資金の半分を出してくれたのが、アルバイト先の服問屋。発展させてあげようと、常務さんが週2回、経理を教えに来てくれた。のちにその問屋が窮地に陥ったとき、助けられる立場にいたのがうれしかったですね」と耀司。'81年、パリ・コレクションに初参加。以後の活躍は、今やレジェンドだ。

オートクチュールを頂点とする西欧の伝統、既存の美意識への疑問、反発が原動力となった、その解体と再構築……。体の曲線に沿って服を密着させるのではなく、布との間に空気を含むビッグなシルエット。高度な技術を駆使した予定調和の服は退屈だと言わんばかりに、裾は裁ちっぱなし、縫い目は表に出し、袖は半分つけただけの未完成状態。高級な素材とは正反対の、洗濯機にかけてよれよれにしたウール、しわくちゃの麻、木綿、仮縫い用のトワルまで。刺繍もレースもアクセサリーもない。彼と同時期にパリ・コレに参加した、コム デ ギャルソンの川久保玲とともに賛否両論の渦に巻き込まれる。けれどパリは、世界は受け入れる。ヨウジヤマモトの独自なプロポーションと造形が、基本を知りつくしているからこそのはずし、くずしであることを見抜き、そこに秘められた上質のユーモア、エレガンスに喝采を送った。

パリから発信し続けて30年、メディアからの評価のみならず、常に同業者、後進からの熱い視線を集める。ジャンポール・ゴルチエは、クリエーターとして惹かれる部分を「服を見ただけでわかる、独自のスタイルを突き詰めて守っていること。それはさまざまなクリエーターに影響を与えてきました。すばらしい個性です」(『FASHION NEWS』2011年3月号増刊)と答えた。また、そのキャリアと功績は国内外で認められ、紫綬褒章やフランスで民間人に贈られる最高位の芸術文化勲章のコマンドゥールをはじめ、数多くの賞を受賞。文字どおり、世界屈指の、そして今も世界で最も注目されるデザイナーの一人。けれど山本耀司には、ずっと違和感がつきまとっていたという。「いつの間にかアバンギャルドがエスタブリッシュメントになってしまった。成功者のイメージが、自分とは関係ないところでひとり歩きして」

再生のチーム力

2009年、ファッション界に衝撃が走る。ヨウジヤマモト社が民事再生法の適用を申請したというニュース。「僕はデザイン、経営は経営担当、お互いに口は出さない方針だったので、うかつにも悪化の兆しに気がつかなかった。いい情報しかあがってこないしね」引退も考えた。「原点は、戦後の焼け野原。個人として、そこに戻ることは簡単です。でも今まで支えてくれた工場、染め屋、織屋はどうなるのか」最終的に投資会社のインテグラルが事業を引き継ぎ、新会社ヨウジヤマモトを設立。すべてにダウンサイジングして再スタートを切ることになった。

「最近自覚しているのは、標準が定まって、このへんにたどりつきたいというイメージがはっきりしてきたこと。40代は何をつくりたいのかわからないままもがいていて、50歳すぎてからようやく表現したいことをコントロールできるようになった。今は、こけおどしの服はもういいだろうという気分もあって、提案的なものと着られるものをバランスよく配分している。妥協ではなくて、むしろレベルは高くなったと思う。この仕事、映画と一緒で、デザイナー、あるいは監督だけではどうにもならない。スタッフが大事。そのチーム力が進化している。パターンメーキングや素材のプランニングがあがってくるたびに、そう思いますね。坪効率最優先の百貨店を満足させつつ、クリエーティブな部分を表現する演出力を持ったチームになってきた」その理由をスタッフの一人に聞いてみよう。山本耀司にあこがれて、入社27年目。パターン、企画、ショーの構成、進行と、いつも傍らで働いてきた、片腕といわれる男だ。「今の制作メンバーは

2013年9月27日19時、パリのベルシー体育館。
'14春夏レディスコレクションが発表された会場。
数時間後には、観客の熱気とフラッシュの光に包まれるこの場所だが、
今は山本耀司にも、緊張を帯びた静かな時間が流れる

60人。以前の半分です。みんなが同じ方向を向いているから、デザイナーのこういうものをつくりたいというイメージが伝わりやすいのではないか。それはいつも漠然とした言葉から始まります。近年のオムでは、〝濡れた男〟を表現したいという。生地や服が濡れたら着替えができない、とパニックになったものの、ショーではなんとか着地しました」

「ここ4、5年のコレクションが割と好きで」という山本耀司にとっての、〝着られる服〟とはなんだろう。「このところファスト系とかかわいい系とかグルーピーなファッションがいっぱい。1000人いたら何人自分らしさを成立させているのか。嘆いていてもしょうがないので、僕のものを着るチャンスを示すのも仕事だと思って、入り口をつくることにしたんです。僕のジャケット一着が人生を変えるかも――いや、そんなことはないけど、入り口さえ拒絶しちゃうと何も変わらない。値ごろで、楽しめるものも提案しようかな、と」

前述の社員によると「間口を広げていると思います。自分が見てかっこいいものをつくるという基本は貫きながら、今まで否定していたものでも、例えば細身の服も僕ならこうするというふうに。築いてきたものと時代への直観が交じって、きちんとヨウジの服になっている。ジャケット一枚、パンツ一本、袖一つどうあらねばならないかという哲学の応用範囲を広げて、それをおもしろがっているようでもありますね」どうあらねばならないか、の一例として、彼はオムのパンツを挙げた。「けんかに弱そうなズボンはつくりたくない、というのが一貫したテーマで、いろいろな動きに対応できるゆとりがないとだめ。例えばEXILEのメンバーに、ヨウジのパンツは破れないとご愛用いただいていますが、一本に美学と機能が込められているんです」仮縫いで山本耀司自身が袖をつけると、動いている、服が生きていると思うことがよくあるそうだ。「僕たちスタッフは、たかが洋服、されど生涯の仕事としていつも闘っています」チーム力とは、デザイナー自身の求心力に尽きるのかもしれない。

ノマドのように

ヨウジヤマモトというブランドに脈々と語り継いでいきたいもの、いちばん大切なものとはなんだろう。「〝布の香り〟がとっても大事。文学的にいえば〝おもかげ〟かな。そこにあったものがすっと消えて、自分の中に思いとして残っている何か。モデルが歩いて2、3メートル先に行っているのに、服はそこにあるみたいな」生のファッション、生の会場でさえも伝えられない、実体を超えたもの。それを追いかけて服をつくっているとしたら、とんでもないロマンティストだ。「バカです」と彼は言うが。

手がかりは〝時間〟らしい。時がたつと、ものは弱り、衰え、壊れてなくなる。「天然繊維は生き物。時間の経過で変化していく過程を美しいと思う。古着の魅力と一緒かな。僕が世界中旅して、いちばんジェラスを感じたのはノマドの人たち。服を何枚も重ねて全財産を着ている。ずっとあこがれて、たどりつきたいと思っていた。それを今の時差でつくるためには、素材をいじめる。汚したり、洗って干したり、ガンガン叩いたり。織りあがった反物を2年くらい置いて自然縮絨を待ったり。長いスパンでつくっていくのは、消費の世界では不利なんだけれど。大体新品の布に触って、樹脂がつくのが大嫌い。いわゆるタッチ、風合いは見た目でも感じられるもの。服に関しては、視覚と触覚は一体なんです」代表的な素材がギャバジン。その労働着、作業着みたいな味わいが好きで、同じものをそれぞれに加工しながらすべてのブランドで使っている。特にしわ加工したものは、着心地がいいという。モッサも同様、繰り返し使いながら、コンサバティブな素材の中に斬新な表情を発見していった。

彼がノマドに共感を持つのは、何十年も同じ服を着る愛着の深さにあるのだろう。着る人とともに年を取っていく服、それは今の使い捨て社会とは正反対の生き方だ。「便利さがじわじわと人をだめにする。ファッションの世界もビッグマネーのマーケット力と宣伝力に支配されてしまった。スーパーで買い物するように、ぽんぽんとバスケットに入れさせる。匂いと手触りという、服にいちばん大事なものが欠けている気がします」パリは新しいモードの発信地だけれど、若い人は高校を出ると独立、お金がないから古着を上手に自分の工夫で着こなす。服の寿命は長く、ますます肌になじんでいく。着るものに限らず、パリの人たちは、100パーセントの便利さを追わない。行きつく先の味気なさがわかるから。18世紀に人権宣言した国だけに、人間の権利を認め合う。ボイラーや水道管の修理人が1週間後に来ようが、文句を言わない。コンビニやスーパーを増やさないで、青果店、鮮魚店、精肉店を存在させる。会話しつつ品定めをし、肉をさばいてもらうほうが暮らしやすいのだ。目の邪魔にならないようにカラフルな色を避けるのも、人口密度の高い都会に住む人間の知恵。落ち着いた色調がつくる街の色に、彼はほっとする。

ノマドへの共感その2は、旅に暮らしながら自分の目で実際の風景を見、自分の肌で風を感じていること。ノマドにとって、服は雨、風、寒さ、生命の危険から身を守る鎧でもある。現代の日本に暮らす私たちにとってはどうだろう。「大きな戦争はもう70年間起きていない。単純にいえば腕力はいらない。戦うのはそれ以上の兵器だから、男は鍛えない。女性は強くなる。精神的に服で武装し、

'13年6月27日、パリの本社で行なわれた'14春夏メンズコレクションのバックステージ。
左ページ上は、出番を待つモデル。雨に濡れた男をイメージし、
作品には光沢感のあるマテリアルを豊富に使用。
中は、くつろいだ雰囲気のヘアメーク用控え室。下は、本番15分前のフィッティングルーム

身構える必要がなくなったのでしょう。むしろ個性を埋没させるほうが楽。それにしても日本の若い女性を見ると、こんなに無防備でいいのかと心配になりますね」特に夏服の露出度。ヨーロッパでは、股のつけ根までしかないパンツなど、普通の人ははかない。「手を見てください。甲より手のひらが、腕の外側より内側の白い部分がセクシーでしょう。隠したところに女性の美しさ、魅力があるはず」

彼が愛するアウグスト・ザンダーの写真には、20世紀初頭の男たちの姿が写っている。晴れ着を着て祭りに繰り出す若者たち、背広の上に前掛けをして働くおじさん――ドイツの農民、庶民のポートレートなのだが、なぜそれほど心を惹かれるのか。「今日は格別なおしゃれをして写真を撮るという気持ちの弾みが表情にあふれている。服は父親のおさがりみたいで体に合わなかったり、着古してくたびれていたり。そのダサい男が、突然気どり、澄ますおかしさ。少年のような気負いと可憐さが好きですね。男から少年性がなくなったらだめでしょう。ショーに出てもらう人を決めるときの欠かせない条件です」

ちなみに女性は？　「悪い女。負を背負っている女。陰のある女。不道徳な女。不道徳とは正直ということだから」彼の愛読書、坂口安吾の『堕落論』に、歯切れのいい文体でこんな一節がある。「才媛というタイプがある。数学ができるのだか、語学ができるのだか、物理ができるのだか知らないが、人間性への省察についてはゼロなのだ。つまり学問はあるかも知れぬが、知性がゼロだ。人間性の省察こそ、真実の教養のもとであり、この知性をもたぬ才媛は野蛮人、原始人、非文化人と異らぬ」安吾と耀司の二人で「勝ち組の女は勘弁してくれ」と声をそろえ訴えているようだ。もみくちゃにしごかれ、それでもすっくと前を向いてたたずむ。そんな女性って、そう、彼の敬愛するノマド、そして手塩にかけた愛おしい素材たちを思い起こさせはしないか。

風が吹き始めている

2012年3月に中国・北京で開催された「如意・2012 中国ファッションフォーラム」。これまで輸出と投資に頼ってきた中国経済を、内需路線に転換するための重要なイベントなのだろう。主催者の出演交渉の熱意に応えて、山本耀司はメーンゲストとして参加した。展覧会でのスピーチが目的だったが、新聞、雑誌、テレビの取材が殺到。予想外の人気にとまどった。「その後に行った上海と広州でも、ストリートを歩くと人が押し寄せて、写真を撮らせてくれ、握手してくれで、普通に歩けない」中国では、2008年に北京市労働人民文化宮で初めてワイズのショーを行なっている。高度経済成長のもと、洗練を求める人たちの受けた感銘が、あとを引いていたのかもしれない。けれど爆発的人気の下地は、Y-3にあった。「5、6年前、上海に行ったら、空港から店までの間、Y-3を着ている人がいっぱいいるので驚いた。まだファッション的に成熟してはいないけれど、中国には勢いの楽しさがある」

Y-3が誕生したのは、2002年。その2年前、コレクションでスニーカーを使ったことから発展した、ドイツ・アディダス社とのコラボレーションだ。山本耀司には確信があった。「ドイツ人とはうまが合う」

その一人、もともとオムのファンだったヴィム・ヴェンダース監督とは、山本耀司を追ったドキュメンタリー映画『都市とモードのビデオノート』（'89）以来の長い交流がある。ヨウジヤマモトが財政難に陥ったときも、ニュースを聞いていの一番に親書を届けてくれた。「僕もつい最近、同じような状況にあって、これまでに作った自分の映画の著作権を失ってしまったんだ。その中には、君と一緒に冒険して作った『都市とモードのビデオノート』もある。まあ、それが人生ってものさ」（『MY DEAR BOMB』、岩波書店）。米カルチャー誌『INTERVIEW』のウェブサイトでの対談で、二人は一緒にふぐを食べたり、ビリヤードをしたり、いつも近況を尋ね合ったりの親しい付き合いを語っている。デザイナーとしての長いキャリアを聞いたヴィムが「君は化石じゃない、恐竜だ」と、からかい半分で称えるのもほほえましい。記事中、「Y-3をデザインするときは、なんのタブーもなく自由でいられる」という言葉が、アディダスとの信頼関係を物語っていて印象的だ。

コンテンポラリーダンサーで、演出家、振付師のピナ・バウシュ。惜しくも2009年に亡くなったが、死のように静謐で、命がほとばしるような躍動感のある独自のパフォーマンスは高い評価を得て、本拠地ドイツ・ヴッパタール市での公演には各国からさまざまなアーティストが集まった。「僕は彼女の奴隷。どんな命令にも従います」と心酔しきった彼は、世界観を共有するすばらしい衣装をつくってディーバにささげた。

劇作家で演出家、ハイナー・ミュラーじきじきの頼みで、'93年、ドイツ・バイエルン州にあるバイロイト祝祭劇場で上演された、リヒャルト・ワーグナーのオペラ『トリスタンとイゾルデ』の衣装をデザインしたことも。オペラ座専属の縫い子を使い、数々の約束事と格闘し、3年の月日を費やした苦労の多い仕事だったが、違う分野の芸術家たちと過ごした収穫も大きかった。

なぜドイツ人と相性がよいのか、Y-3設立にかかわったスタッフに聞くと、「彼らは勤勉でフレンドリー。クリエーションがぶつかり合っても、意思を尊重してうまく誘導してくれる。そのせいか発足以後、双方の担当者はほとんど変わっていません」

中国とはどうだろうか。熱烈な親愛の情と敬意にどう応えていくのか。「営業的な取り引きとは別に、人材育成の手伝いをしたい。現に中国人の社員が、本社で働いています。スポンサーを見つけにくい時代なので、日本と中国の若手が共同で海外に進出したらいいと思う。日本ではあらゆるブランドが集まり、ものがあふれているのでデザイナーは引き算が必要だけれど、中国のデザイナーは足し算が使える。お互いに学び合い、支え合えば、単独では困難な国際展示会への出品やショーも夢ではない。ライフワークとして、アジア発のファッションを世界に広めていく後押しができれば」いつか大陸を巻き込んだ大きな渦で、ファッション地図を塗り替える日が来るかもしれない。

「中国にヨウジヤマモトの客層ができるには、かなり時間がかかりそう」というが、人が持ついいもの、美しいものへのあこがれは、ファッションの大きな原動力だ。手に入れるために努力し、着こなすために自分を磨く。しかしどこか醒めてしまった日本の女性たち。手が届く範囲で満足ということか、雑誌では街頭スナップが大は

右ページの写真は、'13年6月下旬、
ヨウジヤマモト青山本店をプライベートで訪れたミュージシャンの高橋幸宏。山本耀司にとって公私を超えた盟友。
'70年代に知り合い、これまでに幾度となく、メンズとレディスのコレクションの音楽を依頼してきた。
下は、山本の愛犬、凜

 photographs : Josui (B.P.B.)

やりだ。ところが「風が吹き始めている」と山本耀司は言う。冬には売れそうもないと思っていたギャバジンのコートが完売。ダウンがいやで、こだわり続けていただけにうれしい。祖母、母、娘の三代が同じ店に来てくれる。業績が3年続けて飛躍的に伸びている。バッグ、靴、小物の比重が少なく、服だけで勝負しているのに。

「一部の人たちがファストファッションに疲れたり、飽きたりしてきたこともあるでしょうね」季節が変わるごとに、あのワンピースが、あのジャケットが着られると思い浮かべるのも、おしゃれの楽しみであり、安心でもある。クロゼットに頼るべき服がなかったら心細いし、いちいちワードローブを組み立てなければならない。「業界は砂嵐のように先が見えないというけれど、消費者にきちんと向き合えば手応えはつかめる」ある女性像に向けてのクリエーションにすべてをささげ、製品については着られるなら着てほしいというスタンスだった山本耀司が、現実の女性たちに目を向けている。そのまなざしは優しく、真剣だ。

荒野を行く

「ファッションビジネスは、ハングリービジネス。一生かけて逆らえるほどの怒りを持てるか、自分に対して怒りを向けられるか」デザイナー志望の若い人たちへアドバイスを求めると、そう答えた。「若手が出始めているのは、東ヨーロッパの貧しい国。なんとかして身を立てなければならないから。日本の若者はとりあえず食べられる。あこがれがないから、そこに到達できない自分への怒りもない」歌舞伎町の母の店を手伝いながら、当時の既製服ブランドを全否定していた。服だけで誰かのようになれるというのは、幻想の押しつけだ。そんなもんじゃないと、行きたい場所がわからないのに逆らっていた。

先ほどの社員が言う。「柔軟になったとはいえ、つくるときは否定から入りますね。いいね、いいね、で通したら、ただの洋服屋になってしまう。MDや営業から意見があったら逆をやれ、と。反抗心、反骨心は変わらず、悩んで、苦しんで仕事をしています。それが大げさではなく自然体。山本耀司の魅力は、自分をつくらないこと、計算がないこと。突き詰めれば才能でしょうか」

「怒る才能だけには恵まれている」と耀司。世の中の多くの変革は、権力に押さえつけられた人々の怒りによってもたらされた。巧妙に現状維持へと誘導されていく若者たちに、彼は同情を寄せる。「僕たちはタバコやけんかで、規則や体制に反発していた。一種の訓練ですね。取っ組み合いで、暴力の怖さと限界を知る。今は細かい条例に縛られて、すぐ犯罪者になってしまうから、ストリートファイトもできない。その分、陰湿になっているのでは」

ファッションをめぐる環境もいいとは言えない。日本の百貨店もブランドショップも、若手デザイナーの作品には消極的だ。パリに目を向ければ「コングロマリットのビッグマネーのおかげで、パリ・コレがクリエーティブな発表の場ではなく、靴やバッグのプロモーションの場になってしまった。アレキサンダー・マックイーンが亡くなったのは本当に残念です。ライバルが減って、全体にテンションが下がってしまった。早く日本の若手に出てきてほしい」

もうひとつ大切なデザイナーの条件は、自分を発見することだという。「視覚、聴覚に訴える音楽、絵画は芸術の中でも順位が高い。ファッションは視覚より、感触や匂いを本質としているので、分野としてはマイナーだと思う。レベルをあげていくには、制作途中で今までと違う自分を発見する感度を持たないと」つくる過程で成長していくこと。デザイン画を描かないのはそのためだ。詳しくいうと、前述の自伝的小説『MY DEAR BOMB』に、こう書いている。「デザインしてイメージを誘う側と、そのイメージに突っ込んでいく側の、気と気の盛り上がりが服を決める。布がさまざまな表情を見せるのに対して、これはおもしろい、きれいだ、そう純粋に反応して、布地をいじる意味合いそのものに感動していなければ、この気の盛り上がりは決してやってこない」

'14春夏レディスコレクションのリハーサル風景。
ショーの2時間前、モデルのウオーキングを入念にチェックする山本耀司。
特に最終章を飾る5人には演出に変化を加え、見どころとなった。
デザイナー自身が動きを指示し、自ら歩いてみせることも

ところで、こうしたアドバイスは、成功を目指す若者の役に立つのだろうか。ファッション界に華やかさや楽しさ、無名の新人が突如脚光を浴びるといったサクセスストーリーを期待する人には、反面教師としての参考にしかならないだろう。中国「新京報」紙のインタビューで、流行について聞かれた彼の答え。「私はこれまで流行のものをつくったことはなく、常にトレンドやブームの逆を進んできた。だから自然と、脚光を浴びる華やかな道ではなく、丸木橋を歩いてきた。つまり私には大きな市場は存在せず、顔がほころぶような売上げもない。ワンシーズンで商品の一部が売れ、次のシーズンのための材料を買い、スタッフに給料を払う。そうやって今の仕事を続けていければそれで十分だと私は思う」（中国網日本語版「チャイナネット」）

成功の甘い香りはなかった。苦い味わいはあっても。彼の意識では「いつも荒野を歩いてきた」のだから。自ら歌う歌で心を慰め、長年修練を積んだ空手で体を鍛えて。それも数年前にやめたそうだ。その分、服で歌い、服で闘っているのだろう。

空想してみる。風に吹かれ、枯れ野を歩く山本耀司。傍らには〝凛〟が寄り添う。反逆、葛藤、挫折、そして再生——幾重にも着込んだジャケットの衿を立てて、歩みを速める。遠くに都会の灯が瞬き、そこにはスタッフや家族が待っている。

Nobuko Kojima
フリーライター。文化出版局で長年雑誌編集者を務め、1989年退社、フリーのライターになる。在職中から山本耀司のインタビューを担当し、退社後も『ミスター・ハイファッション』や『ハイファッション』の、多くの山本耀司特集に寄稿する。2010年『平田暁夫の帽子』（ワイズ出版）では平田暁夫の85年の足跡を執筆。現在は自然石ジュエリーのアトリエ、GALACTICAを運営。http://galactica.co.jp

photographs : Yutaka Yamamoto

All About Yohji Yamamoto to 2013

山本耀司。クリエーションの記録。

年譜

1943 10月3日、東京に生まれる。

1962 慶應義塾大学法学部入学。

1965 4月、船で旧ソ連邦（現・ロシア）に向かい、シベリア鉄道で約3か月のヨーロッパ旅行。

1966 3月、慶應義塾大学を卒業。4月、文化服装学院に入学。

世界的に古い権威から若者文化への転換の時期で、パリではイヴ・サンローランがセーヌ左岸にブティックを創設。スウィンギング・ロンドンと呼ばれたロンドン発生のユースカルチャーが広まる。

1968 デザイナーの登竜門、装苑賞に初めて応募し、'67-'68秋冬の候補作に選出される（『装苑』1968年3月号掲載）。選者は中村乃武夫。

1969 文化服装学院デザイン科卒業直前の1月、'68-'69秋冬、第25回装苑賞を受賞。

このシーズンだけで、山本耀司のデザインは6作品がノミネートされる。
当時の審査員は安東武男、久我アキラ、桑澤洋子、小池千枝、笹原紀代、鈴木宏子、中林洋子、中嶋弘子、中村乃武夫、野口益栄、原田茂、細野久、水野正夫、森岩謙一、森英恵。

同時期に第6回遠藤賞をダブル受賞。その副賞で渡仏、1年間滞在する。

当時のパリは、その前年、学生が主導したパリ五月革命を契機に、旧来の価値観に反抗する意識が高揚。社会不安もあり、伝統的なオートクチュールのシステムは崩れ、プレタポルテが台頭。

1972 4月、ワイズを設立。オーバーサイズの男っぽい仕立てが特徴。

1977 5月、東京・青山ベルコモンズでワイズの初コレクション。
'77-'78秋冬レディスで、古ぎれが原料の再生ブランケットと呼ばれる生地など、ウールだけで50種も用いた素材の多様性と、直線で構成されたビッグなレイアードルックが話題に。

1979 1月、ワイズフォーメンをスタート。コンサバティブなメンズの概念とは異なる感覚の服を発表。

のちにファッションと音楽を通して山本耀司と交流を持つ高橋幸宏がメンバーのYMOが海外から人気となり、派生したテクノカットや独特のファッションは'80年代にブームになる。

1981 4月にパリのレ・アルにオープンしたブティック「YOHJI YAMAMOTO」で'81-'82秋冬レディスコレクションを発表。

10月、'82春夏パリ・レディスコレクションに本格参加。素材のユニークさに加え、折り紙のようにカットされたシャツなど造形の新しさが賛否交えて衝撃を与える。
しかし、これは同時期にデビューしたコム デ ギャルソンの川久保玲とともに、新しいモードの到来を告げる予兆であった。

パリにオフィス、ヨウジ・ヨーロッパを設立。

1982 4月、ニューヨークで'82-'83秋冬レディスコレクション発表。

山本耀司、川久保玲ら総勢14名のデザイナーによる「東京コレクションオフィス」発足。DCブランドブームが始まる。

第26回FEC（日本ファッション・エディターズ・クラブ）賞受賞。既存のファッションの概念を超えた服作りが評価される。

1983 パリ・コレクションで発表した、山本耀司と川久保玲の装飾を拒絶した無彩色で穴あきのファッションが世界的にセンセーションを巻き起こす。

建築やアートからの影響で、ポストモダンの概念がファッションに浸透し始める。

1984 2月、パリ・メンズコレクション初参加（'84-'85秋冬）。

8月、株式会社ヨウジヤマモト設立。

9月、東京・南青山にインテリアデザイナーの内田繁の内装によるブティック「ワイズ スーパー ポジション」（現・ヨウジヤマモト青山本店）をオープン。

山本寛斎、三宅一生、山本耀司、川久保玲らが拓り開いたパリ・コレクションへの日本人デザイナー進出はピークを迎え、毎シーズン、全メゾンの5分の1から6分の1を占めた。

1985 デザイナー集団によるファッション組織、東京ファッションデザイナー協議会（CFD）発足。代表幹事に三宅一生、幹事に山本耀司、川久保玲、松田充弘、森英恵、山本寛斎。

読売新聞創刊110周年記念イベントとして、西新宿（現・東京都庁）に巨大なテント2基を設置し、CFDによる「東京プレタポルテコレクション」開催。

1986 第4回毎日ファッション大賞受賞。革新的なデザインと時代に対する先駆性が受賞理由。

1989 12月、映画監督ヴィム・ヴェンダースが山本耀司を、モードと東京の二つの主題からとらえたフィルム『都市とモードのビデオノート』をパリで公開（日本では'92年に公開）。

11月、ドイツ分断と東西冷戦の象徴だったベルリンの壁が崩壊。

1990 1月、フランスのリヨン・オペラ座で上演された吉田喜重演出のオペラ『マダム・バタフライ（蝶々夫人）』の衣装を担当。Tシャツのジャージー素材で作られたダークトーンのドレスを制作。

1991 6月、「6・1 THE MEN」を東京で開催。コム デ ギャルソンの川久保玲との合同ショーで、'91-'92秋冬パリ・メンズコレクションの再現。
山本耀司のステージにはミュージシャンのジョン・ケール、チャールズ・ロイドらがモデルとして登場した。

東芝EMIよりソロアルバム『さぁ、行かなきゃ』でミュージシャンとしてデビュー。

「6・1 THE MEN」に対して、第35回FEC賞を川久保玲とダブル受賞。

1992 2月、ダーバンより、ビジネスユースのメンズブランド、A.A.Rを発表。ブランド名は"Against All Risks"の略で、
アウトローの心意気を組織の中でも失わないでほしいという思いを込めた。

1993 7月、ドイツのバイロイト祝祭劇場で上演されたワーグナーのオペラ『トリスタンとイゾルデ』（演出 ハイナー・ミュラー）の衣装を担当。光を吸う性質のある潜水服の素材が使われた。

1994 6月、フランスの芸術文化勲章、シュヴァリエを受章。

第12回毎日ファッション大賞受賞。'94-'95秋冬レディスコレクションが、従来のきものの概念を独自の美意識と技術で再構築したことが評価された。

10月、日本の神話に材を取った神奈川芸術フェスティバルのオペラ『素戔嗚(すさのお)』(作曲・総監督 團伊玖磨)の衣装を担当。

1995 4月、'95-'96秋冬レディスコレクションを札幌で開催。

1996 3月、14年ぶりにニューヨークでコレクション開催('96-'97秋冬レディス)。

「天使と悪魔」をコンセプトにした香水「YOHJI」発売(日本発売は2000年7月)。

第40回FEC賞受賞。'97春夏のパリ・レディスコレクションの、独特のクチュールの完成度が評価された。

1997 9月、ニューヨークの女性だけで運営されるファッション振興組織FGI(ファッション・グループ・インターナショナル)よりナイト・オブ・スターズ賞を受賞。

1998 6月、イタリア・フィレンツェのピッティ・イマジネ・ウォモで、山本耀司と川久保玲がアルテ・エ・モーダ賞を受賞。

10月、ドイツのヴッパタールで、ピナ・バウシュとヴッパタール舞踊団25周年記念祭の一環としてコラボレート。
ピナ・バウシュ以下ダンサーの踊りに加え、9人の空手家の演武が加わり、肉体芸術とモードを融合。

1999 北野武監督の映画『BROTHER』の衣装デザイン(公開は2001年)。

6月、ニューヨークのファッションアワード、第18回CFDA賞のインターナショナル賞を受賞。

9月、共生と救済を表現する『LIFE 坂本龍一オペラ 1999』の衣装を担当。

2002 山本耀司の作品と自身の言葉で構成された『Talking to Myself』(Steidl & Carla Sozzani)リリース。
同書でドイツ・ライプチヒ国際ブックデザインフェア「世界で最も美しい本展」ブロンズ賞受賞。

アディダスとのコラボレーション、Y-3のクリエーティブディレクター就任し、2003春夏パリ・コレクションで発表。

9月、ワイズが2003春夏で初のパリ・コレクションを発表(このシーズン、ヨウジヤマモトは7月のオートクチュールの時期に発表)。

北野武監督の映画『Dolls〔ドールズ〕』の衣装デザイン。

2003 4月、前年パリのヨーロッパ写真美術館で開催された展覧会「Yohji Yamamoto : May I help you」を東京・原美術館で開催。

2004 紫綬褒章、受章。

2005 フランスの芸術文化勲章、オフィシエを受章。

1月、ピッティ・イマジネ・ウォモで、展覧会「CORRESPONDENCES YOHJI YAMAMOTO」をピッティ宮の近代美術館にて開催。

4月、パリのモード・テキスタイル博物館で展覧会「Juste des vêtements」開催。

一人のデザイナーから発信されるファッションマガジン『A MAGAZINE curated by Yohji Yamamoto』が出版される。

2006 英国王室芸術協会より、美的で卓越したデザインを続けているアーティストが対象の「名誉ロイヤルデザイナー・フォー・インダストリー」(Hon. R.D.I.)の称号を授与される。

3月、アントワープのモード博物館MoMuにて、展覧会「Yohji Yamamoto—Dream Shop」開催。

2008 ロンドン芸術大学名誉博士号授与。

4月、北京の故宮に隣接する太廟(現・北京市労働人民文化宮)にてワイズのショーを開催。

2009 11月、パリ・カンボン店「YOHJI YAMAMOTO」オープン。

2010 4月1日、東京・代々木の国立競技場第2体育館で、東京では19年ぶりとなるヨウジヤマモトの
メンズコレクション「YOHJI YAMAMOTO THE MEN 4.1 2010 TOKYO」を発表。

出演者　あがた森魚、(仮)ALBATRUS(三宅洋平、越野竜太、白石才三、Peace-K)、
石上純也、市毛實、石橋蓮司、伊藤健志、宇梶剛士、宇野亜喜良、加藤雅也、木倉将貴、近藤良平とコンドルズ、佐藤タイジ、SABU、鮫島秀樹、椎名誠、Zeebra、
ジョニー吉長、TAKASHI、東出昌大、フィリップ・トルシエ、真木蔵人、松井龍哉、松岡正剛、ムッシュかまやつ、ローラン・グナシア

2011 3月、ロンドンのヴィクトリア&アルバート博物館にて英国初の展覧会を開催。
本展の一部としてロンドンのザ・ウォッピング・プロジェクトおよび、ザ・ウォッピング・プロジェクト/バンクサイドの両ギャラリーでも関連展示が行なわれた。

初の自叙伝『MY DEAR BOMB』(Ludion)のフランス語版、英語版に続き、日本語版が岩波書店より刊行。

10月3日、フランスの芸術文化勲章、コマンドゥールを受章。

2012 2013春夏パリ・レディスコレクション期間中に、ヨウジヤマモトの新ライン「REGULATION Yohji Yamamoto」発表。

フランス・イエールで、2012年度イエール国際モードと写真のフェスティバルの審査委員長を務める。

3月、北京で「如意・2012 中国ファッションフォーラム」に参加。

7月、イスラエル・テルアヴィヴで展覧会「Yohji Yamamoto at Design Museum Holon」を開催。

2013 ヨウジヤマモトの新ライン「REGULATION Yohji Yamamoto MEN」発表。

4月、世界有数のベルリンのアートフェア「ギャラリー・ウィークエンド」で「Cutting Age : Yohji Yamamoto」開催。
ヨウジヤマモトの代表的なアーカイブ作品でのショーを聖アグネス教会で行なったほか、二つのイベント(ドキュメンタリーフィルムのプレミア公開、インスタレーション)を開催。

山本耀司の本『服を作る モードを超えて』(聞き手 宮智泉)が、中央公論新社より刊行。

Editor's Note
あとがき。

山本耀司さんの本を編集しながら気がついたいくつものこと。田口淑子 text : Toshiko Taguchi

私のクロゼットの中身は偏っている。色は多彩な表情の黒と紺色がほとんどで、グレー、カーキ、ボルドー、それにベージュの濃淡と白がわずかに交じっているだけ。レースやフリルの服は数点あるが、〝甘いレースやフリル〟のものは一つもない。

レースやフリルを、甘くフェミニンなものではない、全く別な価値観のものに置き換えることのできる、類いまれなデザイナーが世界にはわずかにいて、彼らのクリエーションが、従来の服の〝既成概念〟を折々に革新しているのだ。そういったデザイナーがつくる、私にとっては唯一無二の、寡黙で、強く、美しい服に、若い頃から吸い寄せられてきた。

タグを確認しないまでも、掛かっている服の半数以上は、ヨウジヤマモトとワイズ。そしてコム デ ギャルソン、ジル・サンダー……。玄関のクロゼットには20着近いコートを詰め込んであるが、数えてみたら、半数以上がヨウジヤマモトのものだった。本書の84ページでピナ・バウシュが着ている、ひと目でヨウジのフォルムだとわかる、厚手モッサのコートも、撮影記念に購入したその中の一着だ。

執着心なのだろうか

年2回、多くの展示会に行って、気に入るとついオーダーしてしまう。当然服は収納しきれず、1、2度着ただけで人に譲ることが多い。だが上記のデザイナーの服だけは、どうしても手放すことができずに、20年、30年前のものもしまい込んでいる。飽和状態のクロゼットをあけては、時に自分の執着心に辟易する。

「山本耀司へ。クリティック、オマージュ、インタビューetc.」の項目では、1980年代以降、30人を超える人がヨウジさんを語ったテキストの中から、具体的で、書き手の感動がわかる、ヨウジさんのモードの本質を突いたテキストをピックアップした。今回再読してみたら、フランカ・ソッツァーニさんや、エリザベート・パイエさんが同じような服への、パーソナルな思い入れを書かれていて、ヨウジヤマモトの服を手放せないのは私だけではなかった、これはただの執着心とは違うものなのだと安堵した。山本耀司のつくる服が着る人の心にどう作用してきたのかその具体例として、未読のかたはテキストをぜひ読んでみていただきたい。

激動する時代を見て

ちょうど私が文化出版局を定年退職した2010年頃から、ネットが全盛、ウェブマガジンがはやりだし、テレビや新聞でも「活字と紙媒体は死んだ」という論調の、識者によるコメントが増えた。毎日の通勤から解放されてフリーの立場になった私は、人生で初めてというほどテレビをよく見、新聞や雑誌を熟読した。そして、「時代は転換した」とためらいなく解説する文字を疑いながら読んだ。それからわずか2年もたたずに、同じ書き手の論調は、「活字とネットは共存する」と変化していた。激動の時代ではある。だが、出版不況の渦中にいる、多くのファッション誌編集者の知人たちの心労を案じていた私は、文面を読むたび「この人もやっぱり、ただのトレンディ知識人だったか」とひとり毒づいていた。

ネット上にはファッションに関する軽いクリティックがあふれ、知識と理論優先の若手評論家が重用されている。これも、ただの〝トレンディ〟そのものに見えて、今後自分が原稿を書くときは、知ったふうな難解な言葉は一切使わないと決心したほどだ。こういった現象は、服をつくる才能のある若手にもマイナスな影響のほうが多いことは必至だと思われる。だが、澁澤龍彦の、私の好きな一節を借りれば、「形而上学？　そんなものは家来どもにまかせておけ」という気分で、時代の推移を見ている。

服は、理屈ではなく何よりまず五感で感じるものなのだ。自分にとって必要な服は、何かを発信してくる。問いかけてくる。つくる人が人知れぬ格闘を乗り越えて完成させた服には、それを必要とする人間に感銘を与えるものが宿っている。子どもの頃に見た、一枚の絵や、映画のワンシーンは人の記憶の底に定着して、未来に影響する。服もまた、そういう作用をもたらすアイテムであり、私個人にとっては、山本耀司の服がその種類のものなのだ。

素人の時代

'13年7月頃、ヨウジさんのこれまでの仕事と私が文化出版局で編集してきた雑誌の両方をよく知る人からメッセージをいただいた。

「監修される山本耀司さんの本、渾身の一冊を楽しみにしています。コピー商品と偽物と促成栽培の安物がまかり通り、ガールズコレクションと東京コレクションとパリ・コレクションを、等しくファッションショーとひとくくりにして報道する、見識を持たないメディアが多数派を占めるこの末期的な〝素人の時代〟に、モードとは何か、山本耀司さんが何と格闘を続けてきたかを、御社の雑誌の、長年にわたる貴重な記事を再編集することで、世の中に一石を投げていただきたいと思います。これは、文化出版局にしかできないお役目ではないでしょうか」

ヨウジさんの膨大な仕事を回顧するのでも、年度を追うのでもなく、加えて礼賛するのでも、読者に結論を押しつけるのでもなく、内容を重複させることなく採集して再編集することの意味。簡潔なメッセージを読んで、この本で自分の果たす役割りが明確になった。

4月、本格始動

ヨウジさんと数年ぶりにお会いして、本格的に始動したのは'13年の4月だが、担当者からA3用紙およそ1000枚の、『ハイファッション』『ミスター・ハイファッション』『装苑』3誌の、バックナンバーを見開きごとコピーした、ヨウジさんの記事が送られてきたのは1月の初旬。どう整理し、どの記事をピックアップするかは、迷宮に足を踏み入れたような難問で、すぐに手をつけることはできなかった。

もう一つ、進行半ばで苦戦したのが、著作権や肖像権に関する海外と日本の認識のずれ。日本は著作権後進国なのだと気がついたのは夏になった頃だ。オファーする相手はファッション界に限らず、映画、オペラ、舞踊、建築、美学と多岐にわたり、日を追うごとに、年齢不詳な風貌と体形の山本耀司が、簡単には手出しのできない〝巨人〟であることを、あらためて認識させられた。

何人でこの本をつくったか

進行しながら、常に反芻してきたシンプルな言葉がある。「人は自分に見えているものしか見えない」今見えていることの、その先には進めない個人の限界を表わす言葉として、編集の仕事にも、ほかの仕事にもすべての現場に通じる理だと思う。

この本は、これまでの雑誌の記事を二次使用（二次使用はあらゆる側面で大事なテーマだ）する前提で、編集担当の村松諒が山本耀司さんの企画を'12年12月に提出したところに始まる。当初は担当者と私の二人で進めることになっていた（正式には今も同じだ）。だが進行するにつれて、その無謀さに気がついた。そんな経緯の中で、前述の理を思い出しては、担当編集者二人の不足部分を補ってくれる人たちに、次々と助っ人を頼んだ。

現在は別のセクションにいる元『ミスター・ハイファッション』副編集長の蛯子典郎さん。現在『装苑』編集部、元『ハイファッション』メンバーの岡田佐知子さんの二人は、貴重な週末を割いて休日出勤しサポートしてくれた。現在ドイツ滞在中で、ピナ・バウシュの上演台本の日本語訳も担当されている立教大学教授の副島博彦さん。副島さんはじめ、力になってくれるかたたちを推挙、紹介してくれた、大野一雄舞踏研究所事務局の溝端俊夫さん。一緒に編集していた「早稲田大学ファッション／社会文化研究会」の書籍を途中でストップしてしまった私を全面的にサポートしてくれた、同大学文化構想学部の山口達也さん。そして、編集作業の初期から、英語の不得手な私のために文句を言いつつ英文を和文に、和文を英文に即日訳してくれた実弟の田口整。

総勢何人になるのか数えるのも困難な、海外のかたたちの著作権や肖像権の承認を、根気よく一人ずつクリアしてくれた、ヨウジヤマモトの星野彩さんと、パリ・オフィスのアリシア・デ・トロさん、文化出版局パリ支局の水戸真理子さんと、イザベル酒井さん。

ヨウジヤマモト社側では、ヨウジさんとともにアトリエワークをこなしつつ、コレクション写真やビジュアルページを直感的な判断力で確認してくれた久保正さん。星野彩さんを専任のごとくこの仕事に采配し、海外著作権の相談にまで尽力してくれた村木剛さん。'13年1月に書籍化の打診をしたときから、ヨウジさんの承諾を引き出し、編集過程でも適切なアドバイスをくれた、広報担当であるワグの伊藤美恵さん。その右腕で、多い日には10回を超える編集部とのメールに素早く対応してくれた安田直子さん。ヨウジさんのアシスタントとして昨年入社した馬旖旎（フォギー）さん。

文化出版局側では、整理・進行は『ミスター・ハイファッション』時から担当し、つい考え込んで停滞しがちな私を巧みに誘導してくれた礒津加都巳さん。柔軟な判断力に絶対的信頼をおく校閲の中神直子さん。雑誌掲載時の各ADのデザインへの敬意を忘れず、緻密でクールなリ・デザインで一誌全体を構築してくれた長年の仕事のパートナー、アートディレクターの二本木敬さん。

1968年から

時には20年以上も前に撮影した写真のネガやデータを労を惜しまずに探しだして、雑誌未収録だった予備写真も提供し、再掲載に協力してくれたすべてのフォトグラファー。テキストの再録を快諾してくれた世界中の執筆者。誌面に登場した内外の多くのかたたちとそのマネジャーのかた。そして忘れてならないのが、1968年から文化出版局の三つの雑誌に在籍して、ヨウジさんのページを担当した歴代の編集者と、当時の編集長。すべての皆さまに、担当者の村松諒とともに、心からのお礼を申し上げます。一冊の書籍をつくるには長すぎるほどの時間を要した。それでもまだ、何かとても大切なことの確認を忘れている気がしてならない。

2013.12.25. クリスマスの日に。

Toshiko Taguchi
文化出版局にて、1991年から2003年、『ミスター・ハイファッション』編集長。'96、'97年と、'05年から'08年、『ハイファッション』編集長を務める。それ以前、『ハイファッション』『装苑』に編集者として在籍した。同出版局雑誌編集部長を務めたのち、2010年退職。現在はフリーランスのエディター

3 Magazines

山本耀司を取材してきた3つの雑誌。

『装苑』『ハイファッション』『ミスター・ハイファッション』の3誌の中から、山本耀司を特集した号と、モデルがヨウジヤマモトの服を着用している、比較的最近の表紙を、スタッフクレジットとともにピックアップ。各雑誌の略歴も記した。

SO-EN October 1998
photograph : Christoph Rihet
hair : Toshi
makeup : Rie
models : Dawning, Eugene
art direction : Tetsuji Bang! (Bang! Design)

SO-EN August 2002
photograph : Higashi Ishida
makeup & hair : Katsuya Kamo (mod's hair)
coordination : Naoko Kikuchi
model : Mandi Wright
art direction : Kai Hirose (FEZ)

SO-EN June 2004
photograph : Takashi Miezaki
styling : Yuki Watanabe
makeup & hair : Akihiro Sugiyama (mod's hair)
model : Anastassia
art direction : Kai Hirose (FEZ)

SO-EN

1936年創刊の、日本で最長の歴史を持つファッション誌。'50年代の洋裁ブーム、'60年代のプレタポルテの進出、'70年代に始まるデザイナーズブランドの台頭と、"日本のファッションの現在"を紹介し続けてきた。'54年2月号では、前年、文化服装学院が創立30周年を期して招聘、開催した「クリスチャン・ディオール・ファッションショー」を大特集。'56年、デザイナーの登竜門となる「装苑賞」を創設。同賞は、'69年に受賞した山本耀司(160ページ)はもとより、コシノジュンコ、高田賢三、山本寛斎、熊谷登喜夫ら、のちに世界のファッションを牽引する才能を輩出している。山本耀司を取材した初のオリジナル記事(162ページ)は、'69年5月号に掲載された

high fashion May 1996
photograph : Rowland Kirishima
makeup & hair : Katsuya Kamo (mod's hair)
model : Karen
art direction : Kei Nihongi

high fashion February 2002
photograph : Risaku Suzuki
model : Lulla
art direction : Ryoichi Shiraishi

high fashion December 2006
photograph : Rrosemary
styling : Kazumi Horiguchi
makeup & hair : Tomita Sato
model : Anne Marie
art direction : Kei Nihongi (9B)

high fashion

1960年、高度経済成長期の幕開けに女性の社会進出を予見し、知的でハイレベルな生活を志向する読者を対象に、写真、テキスト、グラフィックのどれもが一流で上質であることを理念に創刊。創刊号でいち早くパリのオートクチュールコレクションを取材。'66年にパリ支局開設。日本の雑誌で初めてパリ・コレクション取材が正式に許可される。以来、東京の編集部とパリ支局が連携し、海外のデザイナーの紹介にとどまらず、'70年代には三宅一生、高田賢三の世界での活躍を追った。本誌に再掲載した山本耀司の数々のバックステージや独占取材記事もパリと東京の連動による。2010年4月号を最後に休刊

MR September 1991
photograph : Taishi Hirokawa
models : Phillipe Butcher, Jamie Morgan
art direction : Yuji Kimura

MR June 2001
photograph : Akira Matsuo
model : Yohji Yamamoto
art direction : Kei Nihongi (9B)

MR October 2002
photograph : Yasuo Matsumoto
makeup & hair : Tomita Sato
model : Pina Bausch
art direction : Kei Nihongi (9B)

MR

1981年、『ハイファッション』のメンズ版として創刊。デザイナーズブランドの台頭と連動し、本格的なメンズファッション誌として認知される。時代の先端をいく俳優やミュージシャンに加え、ジョルジオ・アルマーニ、ジャンフランコ・フェレなども表紙に登場。山本耀司は、'91年のリニューアル以降、頻繁に特集を組み、表紙に山本自身が2度登場。写真左、コム デ ギャルソンとのジョイントショー、「6・1 THE MEN」を特写した'91年9月号。中、2001年6月号。特集「山本耀司。無頼で、ピュアで」で、コレクションアーカイブや、インタビュー、アトリエなどを紹介。右、ピナ・バウシュが登場した'02年10月号の表紙。'03年6月号をもって、『ハイファッション』に合併する形で休刊

山本耀司 Yohji Yamamoto

1966年慶應義塾大学卒業後、文化服装学院入学。'72年ワイズ設立。'81年、パリ・コレクションに初参加。'84年、パリ・メンズコレクションに初参加、同年、株式会社ヨウジヤマモト設立。'89年、ヴィム・ヴェンダースが山本耀司と東京を主題に映画『都市とモードのビデオノート』を製作。'91年、コム デ ギャルソンとの合同ショー「6・1 THE MEN」開催。'93年、ワーグナーのオペラ『トリスタンとイゾルデ』の衣装を担当。'94年、フランスの芸術文化勲章、シュヴァリエを受章。'98年、ヴッパタール舞踊団25周年で、ピナ・バウシュとコラボレーション。'99年、北野武監督の映画『BROTHER』の衣装をデザイン。'02年、アディダスとのコラボレーションによるY-3をパリ・コレクションで発表。'04年紫綬褒章、'05年、フランスの芸術文化勲章、オフィシエを受章。'11年、フランスの芸術文化勲章の最高位、コマンドゥールを受賞。

STAFF

編集・監修 Editor, Supervisor
田口淑子
Toshiko Taguchi

デザイン Art Director
二本木 敬
Kei Nihongi (9B)

文化出版局編集担当 Editor (Bunka Publishing Bureau)
村松 諒
Ryo Muramatsu

整理・進行 Managing Editor
礒津加都巳 (文化フォトタイプ)
Katsumi Isozu (B.F.T.)

校閲 Proofreader
中神直子
Naoko Nakagami

編集協力 Editorial Cooperation
アリシア・デ・トロ / イザベル酒井
蛯子典郎 / 岡田佐知子
副島博彦 / 田口 整 / 星野 彩
溝端俊夫 / 水戸真理子 / 山口達也
Alicia de Toro / Isabelle Sakai
Norio Ebiko / Sachiko Okada
Hirohiko Soejima / Sei Taguchi / Aya Hoshino
Toshio Mizohata / Mariko Mito / Tatsuya Yamaguchi

写真提供 Photo Provider
文化学園ファッションリソースセンター
Bunka Gakuen Fashion Resource Center

協力 Cooperation
株式会社ヨウジヤマモト
Yohji Yamomoto Inc.

山本耀司。モードの記録。

モードの意味を変えた山本耀司の足跡を探して。

文化出版局

2014年2月3日　第1刷発行
2023年7月24日　第4刷発行
発行者 清木孝悦

発行所 学校法人文化学園 文化出版局
〒151-8524 東京都渋谷区代々木3-22-1
Tel. 03-3299-2489（編集） 03-3299-2540（営業）

印刷・製本所 凸版印刷株式会社

文化出版局のホームページ　https://books.bunka.ac.jp

All About Yohji Yamamoto from 1968

First published in Japan in 2014 by Bunka Publishing Bureau
3-22-1 Yoyogi, Shibuya-ku, Tokyo 151-8524, Japan
Phone: +81-3-3299-2581, +81-3-3299-2540
URL: http://books.bunka.ac.jp
Printed and bound in Japan by Toppan Printing Co., Ltd.